Эдвард Радзинский

Дочь Ленина. Взгляд на историю...

Издательство АСТ

Москва

УДК 821.161.1
ББК 84(2Рос=Рус)6—44
Р15

Радзинский, Эдвард Станиславович.

Р15 **Дочь Ленина — Взгляд на историю...** / Радзинский Э. С. — Москва : Издательство АСТ, 2016. — 416 с.

ISBN 978-5-17-102419-2

Пять новых историй от Эдварда Радзинского.

УДК 821.161.1
ББК 84(2Рос=Рус)6—44

ISBN 978-5-17-102419-2

СОДЕРЖАНИЕ

Дочь Ленина. Взгляд на историю из постели

1979 год, январь.

В ярко освещенной комнате ползают по полу двое мужчин Мужчины плохи. Один из ползающих — известный в стране главный режиссер совсем известного театра, Другой безвестный актер того же театра и преданный собутыльник известного.

— Ой, беда... Ох беда то какая, — печалится режиссер.

— Крепись, друган! — соболезнует актер.

Подкрепились из стоявшей на полу батареи бутылок.

— Нету, нету Ленина, — сокрушается режиссер.

— Нету!

Ползают.

— А юбилей подкрался! 110 годков ему в следующем году. Мог ведь жить, — всплакнул режиссер.

— Он все мог. Одно слово — Ленин! Человек — гора.

Подкрепились еще.

— Кто у нас Ленин?! — неожиданно заорал режиссер. — Отвечай, враг народа! Кто?!

— Кто? — горестно ответствовал актер. — Нету!

— Я — Ленин! — вдруг выкрикнул режиссер.

— Пьянь ты, а не Ленин.

— Точно, какой же я Ленин?! Гавно я!

Подкрепились И продолжили ползать.

И все случилось.

Режиссер вдруг мутно взглянул на актера и прошептал.

— Едрена вошь! Ты — Ленин!!!

И тотчас захрапел в бесчувствии на полу.

1985 год, август

В темноте — стоны любви. Потом — страстный женский крик: «Мамочки, мамочки, мамочки, мамочки — о!о!о!».

Тишина.

Потом раздается тот же ЖЕНСКИЙ ГОЛОС.

ЖЕНСКИЙ ГОЛОС: Ужасно кричу.

МУЖСКОЙ ГОЛОС: полный неги: Как хорошо!

ЖЕНСКИЙ ГОЛОС: Не люблю, когда про это говорят.

МУЖСКОЙ ГОЛОС: Зажечь, свет?

ЖЕНСКИЙ ГОЛОС: Ненавижу свет...

МУЖСКОЙ ГОЛОС: Ничего не видно...

ЖЕНСКИЙ ГОЛОС: Ну зажги, зажги... там у входа.

Стук босых ног.

МУЖСКОЙ ГОЛОС: Да где ж тут выключатель?

ЖЕНСКИЙ ГОЛОС: Справа от гимна... ну под Лениным... Вот Америка безрукая.

Скрип кровати, торопливый стук женских ног по полу. Она включает свет.

ЖЕНСКИЙ ГОЛОС: Ох, ёклмн, ну не смотри!

Освещается странное помещение. Огромная комната: с одной, пустой стены свисают ободранные обои... Но зато остальные стены в комнате щедро украшены: портреты маршалов Советского Союза, плакаты с изображениями великих полководцев и флотоводцев славного прошлого: Суворов, Кутузов, Нахимов и прочие. Над ними писанная маслом копия знаменитой картины: «Ленин читает газету «Правда»». Рядом — плакат с текстом гимна СССР. Две другие стены — отданы коммунистической Партии: портреты генсеков КПСС: Черненко, Андропова. И большой плакат — члены Политбюро во главе с Горбачевым. Рядом — плакаты с правилами разборки и сборки автомата «Калашников».

К стене прислонены щиты с лозунгами — «Партия — ум честь и совесть нашей эпохи», «Да здравствует советский народ — неутомимый строитель Коммунизма».

Всю мебель в комнате составляют: стол, на котором остатки еды и пустая бутылка из-под шампанского, 2 стула — на них свалена мужская и женская одежда, и огромная кровать, около которой стоит полупустая бутылка шампанского.

Включив свет, ЖЕНЩИНА опрометью бросается в постель. Голый МУЖЧИНА не торопясь следует за нею.

ОН: Но почему? Ты такая красивая...

ОНА: Я не люблю когда на меня смотрят.

ОН: Стесняешься?

ОНА: И не люблю, когда говорят на эти темы. Есть закурить?

МУЖЧИНА вновь вылезает из кровати и голый шарит в карманах одежды, разбросанной на стуле.

ОНА: Ну и бесстыжий...

МУЖЧИНА бросает ей пачку.

ОН: Я не курю... Это я купил на всякий случай...

ОНА: А я курю...

ОН: Здорово мы сбежали. Твой дружок в ресторане с ума сойдет?

ОНА: Хорошо говоришь по-русски.

ОН: Я и есть русский.

ОНА: Чего?!

ОН: То есть я американец, но русского происхождения.

ОНА: Эмиграшка-заморашка?

ОН: Нет, нет... Мои родители уехали туда еще до революции. Ну почему ты натягиваешь одеяло? Ты так хороша.

ОНА: Отстань.

ОН: Твое тело совершенно, и этот сводящий с ума переход от попы,

ОНА: Я ненавижу эти разговоры.

ОН: Твои ноги как ливанский кедр, твои губы... — ласкает ее.

ОНА: Ну перестань...

ОН: (шепотом) Может?..

ОНА: Не сейчас — я устала. Ну убери ногу... Жарко.

ОН: Я погибаю с тобой.

ОНА: Пекло под этим одеялом. Ну отвлекись. Ну лучше что-нибудь расскажи. Анекдот какой-нибудь... Я люблю анекдоты...

ОН: В Америке несмешные анекдоты. Лучше ты расскажи... Мне интересно: я ведь по профессии советолог (ласки).

ОНА: Опять ты! Ну не надо.

ОН: Специалист по СССР.

ОНА: Ну, я не настроилась... Ну подожди!

ОН: Как красиво висят твои трусики... Я сравнил бы их...

ОНА: Ну что ж ты такой неуемный... Ну, хорошо, давай я анекдот расскажу: «Можно ли построить Коммунизм в Сахаре? Можно, но песка не будет...».

ОНА хохочет, ОН тоже вежливо смеется.

ОНА: Еще анекдот. Только затихни... Там... Знаешь, у нас Брежнев, Андропов померли один за другим. Назначали Черненко — он тоже откинул копыта... И вот мужик приходит на Красную площадь на очередные похороны. Гэбэшник ему: «Ваш пропуск?» — «А у меня абонемент...»

ОН: Класс! (ласки).

ОНА: Ну опять ты... Ну не надо, лучше слушай: на заседание Политбюро приходит Брежнев совсем грустный и говорит: «Последнее время западными радиостанциями распространяются слухи, будто наш товарищ член Политбюро товарищ Пельше — дебил. У нас есть заключение врачей, что все это бессовестная клевета империалистов... Да вы и сами знаете, какой большой смекалкой обладает наш друг, член Политбюро товарищ Пельше: когда на похоронах члена Политбюро товарища Суслова заиграла музыка, кто первым пригласил свою даму танцевать?» (хохочет) ... Уймись... Ну всюду твои ноги — сколько же у тебя ног?

ОН: Я осьминог... У тебя не будет неприятностей с твоим другом?

ОНА: «Не понял»

ОН: Потерять такую девицу!..

ОНА: Ты серьезно?

ОН (не слушает — он в эйфории): Отбить бабу! Ну надо же! В Штатах у меня такие проблемы с женщинами... Я даже думал, что я импотент.

ОНА: Точно — нет.

ОН: Я и сам себе поражаюсь. Причем с самого начала... Пригласить танцевать девушку, которая пришла с другим, да еще увести ее — для меня — научная фантастика. А когда в танце я почувствовал твою грудь.

ОНА: Это когда я прижалась? Думаю — сколько же можно без толку танцевать!

ОН: Нет, нет у меня так никогда не было. У меня обычно проблемы.

ОНА: Ты уже говорил, Надо было давно попробовать с проституткой.

ОН: Не для меня... Как подумаю, что *это* за деньги...

ОНА: Ага, это всегда с мужиками: как подумают, что надо платить — сразу все пропадает. У меня есть подруга, она говорит: «Хочешь отвязаться от мужика — попроси у него взаймы». Народная Пословица!

ОН: Да и проблема СПИДА...

ОНА: Уж поверь — безопаснее проституток не бывает. Профессионалки, они все предусматривают, Милый, но по-моему, ты что-то не усек?

ОН: (не слушая): «Мы провода под током — к друг другу нас того гляди вдруг бросит ненароком».

ОНА: Да замолчи ты! Ты вправду не сечешь ситуацию?

ОН смотрит на нее.

Долгая пауза.

ОН (понял): Да ты что?!..

ОНА: Ну!

ОН: Неужели?!

ОНА: А тебе не объяснили, что это за ресторан? И какие там сидят дамы?

ОН: А... твой друг?

ОНА: Он прежде работал охранником, кстати, в твоей гостинице. Чтобы девушке пройти в интуристовскую гости-

ницу — надо иметь или такого знакомого или швейцара... И платить им — не только деньгами.

ОН: Почему же ты не захотела ко мне в отель, если у тебя такое полезное знакомство?

ОНА: Потому что теперь он в твоем отеле не работает... Но, как видишь, остался моим другом.

ОН: Сутенером!

ОНА: Ну вот, разобрался, наконец! Надеюсь «не в отеле» было не плохо?

ОН: И сколько я тебе должен?

ОНА: Немного по вашим меркам. У вас, слыхала, меньше сотни не берут, У нас скидка — мы восемьдесят.

ОН: Чего?

ОНА: Думаешь, рублей?

ОН: Надо же — первая девушка, в жизни которую я отбил. Я гордился.

ОНА: Гордость — большой грех, любимый!

Он поднялся на кровати.

ОНА: Ты чего?

ОН: Я сейчас отдам, а то я забывчивый.

ОНА: Ничего, лежи, я не забывчивая — напомню.

ОН: Так было удивительно!

ОНА: Только не грусти.

ОН: (спохватился): Да! Мне ведь нужно звонить.

ОНА: Ну вот — сразу вспомнил про дела. Под кроватью. В смысле — телефон.

ОН (шарит под кроватью рукой): Как же я мог забыть!

ОН вынимает телефон из-под кровати.

ОН: Все удобства.

ОНА: Не все. Писать — идти на следующий этаж. В тридцать вторую квартиру — там одна бабуля обитает.

ОН: А что это, вообще, за помещение? (набрал номер) Алло! Здравствуйте, Свету можно? Меня зовут Борис. Дело в том, что вы меня не знаете. Она тоже. Я приехал из Ленинграда, от одного ее знакомого, и мне нужно срочно ей кое-что передать. А когда она вернется? Можно будет перезвонить — это не будет для вас поздно? Спасибо.

Вешает трубку.

ОНА: Значит ты Борис?

ОН: Я — Билл. Но в силу некоторых обстоятельств я не хочу говорить этим людям, что я из Штатов.

ОНА: Кстати, Биллчик, ты помнишь как зовут меня?

ОН: Честно?

ОНА: Забыл.

ОН: А потом как-то неудобно было спрашивать.

ОНА: Ну да, все так быстро случилось — «трам — бам — сэнкю мадам». А ведь я тебе сразу сказала — я всегда сразу говорю свое имя, чтобы успеть... Инесса, только не Инна, а именно Инесса.

ОН: Прости.

ОНА: Нет, ты прав: «Не повод для знакомства». Есть такой анекдот... Послушай, ты опять?!

ОН: (нежно) Как странно, а я думал, что все...

ОНА: Ну хорошо, ну выключи свет. И заодно выбрось окурки — аккуратно... Ведро справа от Ленина...

Он торопливо выключает свет. Стук босых ног, скрип кровати. ГОЛОС ЖЕНЩИНЫ в темноте: «Мамочки, мамочки, мамочки, мамочки — о! о! о!»

Прошел час. Они одеваются.

ОН: Ты грандиозная!

ОНА: Ну вот видишь: и с проституткой тоже можно...

ОН: Не надо.

ОНА: Режет слух? У нас в Совке придумали — «Ночные бабочки» — по-моему пошло. И сентиментально. Проститутка — строже, и как-то профессиональнее. Светлана — которой ты звонил в виде Бориса — это кто же?

ОН: Запомнила.

ОНА: Ненавижу это имя.

ОН: Это сложная история. Как тебе объяснить...

ОНА: Если не можешь — не объясняй.

ОН: Я приехал на ней жениться.

ОНА: Круто.

ОН: Только жениться не по правде.

ОНА: Не понял.

ОН: Я профессор в университете. Это у вас в Совке профессор — важная птица, а в Штатах — голь. Адвокат, врач, бизнесмен — они люди...

ОНА: Ничего у нас тоже так будет.

ОН: Конечно будет, куда вы денетесь Вообще, все, что говорили о социализме большевики — это ложь Но все что они говорили про капитализм — правда... Короче, мне нужны деньги. И один сукин сын, ваш эмигрант, предложил мне... В Союзе у него осталась любимая, а он в Америке женился. Но затосковал — не может забыть русскую любовь.

ОНА: Как романтично! Что делать, наша баба — это до могилы.

ОН: Я взялся доставить ее в Штаты. То есть жениться на ней и привезти.

ОНА: Киску — на блюдечке.

ОН: Ассигновал... сумму!

ОНА: С тобой все ясно: ты тоже — проститутка... Ну ладно — поболтали. Пора хилять отсюда. В 12 должны освободить квартиру.

ОН: Но все-таки — что же это за помещение?

ОНА: Этот дом, предназначенный на снос. Здесь был раньше ДОСААФ.

ОН: ДОСААФ! Звучит, будто у тебя насморк. И что это?

ОНА: А говоришь — советолог. Это прежде была такая ВИП-организейшн. «Добровольное общество содействия армии и флоту». Здесь ветераны, маршалы... Опять?

ОН: Грандиозно!

Ласки.

ОНА: Перестань! И как тебе не надоест?.. Но в прошлом году их выселили — капитальный ремонт дома...

ОН: А ремонт, коли деньги на него получены, не начинается годами. Потому что деньги сразу...

ОНА: Сперли. Теперь вижу ты — советолог. И я подсуетилась. Думаю, на хрена мне в гостиницах швейцарам пла-

тить, когда такое отличное помещение! Сначала платила технику-смотрителю, который наблюдает за домом... Но теперь мой дружок на себя оформляет... Он как ушел из отеля — стал трудится как это говорится, в силовых структурах (смеется). Здесь теперь у него вроде явочной квартиры.

ОН: Что?!... Значит тут прослушивается?!

ОНА: А в отеле — не прослушивается? Ничего — свои слушают, не американцы... Кстати, здесь, думаю, нет. Зачем?... Я ведь сама докладываю про встречи с иностранцами...

ОН: Да ты что!

ОНА: Так положено. К тому же мне за это деньги платят. Только одно плохо — требуют в письменном виде.

(Хохочет).

ОН: Значит ты работаешь на КГБ?

ОНА: Хочешь предложить на ЦРУ?

ОН (испуганно): Ты что? Ты что?!

ОНА: Нет, на ЦРУ не буду. Если бы я жила у вас, тут другое дело, тогда ради бога (хохочет).

ОН: Послушай, значит все что я говорил про эту Светлану...

ОНА (долго хохочет): Да, нет, я шучу! Ну пошутила... Ну не боись — все шутка. Люблю пошутить с вашим братом — иностранцем — вы все так смешно пугаетесь... И главное: сразу забываете про нежности. Хоть одеться спокойно можно. А то пока одеваешься — сто раз приходиться раздеваться.

ОН: Действительно? Шутка?

ОНА: Ну если бы правда, разве я бы рассказала? Что я дура?

ОН: Поклянись.

ОНА: Всегда пожалуйста. Клянусь. Могу дать и честное пионерское впридачу (хохочет). Значит в Америку хочешь нашу девушку вывезти? Кстати, в вашей Америке живет мой хороший знакомый.

ОН: Американец?

ОНА: С клиентами — ни-ни... Разок и разошлись как в море корабли! Он — моя первая любовь. Роскошный брюнет, изволивший лишить меня невинности в четырнадцать

лет... А заодно и мою лучшую подругу... (хохочет). Но какой был проницательный! Помню сказал мне: «Девчушка, чую, пора сваливать за бугор — потом такая толкучка начнется, потом столько нас набежит!» Анекдот говорит знаешь: «Что надо делать если в Совке откроют границу?... Влезть на дерево чтобы не затоптали!» (хохочет). Он кроме девок анекдоты любил. До сих пор вспомню и смеюсь. И ведь правда — столько наших набежало! Чтобы побыстрее смотаться, мой анекдотчик заплатил мною одному... Конечно, не только мною — баблом тоже. И представляешь, какого-то несчастного еврея не пустили, а вместо него по еврейской визе выехал мой друг, который кстати русский... Вот такие интересные мерзавцы гуляют сейчас по вашей Америке! С чем вас и поздравляю! (хохочет). Нет, я ему благодарна: главное объяснил мне какой капитал подарила мне природа. «Все мое ношу с собой», — сказал философ. Вот так! Каждый должен научиться: сначала эксплуатировать себя, уже потом — других!

ОН: В четырнадцать лет?! Мерзавец!!!

ОНА: По-моему ты ревнуешь. И правильно. Забыть его невозможно. Как я его провожала! Сколько слез! В тот день отъезжало много настоящих евреев. У меня с евреями особые отношения. Я, вообще-то, могу считать себя почти еврейкой.

ОН: Это как?!

ОНА: Ну это долго объяснять... Эти настоящие сидели в аэропорту и пели песню.

«Вы слыхали, как поют жиды.

Нет, не те — не белоголубые». Это флаг такой ихний — Израиля.

«А жиды, советские жиды, вечные изгнанники России.
Вот они расселись на вещах и поют, заглатывая слезы,
Про любовь и трели соловья и про отчий дом, и про березы.
В дальний путь до голубой звезды.
Вас доставит Боинг,
не промедлив.

А пока в порту поют жиды,.
Так зовут на Родине евреев».

Я даже прослезилась... Домой пришла и даже отец расчувствовался...

ОН: А кто твой отец?

ОНА: О, мой отец! Большой человек.

ОН: (насмешливо) Член Политбюро?

ОНА: Бери выше.

ОН: Горбачев?

ОНА: Еще выше...

ОН: (глядя в небо): Иди на фиг!

ОНА: Нет, все-таки ниже. Ну ладно — пора. Познакомились. И разбежались, Билл... БИЛЛУША... Нужны ли тут прописные?

За окном звук льющейся воды.

ОНА Вот гады!

ОН Что это.

ОНА: «Что-что!» Ссут. На Арбате туалетов нет Вот народ и трудится во дворах! Не очень-то слушать приятно... в романтические минуты! Ну ладно, адью, братцы-кролики!

ОН: Ну, может, все-таки, еще повидаемся.

ОНА: Не обижайся. Понимаешь, «слаба на передок»... Быстро привыкаю. И работе мешает. Так что — нет!

ОН: Ты про КГБ, действительно, пошутила?

ОНА: Абсельман... Всё — «кис ми» и — в разные стороны.

ОН: Только позвоню. В последний раз (берет телефон). Светлану можно? Понятно. Ну хорошо. Я тогда уже завтра буду звонить.

ОНА: Нету?

ОН: На дежурстве.

ОНА: Видать, крутое дежурство у твоей Светаньки.

ОН: Что-нибудь передать в Америке твоему знакомому?

ОНА: Хорошая мысль. Моему знакомому от меня одно нежное слово: подонок!

ОН: С удовольствием. Но адреса не знаю.

ОНА: А зачем? Останови у вас на улице любого нашего, И скажи ему — «подонок». И каждый будет знать за что!

Комната в московской квартире. Сейчас здесь двое — тот самый безвестный актер (теперь он с бритой наголо головой) и Билл.

БИЛЛ: Здравствуйте.

БРИТЫЙ: Здравствуйте, товарищ.

БИЛЛ: Простите, это я вам надоедал по телефону все эти дни.

БРИТЫЙ: Значит, это вы, голубчик, Светаньке дозваниваетесь?

БИЛЛ: Глупейшая история. Уже 10 дней не могу с ней соединиться, а мне скоро улетать.

БРИТЫЙ: Да вы проходите, батенька, в комнату... Обувь у нас не снимают. Возвращается Светуля очень поздно с работы, что поделаешь. Все девушки, голубчик, от работы норовят отвязаться, а моя — наоборот, еще дежурит. И допоздна. А вы, поинтересуюсь, батенька, по какому поводу хотите с нею встретиться?.. Нет-нет, я отнюдь не вмешиваюсь в ее жизнь, но — нота-бене: такие нынче тяжелые случаи, а она у нас — архидоверчивый человек.

БИЛЛ: Я письмо привез. Для нее.

БРИТЫЙ: Давайте-ка сюда, товарищ.

БИЛЛ: К сожалению, могу только в собственные руки. Такая договоренность.

БРИТЫЙ: Как хотите. У нас в семье — совершеннейшая свобода. Правда, не до анархии А вокруг, повторюсь, — очень тяжелые случаи. В стране криминогенная ситуация. И наша мягкотелость. Расстреливать стесняемся, батенька... Чайку не хотите?

БИЛЛ: Нет-нет, не беспокойтесь!

БРИТЫЙ: А я, пожалуй, выпью, пока труженица наша подойдет.

БРИТЫЙ уходит и вскоре возвращается с чайником в руках. Но как же он переменился — наклеил бородку и усы!

И... торжествующе глядит на Билла.

БИЛЛ: Боже мой! Ленин!

«ЛЕНИН» (снисходительно улыбаясь): Сахарок будете вприкуску? Владимир Ильич любил посидеть, похрустеть сахарком и о мировой революции с соратниками побеседовать. О мировой, запомните это, товарищ из Ленинграда. (Шутливо) Так сказать, товарищ из города имени меня.

БИЛЛ (совершенно потрясенный): Владимир Ильич!

«ЛЕНИН» (скромно): Ильич умер. А перед вами просто человек. Очень похожий на Владимира Ильича Ульянова-Ленина. Главное, дорогой товарищ, не терять личную скромность.

(Ставит на стол бутылку водки).

«ЛЕНИН»: Как вы догадываетесь — сам не пью. Можно ли пить с лицом Ленина? А вы — не стесняйтесь. Российский пролетариат водочку уважает.

БИЛЛ: Я тоже не пью... Ленин!

«ЛЕНИН»: Чувствую, батенька, не можете избавиться от мистических восклицаний. Между тем мистики тут нет. История очень простая (пьет чай, звучно хрустя сахаром). Я всем ее рассказываю с превеликим удовольствием. Надо сказать, был я никому неизвестным актеришкой в знаменитом театре. И вот однажды наш главный режиссер... Человек, известнейший но тяжко больной «русской болезнью» решил поставить пьесу о Ленине. На пороге как раз мой юбилей — 110 лет. Был в театре, конечно, актер, который всегда играл Ильича, но помер, бедолага. Нужен новый Ленин. А где взять? Этот купол головы, этот череп Сократа? А ленинская одержимость? А «искра» в глазах, простите за каламбур? И понял наш главный — нету у него Ленина. Нотабене: что делает наш человек, когда проблема неразрешима?

БИЛЛ: Я думаю.

«ЛЕНИН»: И правильно думаешь. Но с кем пить? С самым горьким пьяницей в театре. Тогда это был я! Только я один мог его перепить. В Театре –Тень Отца Гамлета — вот и все мои роли... Ну если ты Тень — как не пить... В тот раз наш знаменитейший очень горевал... Пьем день. Потом три... Неделю. Пошла вторая. Не закусываем. Ползаем по комнате, как два лунохода. О Ленине все горюем На десятый день подползает он ко мне и шепчет: «Я знаю, кто Ленин. Я — Ленин...» «Нет, — говорю, — пьянь ты горькая, а не Ленин». Он плачет. «Точно, — говорит, — какой же я на хрен Ленин? Гавно я!». Еще пьем. Уже почти не движемся. И, как сейчас помню, подползает он ко мне и вдруг за волосы хвать! А у меня шевелюра шикарная была. Я думал — драться лезет. Хочу ему в рожу врезать — а силушки нет. А он мои волосы — назад, как будто отдирает, и шепчет: «Знаешь, кто Ленин? Ты — Ленин». И замертво падает пьяный. И я — за ним... Дома очнулся — голова разламывается. И вдруг — будто слышу голос: «Ты — Ленин». Подхожу к зеркалу, вот к этому, жениному трюмо, жена-покойница еще жива была, волосы закрываю полотенцем и обмираю.

БИЛЛ: Ленин!

«ЛЕНИН»: Ленин.

БИЛЛ: Скажите, ваша дочь...

«ЛЕНИН»: Придет, батенька, придет... И вот мчусь в театр, беру усы, бородку — домой приехал, опасной бритвой голову обрил. И наложил усы и бородку. Кричу жене. Входит, глядит на меня — и хвать за сердце. И шепчет...

БИЛЛ: Ленин!

«ЛЕНИН»: Да, Владимир, говорю, Ильич Ульянов-Ленин. Вот так все и случилось. С тех пор жизнь пришлось переменить. К примеру — алкоголь! Ни-ни-ни...

БИЛЛ: Ни-ни-ни.

«ЛЕНИН»: С вами очень приятно беседовать, товарищ, из города имени меня.

БИЛЛ: И мне тоже необычайно интересно. Но я все думаю: а может, сижу напрасно? Может, ваша дочь... попросту не придет?

«ЛЕНИН»: Обижаете! Дочь Ильича ночует только дома. Вы, конечно, знаете мое знаменитое е письмо к Инессе Арманд, где Ильич сурово осуждал интеллигентски-мещанские внебрачные связи противопоставляя им здоровый пролетарский брак!

БИЛЛ: Но, если память не изменяет, он с этой Инессой...

«ЛЕНИН» (мягко): Перефразируя известное выражение: «Что дозволено Ленину, то не дозволено быку». Вот так началась моя новая жизнь. Естественно, вскоре я пришел к Главному. Надо сказать, что пьяный — он со мной друг первейший. А трезвый — с трудом узнавал. Вхожу в кабинет. Он, как всегда, после запоя — мрачный, спокойный. Смотрит на меня молча — величественно: дескать, что тебе, Тени, надо? Я, тоже молча, вынимаю усы и бороду — и нацепляю, И на него гляжу. «Действительно, Ленин, — говорит. — Ну и что?» Я говорю: «Как это — ну и что!? Я — Ленин!».»Ленин ты Ленин, а играть его не можешь? Фамилию поменять ты же не хочешь?» Так началась моя трагедия. Дело в том, батенька, что фамилия у меня для Ленина не самая удачная — Рабинович.

БИЛЛ: Разве вы...

«ЛЕНИН»: Никогда! Чистокровный русак! Вы что, не видали евреев с фамилией Иванов? А я — русский с фамилией Рабинович.

БИЛЛ: Но почему?

«ЛЕНИН»: Революционный прадед. Он был эсер, и в знак протеста против царского антисемитизма взял себе фамилию Рабинович. И мой дед был тоже революционер, но уже большевик. И конечно, он сохранил нашу революционную фамилию — Рабинович. Но мать моя была, к сожалению, из богатого крестьянского рода. Ее отец жил с нами. И вот сойдутся, бывало, два деда, спорят, кричат...

БИЛЛ: (усмехнулся) И долго они кричали?

«ЛЕНИН»: Вижу, правильный ответ знаете. До 37-го. Сначала революционного деда постреляли, потом крестьянского отправили в лагерь, как кулака. Наконец и за отцом моим пришли. Важный он был — заместитель наркома. А энкеведешник ему: «Ах ты Рабинович, жидовская морда!» И физиономию расквасил... Из всех них, надо сказать, вернулся только дед-кулак. Его уже во время войны выпустили. И на фронт. Он сразу в окружение попал. Сначала в немецкий лагерь, а в 45-м — в американский. Американцы его в СССР вернули, и у нас его отправили уже в наш лагерь!

Он, когда вернулся, говорил мне малолетке: «В жизни задавай только два важных вопроса: “Бьют ли? И кормят ли?» В немецком лагере сильно били, и совсем не кормили, в американском — не били и кормили. Ну а в нашем — опять — били, и не кормили»... Но этот хоть вернулся. А мои-то ленинцы — Рабиновичи — с пулей! И как же мне, после всего этого — сменить фамилию Рабинович? Представьте, что бы сказал на подобное Ильич? О, Ильич умел осуждать соглашательство. «Мерзавец» «политическая проститутка», «сволочь» — это у него как пряники.

БИЛЛ: Поучительный рассказ... Но ваша дочь...

«ЛЕНИН» (не слушая): Но решился я попытать счастье на киностудии. Тогда как раз вся страна готовилась праздновать (как бы в шутку) мой юбилей. Такие торжества! Только подумай... Всего сто десять лет назад Ленин родился. Ведь живут же столетние. И он, значит, мог вполне жить.

БИЛЛ: И вы могли бы с ним встретиться — два Ленина!...

«ЛЕНИН»: Тогда на Мосфильме — сколько картин про него снималось. И вот беру свою ленинскую кепочку и бородку — и туда. Помню — голоден был, решил зайти в буфет. А там — жуткая картина: стоят в очереди за шницелем — три Ильича. Друг за дружкой. Меня от такого кощунства оттуда ветром сдуло. Иду по коридору и в открытую дверь вижу картину: плюгавый человечек развалился на диване и перед ним навытяжку стоит — ну, кто бы вы думали?

БИЛЛ: Он!

«ЛЕНИН»: Он! Он! Ильич! И плюгавый мерзавец криком кричит на него. Я схватил стул и... Плюгавый оборачивается... Ну представляете — вдруг перед вами вырастает второй Ильич — уже со стулом.

БИЛЛ: Разрыв сердца!

«ЛЕНИН»: Ничего подобного. Бросился лобызать меня. «Где ж ты раньше был, — кричит. — Какое лицо! Я тебя всю жизнь искал».

БИЛЛ: А вы ему — фамилию!

«ЛЕНИН»: Он только и вздохнул: «Ах, Рабинович, Рабинович. Огорчил ты меня, Рабинович! Но ничего, мы тебе ее

сменим, тебя все равно никто не знает».— «Это, — говорю, — ты меняй свою фамилию, благо ты ее уже сменил. А мою революционную фамилию не трожь!»

БИЛЛ: Я все-таки хотел бы уточнить насчет вашей дочери. Сейчас уже 11 часов.

«ЛЕНИН»: Да что ж ты такой неспокойный. Придет. Тебе ж сказали... Но Ленина я все-таки сыграл. И не раз. Вот, смотри (он торжественно вынимает огромный альбом и начинает листать его). Теперь отличи на фотах: где я, а где — Ленин? Да ты на меня не смотри, ты в альбом смотри.

БИЛЛ: Ну надо же! Это — настоящий?

«ЛЕНИН» (торжествующе): Это я.

БИЛЛ: А это — вы?

«ЛЕНИН»: Настоящий! А это?

БИЛЛ: Настоящий?

«ЛЕНИН»: Я! Дальше.

БИЛЛ: Вы!

«ЛЕНИН»: Точно. Как узнал?

БИЛЛ: А кто это рядом с вами? Кто это?!

«ЛЕНИН»: Чего это, ты так взволновался? Дочь, Светанька.

БИЛЛ: Какое хорошее лицо!

«ЛЕНИН»: Работает в ДОСААФе. Помогает старикам-ветеранам.

БИЛЛ: Что ж, самое подходящее занятие для дочки Ленина!

«ЛЕНИН» (возвращаясь к рассказу): И вот в те дни, когда вся страна расцветала торжественными заседаниями...

БИЛЛ (все рассматривая фото): Надо же!

«ЛЕНИН»: Да, отлипни ты от этой фоты, Короче был у нас хороший обычай: ты молодой, не помнишь, конечно. В дни годовщин Октябрьской Революции после торжественного заседания в зале появлялся сам Ильич. Поздравлять трудящихся со своим юбилеем. В городах столичных звали конечно знаменитых артистов. Ну а городкам поплоше тоже хочется живого Ильича. Вот они ко мне и обращались. Таким макаром я с ленинской кепкой всю страну облетел. Перед торжественными заседаниями часто было открытие памятника. И, конечно, я в первом ряду! Помню, в Уссурийске приключилась знаменитая история: там два скульптора памятник Ильичу делали. Один запил — пришлось доделывать другому. И вот сняли покрывало с памятника, я речь поздравительную держу — а за мной Ильич в граните, энергичный такой, в пальто и кепке. А в руке у него... другая кепка. И что интересно — никто не заметил. И я сам не заметил. Я уже улетел в другой город, к другому Ильичу... А в Уссурийске только на третий день какой-то мальчонка к отцу пристал: мол, я тоже хочу ходить с двумя кепками, как дедушка Ленин... Но главная моя радость это когда в городском театре после торжественного заседания стремительной походкой Ильича я входил в зал, шел по проходу. Бурные овации. И в эти минуты я уже не видел зажравшихся райкомовских морд. Передо мной был Смольный в день Октябрьской Революции, актовый зал, горели люстры и товарищ Троцкий объявлял бушующему в восторге залу, этим серым солдатским шинелям: «Среди нас появился прибывший в Смольный товарищ Ленин»... Кричи «ура!»

БИЛЛ: Это вы мне?

«ЛЕНИН»: Кричи «ура».

БИЛЛ: Ура!

«ЛЕНИН» (влезает на стул, кричит): «Революция, о необходимости которой говорили все время большевики, свершилась!» Овация! (БИЛЛ хлопает) Кричи: «Ура!»

БИЛЛ (кричит): УРА!!

Дверь открывается и входит та самая «Инесса».

ИНЕССА: Это что за крик?

«ЛЕНИН» (угодливо): Вот и доченька пришла. А тебя товарищ из города имени меня дожидается.

ИНЕССА (строго): Товарища вижу. Но и тебя вижу — почему-то в усах и бороде?

«ЛЕНИН»(горестно): Нарушил! Нарушил!

ИНЕССА: Приведи себя немедленно в порядок, папа.

«ЛЕНИН»: Доченька, Светанька! Я просто чтобы развлечь немного товарища.

ИНЕССА: Ну какая же я Светанька? Ты же переименовал. Так что, «товарищ из города имени его», я — Инесса. В честь любовницы товарища Ленина Инессы Арманд.

«ЛЕНИН»: Ну как ты можешь?! Товарищ Арманд — боевой товарищ по партии, недаром я написал ей в письме...

ИНЕССА: Ты еще не отклеил бороду?

«Ленин» понуро покидает комнату.

ИНЕССА: Бывают такие волшебные совпадения... Это может произойти только со мной. Смешно, но у меня уже там мелькнуло...

БИЛЛ: 10 дней я звонил!

ИНЕССА: Да, 10 дней я не подходила к телефону.

БИЛЛ (насмешливо): А я подумал: много работаешь.

ИНЕССА: И это тоже. Я рада, что ты сможешь передать сукиному сыну — я тоже стала сукиной дочерью.

БИЛЛ (вынимает письмо): Мы предполагали, что могут обыскивать на таможне. Так что он написал всего одну фразу (протягивает письмо).

ИНЕССА: По-моему, я уже сказала: не интересует (разрывает письмо).

БИЛЛ: Ничего, я наизусть помню: «Прошу тебя, делай все, как попросит вручатель письма».

ИНЕССА: Надеюсь, передашь, что именно так я и поступила.

БИЛЛ: Но я не собираюсь этого передавать.

ИНЕССА: Да! Конечно: ты же собираешься получить от него бабло...

БИЛЛ: Послушай, все-таки есть смысл подумать.

ИНЕССА: Ну зачем занудничать?

Входит «Ильич» — опять с чайником. Он без усов и бороды.

«ЛЕНИН»: Чаек свежий (разливает). А гость у нас оказался молчаливый. Очки только трет и меня слушает.

ИНЕССА: И правильно. Он, видимо, ждал окончания вашей ленинианы., Папаша рассказал вам о своем преступлении?

«ЛЕНИН»: Ну перестань.

ИНЕССА (неумолимо): И за что с него усы и бороду сняли?

«ЛЕНИН»: Ну не надо (угодливо). Небось, устала на дежурстве.

ИНЕССА: Жизнь в ДОСААФе, папаша, не останавливается порой до утра. Ветераны — люди старые, у них бессонница. Приходят, делятся с нами воспоминаниями о войне и победах. Но это не отменяет твоего рассказа: гость наш заждался!

«ЛЕНИН» (вздохнул): Ну хорошо, хорошо. Дело случилось в городе Калинине... Калинин — хитрый был мужичонка. Недаром в его честь город прозвали. Еще при Ленине выдвинулся, потом стал первым президентом. Сталин у него тогда жену и посадил. И в лагере ей поручили ответственную работу: арестантское белье стирать и от вшей очищать. И вот сидит она, вшей давит и по радио голос мужа из Кремлевского дворца слушает.

ИНЕССА: Папа!

«ЛЕНИН»: Я к чему это говорю. Сталин не просто старых большевиков сажал. За этим (зашептал) была большая тайна. Условлено все это было с Ильичом. Заранее.

ИНЕССА: Нам, папаша, неинтересны ваши детективы. Мы покаяние ваше хотим выслушать.

«ЛЕНИН» (вздохнув): Значит, в городе Калинине, на стадионе, решили устроить парад кинозвезд. Все знаменитые киноактеры в костюмах своих героев должны были проехать по полю стадиона. Конечно, великий актер Бабочкин в бурке героя революции Чапаева, на тачанке, и другой великий — Марк Бернес, должен был спеть свою знаменитую песню из кинофильма «Два бойца» и, конечно же, знаменитейший актер, который играл в кино Ленина, на ленинском броневике должен был въехать на стадион и сказать любимые ленинские слова... Но знаменитейший не поехал... И они уговорили меня.

ИНЕССА: Здесь папаша неподробен. Они предложили ему прикинуться этим самым знаменитейшим актером, сыгравшим Ленина. Папаша должен был под его фамилией проехать на броневике. И он согласился!

«ЛЕНИН»: Да, согласился. Не из-за денег. Хотел перед всем стадионом произнести незабвенные ленинские слова: «Революция, о которой...»

ИНЕССА: Как вы понимаете, эти слова были записаны на пленку, в исполнении того же знаменитейшего артиста.

«ЛЕНИН»: Неважно! Ведь я шептал бы их, пока его голос гремел на стадионе. Но в тот день был дождь и очень холодно, и администратор. Негодяй, который устраивал концерт, и предложил мне... (замолчал).

ИНЕССА: Что предложил? Мы ждем.

«ЛЕНИН» (кричит): Не мучь!!! И вот сижу я, пью водку, согреваюсь, и чувствую — пьянею. А рядом уселся Чапаев. Но это оказался не великий Бабочкин, а какой-то неизвестный, загримированный под Бабочкина. А рядом пьет Бернес, но это был не Бернес, а тоже — загримированный под... И тут я понимаю, что администратор, чтобы платить малые деньги, собрал всякую шваль!...

ИНЕССА: Не сбивайся. Итак, подходит очередь папаше выступать, а папа-Ленин, оказывается, пьян. С ленинской бородкой, в ленинской кепке... пьян!

«ЛЕНИН» (почти плача): И они меня к священному красному стягу привязали, чтобы не упал. И тут выяснилось, что ботинки мои ленинские пропали. Видимо, «лже-Бернес» спер. И тогда архимерзавец администратор придумал мои ноги выкрасить в черный цвет. И вот выезжаю я — пьяный Ленин без ботинок, с черными ногами, а за мной на тачанке — пьяный Чапаев, и по полю идет — пьяный «Бернес». И тут я как закричу: «Дорогие сограждане! Это не настоящий Бернес! Это не настоящий Бабочкин...» Но администратор, подлец, врубил фонограмму, и сверху, с небес, Ленин прокричал: «Революция, о необходимости которой говорили большевики, свершилась!». А снизу я ору: «Это не Бернес!» И тогда — знамя не выдержало, и я упал на броневик. И все сограждане поняли — Ильич — пьян (замолчал).

ИНЕССА: Нет уж, до конца говори.

«ЛЕНИН»: А потом администратор бил меня по ленинскому лицу... Ну как мне было жить после этого?

ИНЕССА: Еще бы: Ильич с побитой физиономией.

«ЛЕНИН»: Спасибо партии: повелела мне остаться жить. Ночью, во сне, я услышал голос партии.

ИНЕСА: Мы с партией по ночам разговариваем!

«ЛЕНИН»: Партия наложила на меня архистрогий выговор: 6 лет не подходить к ленинской бороде и его усам, 6 лет не надевать его кепку и жить актером Рабиновичем. Я взял себе партийное задание: за эти годы прочесть все, что написано о Ленине. И сейчас я представляю каждый ленинский день. Вы поняли — каждый! Спрашивайте — любой. Ну спрашивайте!

ИНЕССА: Папаша, думаю — хватит!

«ЛЕНИН»: К примеру: 8 ноября 1918 года годовщина Октября. Допустим, 11 часов дня. Где я?

БИЛЛ: Наверное, на Мавзолее?

«ЛЕНИН»: Мавзолей еще не построили — я еще жив. Но вы почти догадались, батенька, — я на Красной площади, на трибуне. Конечно держу речь. Кстати ночью эту трибуну соорудила бригада интеллигентских хлюпиков, содержавшихся для перевоспитания в революционной тюрьме. Вся Москва полыхала в тот день красным кумачом.

ИНЕССА: С тех пор и исчезла у нас материя для одежды.

«ЛЕНИН»: Какая глупость шить одежду, если можно шить флаги. Еще пример. Наобум. Любое число...

БИЛЛ: К примеру, сегодняшнее — 18 августа, но 19-го года.

«ЛЕНИН»: Прекрасно. Партия заставила меня позировать художнику Анненкову. Я — жертва партийной дисциплины, согласился позировать. Во время сеанса он что-то болтал об искусстве, и когда он уходил — я сказал ему всю правду: «Когда закончится пропагандистская роль искусства — мы его чик-чик, дзык-дзык — и отрежем»... Кстати, он ее записал.

ИНЕССА: Ну а теперь, папа, мы тебя: чик-чик...

«ЛЕНИН» (уходя): Дзык-дзык. Не люблю интеллигенцию. Обожаю рабочий класс.

«Ленин» уходит.

ОНА (Биллу): Какое счастье, что это с ним случилось Даже не верится — шесть лет свободы Значит до августа 91 года могу отдохнуть от его сумасшествия.

БИЛЛ: Но вернемся к нашим баранам.

ИНЕССА: Ну что ж. Скажешь Артурке, что я возмущена предложением. Какой-то американский наглец приехал жениться на дочке Ленина. Неужели мало, что у вас живет дочка Сталина? И вообще: зачем отсюда уезжать? Здесь грядет великое время. Сейчас я зарабатываю побольше Горбачева. Разве у вас я смогу зарабатывать побольше Рейгена? Скоро здесь будут такие возможности для людей с деньгами: бандюги, мафиози, проститутки — это все будущие богачи. Так что папа-Ленин ошибся: совсем не кухарка будет управлять государством. И передай моему мерзавцу, что я приеду в ВАШУ Америку, но богатой! Это будет шикарный визит — «Из России с любовью». Визит нестарой Русской Дамы. (Прислушивается. Потом тихонечко подкрадывается к двери и с силой ее толкает).

Крик «ЛЕНИНА»: А-а!

Держась за голову, входит «Ильич».

«ЛЕНИН» (сохраняя достоинство): Пришел попрощаться. До свидания, товарищ. Я не люблю «гражданин», я предпочитаю ленинское «товарищ».

ИНЕССА: А я, пожалуй, скажу вам — прощайте.

БИЛЛ: Что ж, прощайте. (уходит).

ИНЕССА: Опять под дверью? И тебе не стыдно? Ты же — Ленин.

«ЛЕНИН»: Всегда надо сохранять революционную бдительность. Тогда не было подслушивающих устройств. Все решали уши. Хорошо было товарищу Сталину — у него был архислух. Он мог слышать разговор в третьей комнате. И это очень важно в борьбе с уклонами в партии. А что делать Ленину? Он был гений во всем, но уши — обыкновенные.

ИНЕССА: Ты хочешь сказать, что Ленин тоже все время подслушивал?

«ЛЕНИН»: Я не настаиваю, это всего лишь историческая версия. Настаиваю на другом: этот человек мне кажет-

ся очень подозрительным. И я чувствую, он совсем не из Ленинграда.

ИНЕССА: Что ж, революционная бдительность не подвела — ты прав: он... из Америки.

«ЛЕНИН» (в ужасе): Из Америки!

ИНЕССА: И он прожил в России 10 дней. Ну? Неужели ты не понял, папа, кто это?

«ЛЕНИН»: Кто это?

ИНЕССА: Товарищ Джон Рид!

ПРОШЛО шесть лет.

1991 год, август, 18.

Та же подвальная комната бывшего ДОСААФ. Те же портреты по стенам и тот же «Ленин, читающий газету Правда».

Но на столе теперь факс и телефон с автоответчиком, а в углу — переносной японский телевизор с видео. И прежняя огромная кровать теперь покрыта шелковым японским покрывалом. И стульев теперь три. Третий — с вертящимся сидением. В углу у входной двери, на аккуратно расстеленной газетке — два огромных сапога.

ИНЕССА разговаривает по телефону со включенным спикером, так что слышен голос собеседника:.

МУЖСКОЙ ГОЛОС: Ну, и сколько сегодня?

ИНЕССА: Как вчера.

ГОЛОС: Не густо.

ОНА: Вторая половина августа, осень — всегда спад. Фирмачей мало.

ГОЛОС: Послушай, ты где деньги держишь?

ОНА: «Не понял»...

ГОЛОС: Здесь намечается интересное дельце — может, соединим капиталы?

ОНА: Не будем. Раздельно всегда лучше. Значит, записывай: икру — естественно, закажи сколько сможешь. Часы-

хронометр — тоже. Книг по искусству не бери, пол-Арбата ими торгует. Словарей — побольше. Затем — шесть гжельских сервизов, мне заказали «глухонемые».

ГОЛОС: Кто?

ОНА: Папа-Ленин так называет капиталистов. Подожди-ка (прислушивается. Звук льющейся воды за окном. Она бросается к окну, орет). Гады! Факены! (возвращается к телефону).

ГОЛОС: Ну что там?

ОНА: А ты не знаешь. «Заяц» — в смысле японец, ссыт!

ГОЛОС: Ну а что делать? Туалетов рядом нет. Сейчас холодно. Может, милиционера поставить?

ОНА: Есть идея. Иностранцев на Арбате — море. Ты достаешь форму, нарядим техника-смотрителя, В разгар иностранного писа он появляется и объявляет: «по распоряжению мэрии за нарушение общественного порядка — 100 долларов».

ГОЛОС: Не дадут.

ОНА: Дальше мягчаем, и за 20 будем отпускать.

ГОЛОС: Взрослеешь, дивчина. Сегодня я буду допоздна на работе. Может, на часок к тебе заехать?

ОНА: Да ну тебя! Уже столько раз было. Скучно! У нас четыре новых продавщицы — неужели тебе мало? Продолжаю список. Матрешки «Горбачев» — закончились да и берут их хреново. Зато «Ельцын» пошел классно, всего 5 матрешек осталось. В понедельник жду тебя со «стафом».

ГОЛОС: До понедельника надо дожить.

ОНА: «Не понял».

ГОЛОС: Шутка.

ОНА: Главное забыла... Когда ты начинаешь приставать, у меня все вылетает из головы. На днях подошли ко мне два южных гражданина. Они попросили достать им — догадайся, что?

ГОЛОС: Ну?

ОНА: Танк.

ГОЛОС (восторженно) Иди на *...!

ОНА: Раз на Арбате просят — значит, кто-то где-то уже продает. Не прозевать бы. Дают три лимона. Или СКВ по курсу (Звук воды. Она бросается к окну). Твари! Суки! Финик! Факен! (Хватает сапоги, открывает дверь и швыряет их один за другим в кого-то на улице).

ГОЛОС: Развоевалась.

ОНА (возвращается к телефону): Хоть сапоги, наконец, выбросила... вонючие сапоги этого сукиного сына техника-смотрителя... Ну что такое! Берет зелененькими, а порядка во дворе никакого. Не могу жить в этом писсуаре. Доставай к понедельнику милицейскую форму.

ГОЛОС: Ну ладно, до понедельника. До интересного понедельника.

ОНА: «Не понял»?

ГОЛОС: (засмеялся) Я же сказал — шутка.

(Гудки в трубке).

Она открывает тетрадь и записывает: «План на 19 августа». Узнать о милицейской форме. Это во-первых. Матрешки «Горбачев» не брать (резкий звонок. Подходя к двери) Кто там?

МУЖСКОЙ ГОЛОС ИЗ-ЗА ДВЕРИ (Не твердо): Это Инесса?

ОНА (удивленно): А кто ее спрашивает?

ГОЛОС: Жених.

ОНА: Боже мой! (открывает).

Входит Билл.

ИНЕССА (будто ничего особенного, будто совсем не удивилась.): И давно в столице?

ОН: Давно. Целых три часа.

ОНА: Хочешь сказать, сразу, с аэродрома?

ОН: Хочу сказать.

ОНА: Соврал?

ОН: Самое смешное — нет.

ОНА: Ты, помнится, Билл?

ОН: Спасибо что помнится, Инесса. Все-таки 6 лет!

ОНА: Боже мой, неужели прошло 6 лет?!

ОН: К сожалению. Но все это время...

ОНА: Ты думал обо мне!

ОН: Вот это — действительно — самое смешное. Но я шел сюда почти без надежд. Представить, что все то же и дом по-прежнему стоит в ожидании ремонта — шесть лет!

ОНА: Он еще сотню простоит! Мои правнуки будут здесь обитать, это Рашка. А ты так осторожно постучал, интеллигентно. Я сначала даже не расслышала.

ОН: Просто подумал...

ОНА: «Вас понял!»... Нет, у меня теперь другой бизнес: Фирма «Инесса». Генеральный директор.

ОН: А твой... этот?..

ОНА: Сутенер? По-прежнему — большой человек. И по-прежнему в бизнесе — со мной...

ОН: И что за бизнес?

ОНА: Продаем на Арбате туристские радости — матрешек, икру, репродукции. На нас работают уже четыре продавщицы. И еще кое во что инвестируем. Помнишь, сказала: будущее за мной. А ты чего приехал?

ОН: Ты изменилась. И я тоже. Мне надоело сводить концы с концами. И я... Это смешно... Тоже бизнесмен... Очень солидная фирма — я в ней консультант по вашей стране...

ОНА: Бедная фирма. Как ты можешь консультировать? И кто кроме нас самих может нас понять? Наши анекдоты не переводятся ни на один язык.

ОН: Совершенно с тобою согласен. Но дело в том, что я сказал тогда... неправду.

ОНА: Прости...

Прислушались: слышен шум воды, в окне с отдернутой занавеской теперь видны кроссовки.

ОНА (бросается к окну): Сволочи! Твари! Факены!

Кроссовки в окне удаляются.

ОН: Все тоже...

ОНА: О да, СССР рухнет, комуняки уйдут, царь вернется, а в окно тебе по-прежнему будут ссать... В чем же ты меня обманул?

ОН: Я вполне могу быть консультантом по этой стране. И мои родители не эмигрировали до революции — они благополучно живут в Москве... И когда я приехал на тебе

жениться — я ведь был под другой фамилией, потому что я невозвращенец... Я хотел сказать все это, но когда ты про своего друга рассказала... я испугался.

ОНА: Это было лишнее. Он уже на следующее утро позвонил: «Твой гавнюк, оказывается “наш”: Переводчиком был в научной делегации, в Кельне вышел из отеля и не вернулся... Если с ним еще встретишься — морду исправлю на попу. Нам с тобой совсем не нужно, чтобы ты в чем-то была замешана».

ОН: Надо же!

ОНА: Здорово: раньше мы с тобой лежали. А теперь вот сидим... Обсуждаем прошлое. Старость.

ОН: Я когда убежал, первое время был счастлив... Не видеть по телику рожу нашего Кинг-Конга, не читать идиотских газет... И главное забыть эту жуткую программу «Время». Но потом. долго не имел работы — и, наконец, нашел! Мне предложили переводить... программу «Время» на английский! Фирма продавала ее в Университеты — для советологов — этих очкариков в твидовых пиджаках. Ночью мы записывали ее со спутника, днем я переводил и печатал в компьютер. Теперь я был приговорен день и ночь слушать программу «Время». День и ночь — рожи «гэкающих» политбюрошников. Я чувствовал себя в аду.

ОНА: Я тебя пожалела. Но зачем ты ко мне пришел?

ОН: Отгадать не трудно.

ОНА: К сожалению, я бросила этот бизнес.

ОН: Послушай, но я хочу.

ОНА: Все хотят.

ОН: Послушай, но я 6 лет хочу.

ОНА: Ты какой-то долгохочий.

ОН: Но я же приехал! Я специально.

ОНА: Только успокойся. Я тебя понимаю, но и ты пойми меня — я не могу задаром. Задаром — у меня нет желания — вот в чем проблема.

ОН: Но я хочу заплатить...

ОНА: Ну ты же видишь: у меня теперь другая профессия...

ОН: Но я безумно.

ОНА: Я тебя понимаю, но пойми и ты меня — нет повода!

ОН: А может... изнасиловать?

ОНА: Не выход. У меня — газовый револьвер. И, вообще, ты вряд ли сможешь, поверь, насиловать нужна большая физическая сила... Не знаю, не знаю, но видимо ничего у нас не получится.

ОН: Слушай, давай в карты, а?

ОНА: «Не понял»?

ОН: Предположим я выигрываю кон — ты что-то снимаешь... В конце концов я тебя раздеваю... ну и тогда, естественно...

ОНА: Ну а если выигрываю я?

ОН: Само собой, раздеваюсь я.

ОНА: Голое мужское тело? С ума сошел! Нет, этого добра я столько перевидала. Это мне не подходит... Но можно иначе. Если выигрываешь ты, я что-нибудь снимаю, если я — ты платишь. В СКВ, естественно Много не возьму — долларов по пятьдесят... ну, шестьдесят за каждый проигрыш. Энтузиазм поостыл?

ОН: Зачем же? Подходит.

ОНА (задумчиво): Похоже на повод.

ОН: Рванулись!

Прошел час.

ОНИ Играют. Она уже без платья, но рядом с ней горка мятых зелененьких бумажек — долларов.

ОН: Кстати, как наш папа Ленин?

ОНА: Как же я забыла! Пардон (набирает телефон). Алло, я сильно задерживаюсь... Как — где? Ты будто с луны свалился — в ДОСААФе. Ветераны-бизнесмены прилетают ночью из Америки. Участники встречи на Эльбе. ... Так что сегодня не жди! Помню, отлично помню, какой знаменательный день у тебя завтра! (вешает трубку).

ОН: И что же все 6 лет верит?

ОНА: Здесь 70 лет верили — и то ничего. Здоровье у него пошаливает...

ОН (в ужасе): Здоровье?!

ОНА: Чего это ты так испугался? Еще бы не пошаливало: когда вслух говорят о реставрации капитализма... Он теперь каждый день ждет нового Октябрьского восстания. Ночью засыпает с этой мыслью — восстанут комуняки в защиту революции. Он ружье охотничье приготовил.

ОН: И по-прежнему исполняет наказание?

ОНА: Завтра заканчивается! Он уже бородку и кепочку неделю тайно примеряет. Ужас!

Прошел еще час. Они по-прежнему играют за столом в карты... Она по-прежнему без платья, зато горка долларов на столе увеличилась.

ОНА: По-моему я тебя хорошо ограбила.

ОН: Да...

ОНА: Люблю мужчин в печали. Они как дети, так смешно расстраиваются. Ну что ж, деньги я выиграла...

ОН: И много выиграла.

ОНА: Да, возбуждает. И хоть жалеть не в моих правилах Но милосердие...

ОН радостно вскакивает со стула.

ОНА: По-моему ты забыл!.

ОН бросается к окну, задергивает занавеску.

ОНА: Еще забыл!

ОН торопливо гасит свет.

ОНА: И вправду помнишь!

В темноте стоны любви. Потом страстный женский крик: «Мамочки, мамочки, мамочки, мамочки — о! о! о!»

Позднее утро Он и Она — только проснулись.

ОНА: Боже мой, сколько сейчас?

ОН: Думаю, около одиннадцати.

ОНА: Чума! Иди мыться!

ОН: Это было этажом выше... по-моему?

ОНА: Естественно там *это* и осталось. Квартира 32. Живет там все та же бабуля. Раньше давала писать задаром. Сейчас туалет нам сдает. У старушки бизнес. Ключ висит под Лениным... Весь дом выселили, только про бабулю забыли. И она в квартире 32 спокойненько живет. Мой —

сейчас серьезный чин в милиции. Он узнал: дом хотят продать иностранной фирме под офисы. Мы поможем бабке приватизировать квартиру, потом у нее купим, и продадим фирме за очень большие баксы. Кстати этот полуподвал мы тоже приватизируем, и откроем ночной бар... Конечно, с девчушками.

ОН: Мне ночью снилось. Какой-то «краснорожий, с лицом похожим на вымя», и ты ему говорила: «Я его, то есть меня, запросто продам». И я проснулся.

ОНА: Мне хотелось бы тебя продать... Да кто купит! А сейчас иди писать, а я буду краситься. времени много. Ну иди, иди, ты же знаешь, я стесняюсь голая.

Он уходит.

Она встает, торопливо делает зарядку, одевается... Ставит кофе на электроплиту.

Он возвращается.

ОНА: Включи телик для бодрости, ненавижу тишину. Там теперь по утрам замечательно орут рок.

ОН: Ненавижу рок — это то, от чего схожу с ума в Америке.

ОНА Теперь у нас будешь сходить.

ОН включает.

ГОЛОС ДИКТОРА: «Образован Государственный Комитет по Чрезвычайному Положению. В СОСТАВ КОМИТЕТА ВОШЛИ»...

Застыв, они слушают сообщение диктора.

ОН: Боже мой!

ОНА: Идиот Горби — отдыхать поехал! Как будто здесь можно отдыхать — здесь можно только умереть! Ну теперь начнется... Сукины дети! Снова партсобрание, Карла Марла, Лукич... Слушай, а папа Ленин — провидец: все ждал событий! Все ружье готовил. Снова «советский народ — неутомимый строитель Коммунизма». Все народы утомились, а мы нет. Ну почему я здесь родилась? Думаю, сейчас придет.

ОН: Кто?

ОНА: Мой! Недаром вчера меня о деньгах спрашивал! Он уже вчера все знал! Нужно в темпе мотать отсюда.

ОН лихорадочно одевается.

ОНА: Торопись! (набирает номер, включив спикер).

ЖЕНСКИЙ ГОЛОС: Алло.

ОНА: Диана, это я.

ЖЕНСКИЙ ГОЛОС: Уже слышала?

ОНА: Слышала.

ЖЕНСКИЙ ГОЛОС: Теперь еще послушай.

Становится слышен глухой грозный шум.

ОНА: Это еще что?

ЖЕНСКИЙ ГОЛОС: Танки.

ОНА: Какие танки?

ЖЕНСКИЙ ГОЛОС: Какие бывают... С пушками!

ОНА: Иди на *..!

ЖЕНСКИЙ ГОЛОС: Ну ты же слышишь. Идут прямо под окном... У меня окна — одно на Садовое — и другое на повороте на Кутузовский...

ОНА: Значит идут к Белому дому...

ЖЕНСКИЙ ГОЛОС: У нас всюду патрули... У меня пост поставили прямо у парадного... Любуюсь сверху на сапоги часовых.

Он нетерпеливо, нервно расхаживает.

Звук льющейся воды за окном.

ОНА (ему): Перестань трусить, лучше отгони от окна эту падлу!

ЖЕНСКИЙ ГОЛОС: Что там у тебя?

ОНА: Как всегда... Та власть, эта власть — все равно ссут у окна.

Он подходит, открывает штору.

В окне видны сапоги. Он тут же испуганно задергивает.

ОН: Сапоги!

ОНА: Ну ладно, Диана, я позвоню.

Звук прекращается.

ОНА: Ну?

ОН: (заглядывает через штору): Стоят!

ОНА: Понятно. Значит — часовой! Так сказать — облегчился «не отходя от кассы» — чего там стесняться...

ОН: Чуть тише говори. Но почему часовой здесь?

ОНА: Это уже привет — от моего...

ОН: От кого?

ОНА: Да, недаром он говорил про понедельник.

ОН (истерически): Ну что делать?! Что ты молчишь!

Звук ключа, отворяющего дверь. Входит молодой человек в штатском.

ОНА: А вот и мой — собственной персоной.

МОЛОДОЙ ЧЕЛОВЕК: Все в сборе?..

ОНА: Позвольте вам представить, Билл, моего компаньона Сашу... А это — господин Билл Джонс...

МОЛОДОЙ ЧЕЛОВЕК: Какой же он «Джонс», мы с тобой отлично знаем — кто он. Ну что, развратничаешь, мужик? Думаешь, если ты оттуда, тебе здесь все можно? Паспорт-то у тебя при себе?

ОН: По-моему, вы что-то не поняли: я американский гражданин.

МОЛОДОЙ ЧЕЛОВЕК: Это вчера ты был американский. А сегодня — наш. Был прежде такой хороший закон: люди, родившиеся на территории СССР — подлежат советской юрисдикции. Был и теперь снова будет. Это значит: ты для нас невозвращенец — Боря Штейн, продавший Родину-мать за чечевичную похлебку... Что ж ты Родину-мать продаешь, паскуда? И нашу проститутку вербуешь в ЦРУ? 6 лет назад помнишь, что здесь говорил? Если не помнишь, мы напомним — благо на ленте записано... (засмеялся) Ишь побледнел, твой клиент.

ОНА: И что же происходит?

МОЛОДОЙ ЧЕЛОВЕК: Книжки надо читать... Взяли мы как то у одного диссидента хорошую книжку — «История города Глупова» называется... Там глуповцы получили свободу — и тотчас начинают что? Безобразничать. И в конце концов в город въезжает новый градоначальник. Настоящий! И начинает что? Пребольно сечь. И глуповцы, как это неудивительно, очень рады... Устали они от свободы. Вот это и происходит сейчас, подружка дней моих суровых! Что делать, у нас только два варианта — или Ивану в ноги, или Петру — в зубы!

ОНА: И ты все знал!

МОЛОДОЙ ЧЕЛОВЕК: Естественно!

ОНА: Ай, ай Сашок. Не предупредил подружку суровых дней.

МОЛОДОЙ ЧЕЛОВЕК: Зачем? Ты враг. Проститутка... Шучу, конечно. Не предупредил вчера, предупреждаю сегодня (хохочет). Я, кума, веселый.

ОН: Ну я, пожалуй, пойду.

МОЛОДОЙ ЧЕЛОВЕК: По-моему, ты шутишь! Нет-нет, тебе посидеть придется. Прости за каламбур...

ОНА: А где же Ельцин?

МОЛОДОЙ ЧЕЛОВЕК: Думаю, на параше, в тюряге. За ним с рассвета ребята поехали на дачу в Архангельское... Поддал наверное по случаю воскресенья... Утром встал: воздух, покой, сидит себе в домашних тапочках — ан ребята уже у дачи. А он, как и ты — не в курсах!. Зря выходит матрешек с его рожей заказывала (хохочет) ...

ОНА: Поболтали и хватит.

МОЛОДОЙ ЧЕЛОВЕК: Да, давай к делу. Ну что ж, мать, наступило суровое время: Строгое время. Будут выявлять — воров-кооператоров, мафиози, шлюх — в общем всю вашу нечесть, разложившую державу. Будут обыски... Так что если хочешь избавиться от лишних денег...

ОНА: Лишних?

МОЛОДОЙ ЧЕЛОВЕК: Можно иначе — опасных. Если хочешь сохранить. ну хотя бы часть...

ОНА: По моему ты меня принимаешь за дуру?

МОЛОДОЙ ЧЕЛОВЕК: По-моему, наоборот (достает из бокового кармана бумаги). Видишь — листики-листочки? Это не листики-листочки, это ордера на арест... Что делать — режим чрезвычайного положения. Текст — один и тот же: «изолировать» Кого? Загадка — пустое место... Ждет заполнения... А мое дело — вписать... Объясните ей, господин невозвращенец, что она просто рождена для этой бумажки —

и проститутка, и кооператор... Плюс ебарь у нее — невозвращенец, заброшенный к нам ЦРУ под другой фамилией...

ОНА: Ну что, денежки тебе — и свободна я?

МОЛОДОЙ ЧЕЛОВЕК: Плюс боязливый друг — тоже... Если откроет «котлету»... Так у нас, сэр, называются личные и толстые бумажники... И отстегнет в благотворительный фонд имени Павлика Морозова... сколько совесть подскажет! Отстегнет недостаточно, ошибется — пусть на себя пеняет... Шутка, конечно. Поверь, мне действительно хочется помочь тебе в память наших не только деловых отношений.

ОНА (Биллу): Мы трахались — он это хочет сказать... (Саше) Прости, Сашок, но... не лучшие воспоминания.

МОЛОДОЙ ЧЕЛОВЕК: А у меня вполне! А ты смелая!. Потому что глупая... Не веришь, что впишу тебя в бумажку... Рассудила детскими мозгами, как же я это сделаю, если мы работали вдвоем? Объясните ей, господин советолог, что существуют у нас только два класса: те, кем управляют и те, кто управляет... То есть — Мы... Будет капитализм — мы будем президентами компаний, придут комуняки — мы будем секретарями партии... так что для нас не бывает ни нового времени, ни старого. Для нас есть только *изменение* тактики! Изменилась тактика — и мы, подруга, тебя сажаем, Изменится опять — и мы с тобой снова в бизнесе... Но все делаем мы, а вы у нас всегда Рабиновичи, даже если вы Ивановы.

ОНА: Хорошо говоришь, но зря. Ты ведь знаешь: я все могу, только не отдать деньги.

Гудок машины.

МОЛОДОЙ ЧЕЛОВЕК: Водила! Что ж надо идти!.. Ну на прощание попроси советолога рассказать тебе, что у нас делают в тюряге с красивыми шлюхами. Дело в том, что охрана получает мало,... Поэтому девушек держат в отдельной камере... И ночью, за бабло, пускают туда состоятельных блатарей... 10 козлов за ночь там рабочий минимум,. Так что, посоветуй ей быть разумнее, молчаливый трус.

И тогда ОН очень нелепо, неумело дает пощечину МОЛОДОМУ ЧЕЛОВЕКУ.

МОЛОДОЙ ЧЕЛОВЕК (уважительно): Поступок... но неразумный.

Ударом сбивает Его на пол и на полу начинает лихо избивать ногами.

Она выхватывает газовый револьвер.

МОЛОДОЙ ЧЕЛОВЕК (продолжая избивать и не оборачиваясь): Не работает. Такой была вся партия. Потому и подарил тебе...

Звонок в дверь.

МОЛОДОЙ ЧЕЛОВЕК: За мной, к сожалению... Ну ладно — отдохнули и будя! (помогает ЕМУ подняться). Утри красные сопли... Аэропорт будет закрыт. За бугор не уедешь. По стране бегать теперь бессмысленно. У нас всюду будет прежний порядок, и теперь тебя всюду из-под земли достанут... (звонок в дверь). Подождать не может, е... й водила! (Идет к двери, открывает).

ВХОДИТ «ЛЕНИН» — в кепке, без бороды и усов. В руках — чехол с карабином.

МОЛОДОЙ ЧЕЛОВЕК: Кто к нам пришел! Никак — «человек с ружьем»? (Уходит).

«ЛЕНИН»: Доча! (обнимает ее).

ОНА: А мы вот с товарищем балакаем... только что из города имени тебя приехал.

«ЛЕНИН» (не слушая, восторженно): Доча! С праздничком тебя! С новым Октябрем! Что я говорил? Опять: «Даешь мировую Революцию!»

ОНА: А как же ты меня нашел, папа?

«ЛЕНИН»: А молодой человек, видать — твое начальство?

ОНА: Оно.

«ЛЕНИН»: Важное — сразу видать: «Волга» с антенной, фары желтые.

ОНА: Ты на мой вопрос не ответил: как же ты разыскал меня, папочка?

«ЛЕНИН»: Архиэлементарно. Взял старый справочник! Но почему в ДОСААФе — кровать? И такой беспорядок.

ОНА: Переезжаем... В новое большое помещение. А кровать теперь во всех ДОСААФах. Ветераны, как старые раны заноют...

«ЛЕНИН»: Ну да, конечно.

ОНА: Но ты мне не ответил, папаша — почему ты пришел без спроса?..

«ЛЕНИН»: Ах, голубушка, сегодня особый день Прекрасный день. На улицах — люди, танки. Прости, но я... Лениным немножко посижу... (накладывая на лицо бородку и усы). Какой день: второй раз за 74 года — мы готовимся подавить буржуазию... И какое совпадение — сегодня конец моего «срока». Я снова Ленин в такой день! Нет, нет я не верю в мистику... Я как-то сурово записал на полях книги Гегеля — «Боженьки захотел негодяй!» Но уж очень знаменательное совпадение... А где остальные работники ДОСААФ?

ОНА: Смешной вопрос.

«ЛЕНИН» Да-да, конечно, ушли на объекты борьбы (ходит, по-ленински, потирая руки). Снова, батенька, будем брать почту, мосты и телеграф!

ОНА: Снова повторю вопрос: как ты посмел — без моего разрешения сюда прийти?

«ЛЕНИН»: Архисложная ситуация потребовала. В 6 утра я услышал о чрезвычайном положении. Это значит все оружие должно быть сдано на поддержку пролетариата. (ЕМУ) Простите, товарищ, но, кажется, мы знакомы?

ОНА: Наконец-то, вспомнил!

ОН: Ну, конечно, 6 лет назад...

«ЛЕНИН»: Да, да, товарищ Джон Рид из США?

ОН: Совершенно точно... Приехал по приглашению ДОСААФ. Устраиваем встречу ветеранов двух стран. Новую «встречу на Эльбе».

«ЛЕНИН»: Только не забывайте, товарищ, о классовом подходе: есть ветераны-пролетарии... но есть ветераны-капиталисты.

ОНА: В последний раз: как ты мог прийти — без спроса?..

«ЛЕНИН»: Да, да. Короче, я поехал сдавать это ружье (вынимает из чехла). Это прекрасное охотничье ружье.

Ильич обожал охоту. Однажды весной он настрелял... не поверите — полсотни зайчиков...

ОН: Какая меткая рука.

«ЛЕНИН»: Именно, именно, батенька. Здесь очень была важна тактика!

ОН: Тактика?!

«ЛЕНИН»: Именно, было половодье, и Ильич ленинским архимозгом прозорливо сообразил: зайчата сгрудятся на маленьком островке. Непременно Так оно и было. И он — дзык-дзык... чик-чик...

ОН: Перестрелял!

«ЛЕНИН»: Всех!

ОН: Я читал в детстве что-то подобное. Называлось — «Дед Мазай и зайцы». Там тоже половодье и тоже зайчики — правда дедушка Мазай их спасал!

«ЛЕНИН»: Хотите укорить Ильича. Не надо! Здесь дело тонкое! Партийное. Еще Троцкий писал — о буржуазном предрассудке, именуемом «священной ценностью человеческой жизни» (Расхаживая с ружьем, иногда машинально наставляя на присутствующих). Есть только одна ценность: интересы пролетариата. И во имя...

ОНА: Положи немедленно ружье!

«ЛЕНИН»: Мы должны уметь перешагнуть... Вот почему тогдашние титаны вытравляли в себе слюнявую интеллигентскую жалость. Не все тут выдерживали, Однажды знаменитый революционер Камо, друг Ленина, придумал закалить волю Федюши Алиллуева, десятилетнего брата жены Сталина (наставил ружье на Него).

ОНА: Немедленно! Отдай! (забирает ружье, но упоенный монологом «Ленин» даже не замечает).

«ЛЕНИН»: Отряд Камо притворился зверски расстрелянным, сам Камо улегся на пол с разрезанным бычьим сердцем на груди, остальные лежали рядом перепачканные бычьей кровью... И когда Федюшка Аллилуев вошел... хлюпик не выдержал — сошел с ума... Так что Ильич даже на зайчиках старался убить в себе ложный буржуазный гуманизм!

ОНА: В последний раз...

«ЛЕНИН»: Все, все. Короче взял я свое ружье, доча, и отправился сдавать его в комендатуру... Иду и мечтаю: Смольный в 17 году, солдаты топчут драгоценный паркет, спят прямо на полу, дымят махоркой... Все пропитано революционным духом... И вот я иду окунуться в атмосферу... Но...

ОНА: Но?

«ЛЕНИН»: Даже внутрь.

ОНА: Не пустили!

ОН: И кто же вас не пустил?

«ЛЕНИН»: Известно кто — часовой.

ОН: А как сюда часовой вас впустил?

«ЛЕНИН»: Не понял, товарищ?

ОН: Ну — часовой который на улице у нашего окна.

«ЛЕНИН» изумленно глядит на НЕГО.

ОН открывает осторожно занавеску: сапоги по прежнему недвижно стоят в крохотном окне.

ОН: Сапоги!

«ЛЕНИН» (не понимая): Сапоги!... (понял, залился звонким «ленинским» смехом). Это два старых сапога, батенька... Кто-то выкинул их и сейчас в одном спит котенок...

(Продолжает по-ленински смеяться).

ОНА: Ну — «синьор динь-динь» — достаточно.

«ЛЕНИН»: А ружье в комендатуру не взяли. Как ни просил... Говорят, не надоедай, дед. У нас этих ружей до хрена... И тогда решился отдать ружье в руки ветеранов. И потому пошел к тебе в ДОСААФ, доча... Вот и вся причина.

ОНА: Помощь мы, конечно, окажем, ружье заберем — нечего тебе с оружием шляться по улицам. Передадим твое ружье в надежные...

«ЛЕНИН»: Пролетарские.

ОНА: Бесспорно пролетарские руки. К сожалению, папа...

«ЛЕНИН»: Все понимаю, сегодня много дел, у нас — революция! Кстати, Ильич относился к Революции как к искусству, Он учил: восстание должно начаться: во-первых, когда низы не хотят, а верхи не могут... Эта ситуация — налицо.

ОНА: Папа, давай сразу — «в третьих»...

«ЛЕНИН»: В третьих, под лозунгами, понятными массам. В Октябре 17-го мы провозгласили: «отнимаем у буржуев хлеб и сапоги».

ОНА: Понятно! Надеюсь ты не пойдешь на улицу в этом виде?

«ЛЕНИН» (с сожалением): Да, еще рано... Тогда я явился перед массами, только когда Революция победила (снимает со вздохом усы и бороду). У Троцкого есть в мемуарах: в победоносную ночь Октябрьской революции я ему сказал по-немецки: «Голова кружится». Как девушка, понявшая, что ей принадлежит любимый... Революция — любовь моя... А знаете почему Ильич ответил по-немецки?

ОНА: Вам пора восвояси, папаша.

«ЛЕНИН»: Потому что следующая Революция должна была победить в Германии... Значит тогда в дни Октября — я продолжал грезить — о чем? О мировой Революции! Все — ухожу доча, — иду дышать воздухом пролетарского восстания... «Голова кружится» (Уходит).

Они остаются одни. Он хочет сказать, но она прикладывает палец к губам: молчи!

Она тихо подкрадывается к двери. И резко толкает. Крик за дверью.

ОНА: Надеюсь, теперь вы действительно уйдете, папаша — дышать революционным воздухом.

В окне проходят ноги «Ленина».

ОН: Сапоги! Надо же.

ОНА: Страх, дружок — сильное чувство. Сильнее любви. У некоторых.

ОН: Ну что делать будем.

ОНА: В каком смысле?

ОН: Может нам заплатить твоему?..

ОНА: Ты что? Я же сказала: я могу только брать... да он и сам это знает!

ОН: Но убегать, действительно, бессмысленно. Разыщут.

ОНА: Кто? Где? Эх ты советолог! Здесь, запомни, всегда — бардак. Подари видео — и тебя укроют хоть в бункере. Тоже дурачков нашли — «чрезвычайное положение» —

порядок они наведут! За два дня! Здесь за тыщу лет ничего не навели. А теперь — страх ушел. А у нас без страха, как без снега — все сразу вымерзло... Это он тебя на понтусики брал — ну дай ему, если боишься...

ОН: Допустим, не дам. Но ты что думаешь делать?

ОНА: Бизнесом займусь: может танк куплю — на улицах, слыхал, танков много (набирает телефон). Дианка, ну как там насчет танков?

ЖЕНСКИЙ ГОЛОС В СПИКЕРЕ: Слышишь? (Далекий гул). Все идут... Но ты представляешь — народ баррикаду делает... Клянусь... Сейчас баба вышла из парикмахерской в халате... Ну сто килограмм живого веса... Ампиратырь! И задницей троллейбус помогать толкала — для баррикады!... И сдвинули, клянусь!

ОНА: «Против лома нет приема».

ЖЕНСКИЙ ГОЛОС: Сейчас мои девки пошли к Белому дому. Там такая тусовка к ночи будет. Говорят такие актеры собираются и, вообще разные известные люди. Из Макдональда «бигмаки» носят бесплатно. Ты придешь?

ОНА: А Ельцина забрали?

ЖЕНСКИЙ ГОЛОС: Да ты что! Он как Ильич — залез на броневик... Причем не поверишь — трезвый... Ну придешь?

Гул в телефоне.

ЖЕНСКИЙ ГОЛОС: Танки! Подношу трубку к окну! Слышишь?

Гул идущих танков. Крики толпы.

ОН (тихо): Мы встретились в великий миг Истории... У Вольтера написано: в разгар исторических событий — всегда были двое, которые... (ласкает ее).

ОНА: Ну перестань, перестань (положила трубку на стол, теперь в спикере по-прежнему слышен грохот танков).

ОН: Которые занимались... Поверь, это так прекрасно — любить друг друга в великий миг Истории... (ласкает ее).

ОНА: Ну что же это такое! Ну выключи свет. И почему ты такой бесстыжий...

Уже раздеваясь, в одном ботинке — он скачет к выключателю.

ОН: Ну где он, где?!

ОНА: Все там же —... под Лениным., Америка тупая...

ОНА сама идет и выключает свет.

Темнота...

Звуки поцелуев.

Сухие щелчки раздаются из телефона.

ЖЕНСКИЙ ГОЛОС (по телефону): Стреляют, слышишь? Они стреляют...

ОНА: А ты не боишься, что он вернется, нас арестуют (смех).

ОН: Впервые в жизни — ничего не боюсь. (Кричит) Я не боюсь!

ЖЕНСКИЙ ГОЛОС (в трубке кричит): Там что-то горит!... И стреляют, стреляют, стреляют!!!

Звуки поцелуев.

В темноте ЕЕ голос: «Мамочки, мамочки, мамочки, мамочки — о! о! о! о! о!»

Прошло еще 2 дня. Утро третьего дня Путча.

Та же комната. Она одна, одевается. Звяканье ключа и входит все тот же молодой человек в штатском.

МОЛОДОЙ ЧЕЛОВЕК: С праздничком нас всех, мамуля, с великой победой.

ОНА: «Не понял?»

МОЛОДОЙ ЧЕЛОВЕК: «Спасена Россия», — как сказал бы Кутузов. Ух ты, мамочка моя! (Обнимает ее). Ух ты, душистая! Может, по старой памяти...

ОНА: Нырнем в ложе?

Входит ОН — с полотенцем через плечо.

МОЛОДОЙ ЧЕЛОВЕК: Никак, из туалета?

ОН: Именно оттуда.

МОЛОДОЙ ЧЕЛОВЕК: Ну, девки-парни, лучшие люди были на баррикадах, а вы, как я вижу...

ОНА: А мы — ни-ни.

МОЛОДОЙ ЧЕЛОВЕК: Занималась?..

ОНА: Совершенно точно — профессией. Вспоминала.

МОЛОДОЙ ЧЕЛОВЕК: Все дни?!

ОНА: Никогда не умела наполовину.

МОЛОДОЙ ЧЕЛОВЕК: Нет слов. Страна боролась за демократию...

ОНА: Действительно, было шумновато на улице.

МОЛОДОЙ ЧЕЛОВЕК: Простите нас, танки шумели.

ОНА: И нервно. Мы ведь тебя поджидали... А ты как время провел? Списки хоть составить успел? Или танк хотя бы, купил?

МОЛОДОЙ ЧЕЛОВЕК: Ну не понимает она шуток. Ну что делать?

ОНА: Почему? Я так и объяснила нашему испуганному американскому другу, которого ты назвал «невозвращенцем». Говорю, не боись, америкос, это он шутит! У америкоса, правда, ребра до сих пор болят после твоих шуток.

ОН: Нет-нет, ничего. Все обошлось, коллега. В смысле — коллега по убеждениям. Мы ведь сейчас, как я уже понял, все демократы? Так что расскажите нам, как демократ демократам, что происходит снаружи?

МОЛОДОЙ ЧЕЛОВЕК: Ну хорошо, ты хочешь серьезно — давай. Мог ли я сказать вам позавчера то, что думал на самом деле? Неужели я так глуп, и у меня хоть на секунду было сомнение, чем все закончится? Все главари путча — это вчерашние комсомольские вожди. Ну было хоть одно дело за всю их жизнь, которое они не просрали? Неужели ты думаешь, наши ребята не взяли бы Ельцина... если бы хотели.

ОНА: Суку — как ты называл его позавчера.

МОЛОДОЙ ЧЕЛОВЕК: Ну зачем ты лезешь в то, что не понимаешь? Ты «про *э т о*» все понимаешь! Вот про «э т о» и рассуждай. А про другое — молчи. (ЕМУ) Перестройка дала нам, молодым, свободу: будет счет в Швейцарии, будет телка в Париже, будут... эх, что будет! А старые пердуны захотели нас загнать в прежнюю клетку — зубрить Ильича, и спать на собраниях!

ОНА: Поняла, ты, действительно, демократ. И будешь в порядке при новой власти...

МОЛОДОЙ ЧЕЛОВЕК: Не-а, при любой власти.

ОНА: И по этому радостному поводу — не хочешь ли нас оставить?

МОЛОДОЙ ЧЕЛОВЕК: Мешать медовому месяцу? Никогда! Лишь звоночек по телефону. Думаю, придется скорректировать наш прежний заказ. Возражений у партнера нет?

ОНА: Да, мы ведь опять с тобой партнеры! (засмеялась) Ладно — я отправилась мыться.

МОЛОДОЙ ЧЕЛОВЕК: Быстро звоню — и быстро убираюсь.

Она уходит. Молодой человек набирает номер.

ОН: Вы что же, больше сегодня не появитесь?

МОЛОДОЙ ЧЕЛОВЕК: А я вам нужен?

ОН: Скажем — очень нужен.

МОЛОДОЙ ЧЕЛОВЕК: Неожиданность...

ОН: И как нам встретиться?

МОЛОДОЙ ЧЕЛОВЕК: Примитивно: я к вам зайду в отель — вечером.

ОН: Я живу в отеле «Савой».

МОЛОДОЙ ЧЕЛОВЕК: Обижаете, знаю... Допустим, в три? Устроит?

ОН: Можно и в три.

МОЛОДОЙ ЧЕЛОВЕК: Кстати, в три можем и здесь... Вашей дамы не будет — она поедет за товаром. (Говорит по телефону). Алло. У тебя, конечно, занято — как всегда. Надо скорректировать наш заказ. Мы не будем заказывать матрешек Горби. А вот икры и Ельцина — нам надо побольше. В три к тебе заедет Инесса, и вы все с ней обсудите.

Вешает трубку.

ОН: Итак, до трех.

МОЛОДОЙ ЧЕЛОВЕК: До трех, друг Билл.

Уходит.

Возвращается ОНА.

ОНА: Исторические дни, как я понимаю, закончились?

ОН: В Америке не любят фильмов с плохим концом. Фильм с расставанием там не пойдет.

ОНА: Мы уже обсудили этот вопрос 6 лет назад. У нас с тобой все тот же русский фильм — с расставанием.

ОН: Я еще раз предлагаю тебе уехать.

ОНА: Я еще раз отвечаю: приеду к вам только миллионершей.

ОН: Ну и что ты тут будешь делать?

ОНА: Теперь все. Могу организовать сеть саун под названием «Оздоровительно-эротическое шоу имени Александры Коллонтай». Знаменитая революционерка ратовала за свободную любовь! Или... изберусь в парламент. Люблю повторять: Ильич ошибся — совсем не кухарка будет управлять у нас государством. Однако, какие забавные ноги прошли пару минут назад мимо нашего окна. До боли знакомые ноги.

(Неслышно ступая, идет к двери, резко распахивает, крик «ЛЕНИНА»: А-а!).

ОНА: Здравствуй, товарищ папочка. Подслушивал, как всегда?

«ЛЕНИН»: Здравствуй, доченька.

ОНА: Ну как, победил твой Октябрь, папочка? Ты не огорчайся — в другой раз победите.

«ЛЕНИН»: Это точно. В другой раз — победим.

ОНА: Расскажи свои мысли по этому поводу товарищу Джону Риду, а я пока докрашусь.

«ЛЕНИН» (указывая на свое ружье, стоящее в углу): Так и не сдали мое ружьецо?

ОНА: Ты уж прости, папочка: заняты были, очень.

(Уходит).

«ЛЕНИН»: Неудобно тут у вас с туалетом. Впрочем, я всегда предпочитал на воздухе, как в Шушенском. Значит, вы прямо из Америки, товарищ Рид?

ОН: Совершенно точно — прямиком оттуда. И, что самое интересное: у меня к вам очень важное предложение — опять же оттуда.

«ЛЕНИН»: Важное для кого? Может для империалистических спецслужб?

ОН: За кого вы меня принимаете, товарищ Ленин?

«ЛЕНИН»: Архибдительность еще никогда никому не мешала. Излагайте дело, товарищ.

ОН: Дело, можно с полным правом назвать секретным. Международное рабочее движение, как вам известно, переживает не лучшие времена. Сколько пролетарских партий на Западе прекратили существование?.

«ЛЕНИН» (расхаживая): Соглашательская сволочь! Минеструальная мразь! Ренегаты всех мастей! Политические проститутки!

ОН: Я понимаю ваш ленинский гнев. Тем более, что на очереди падение коммунистов в Союзе. Вот почему верными марксистами-ленинцами создан подпольный международный центр «Возрождение Рабочего движения». В этом месяце, в Нью-Йорке решено созвать Первый подпольный конгресс новой организации мирового Пролетариата.

«ЛЕНИН»: Отменное решение. Ильич уважал конгрессы.

ОН: Именно. И на конгресс решено пригласить вас. Не скрою, это я рассказал о вас руководству конгресса. И убедил, что в вас буквально говорит ленинский голос.

«ЛЕНИН»: Только пожалуйста, батенька, без религиозной мистики. Ильич не любил... Но предложение мне нравится. Очень-очень кажется перспективным.

ОН: Я думаю, вам стоит выступить перед конгрессом с чтением вслух важнейших ленинских статей. Это сильно воодушевит. Что касается документов, виз, билета — все это мы берем на себя.

«ЛЕНИН» (деловито): Когда лететь?

ОН: Думаю — через неделю, надеюсь не позже. Сегодня днем я кое с кем встречаюсь — и срок вашего отъезда станет яснее. Но просьба одна...

«ЛЕНИН»: Держать в секрете. Могли бы не напоминать. В нашей партии все и всегда было в секрете.

Около трех часов дня.

Та же комната, она пуста. Звук ключа в замке, открывается дверь и входит все тот же молодой человек в штатском.

МОЛОДОЙ ЧЕЛОВЕК вынимает из портфеля бумаги, складывает в горку и разводит маленький костер. Пепел собирает в бумажку и, аккуратно завернув, кладет обратно в портфель. Затем из портфеля вынимает телефонную трубку, набирает.

ГОЛОС В ТРУБКЕ: Алло.

МОЛОДОЙ ЧЕЛОВЕК: Какие новости?

ГОЛОС В ТРУБКЕ: Много новостей.

МОЛОДОЙ ЧЕЛОВЕК: Говорят, маршал повесился?

ГОЛОС: Нет, маршал *повесится*...

МОЛОДОЙ ЧЕЛОВЕК: Мне сказали, что кто-то выбросился из окна...

ГОЛОС: Пока нет Может, в дальнейшем.

МОЛОДОЙ ЧЕЛОВЕК: А у меня здесь маленький пожар.

ГОЛОС: Все сгорело?

МОЛОДОЙ ЧЕЛОВЕК: Абсолютно.

ГОЛОС: Ну что ж, начинается новая жизнь (гудки в трубке).

Звонок в дверь. Молодой человек открывает, входит ОН.

ОН: Вы один?

МОЛОДОЙ ЧЕЛОВЕК: Ну вы же хотели чтоб я был один. Не ошибся? Хороша баба!

ОН: Что и говорить.

МОЛОДОЙ ЧЕЛОВЕК: Сколько ж ты выбросил долларов?

ОН: Я не понял?

МОЛОДОЙ ЧЕЛОВЕК: За билет, чтоб к ней приехать.

ОН: А я не к ней приехал.

МОЛОДОЙ ЧЕЛОВЕК: К кому же?

ОН: На этот раз... к тебе. С предложением.

МОЛОДОЙ ЧЕЛОВЕК: Родину не продам.

ОН: Родина не при чем. Дело совсем другое. Но баксы будут большие Я бы даже сказал — очень большие. Это просил передать тебе Артур — если ты его еще помнишь.

МОЛОДОЙ ЧЕЛОВЕК: Ну как же забыть Артурку! Все-таки — одна телка была. Он ею за отъезд заплатил моему начальнику... И мне заодно... Пардон — забыл.

ОН: Ничего-ничего. Я давно знаю — все мы родственники.

МОЛОДОЙ ЧЕЛОВЕК: Ох, Артурка! Какая голова! Он ведь вначале в Израиль подался. И представляешь, в те годы сумел оттуда дать взятку — и предка к себе перетащить. И пустили папашу! Его отец ко мне звонит: «Скажи, а как их там называют? Ну... чтоб не обидеть. Не могу же я их называть евреями...» Ну Артурка — ну голова. Он первый раз в 90-м вернулся и сразу на родину поехал. Там выбирали губернатора. Из Венесуэлы... чтоб подешевше, политтехнолога привезли, чтоб кандидата-комуняку убрать... Но Артурка сказал: «Да я вашу политтехнологию... Даете тыщу баксов и комуняке –писец... Утром народ проснулся идти голосовать. И на всех машинах на ветровом стекле — листовка «Голосуйте за...» и фамилия комуняки. Хотят снять — нельзя — приле-плена несмываемым клеем. Какая была ярость! Как провалился комуняка! Но что мне нравится, Артурка — патриот. Он всегда с гордостью говорит: «Я из великой страны где ничего нельзя, но все можно!»

ОН: А ты меня вправду не узнал.

МОЛОДОЙ ЧЕЛОВЕК: Не обижай — приходил к тебе обыск делать... Ты все хренотень писал запрещенную. Все своей девке обещал «Мне бы только вырваться...» Все грозил «там прославлюсь!»... Мой начальник Чернышевский Николай Гаврилович, большого ума мужик, сказал о тебе: «Боря Штейн бездарен»... Вот другой Штейн, тоже кстати, из прибалтийских немцев, тоже книги писал, и тоже в ФРГ намылился... того Штейна он ценил, но говорил: «Оба там провалятся. Этот — потому что слишком бездарен, тот — потому что слишком талантлив». Но того любил. Тот когда уезжал — пришел к Чернышевскому Николаю Гавриловичу. Говорит, любимую кошку взять с собой не разрешают. Ну Чернышевский всем плешь проел, но кошку в ФРГ выпустил... В последний раз они с тем Штейном пять часов сидели. Чернышевский ему вопросы по книгам задавал. Тот даже прослезился: «Мне 62, а я первый раз читателя встретил». И обнялись... Чернышевский Николай Гаврилович говорил: «Главная наша ошибка — запрещаем. Мы самая читаемая потому что самые запрещенная. Разреши читать все и никто ничего читать не будет...» И тотчас нам анекдот для усвоения. Он анекдотами всегда беседы подкреплял. «Беседуют две птички. Одна прилетела с Запада, другая — наша. Наша птичка: «Ну как там?» — Не представляешь, там — чирикай все что хочешь».— «И ты?» — «Чирикала!» — «Ну и как?!» — «Чирикать, конечно можно всё, но только кто ж тебя слушает!»... Он так радовался когда Горбача назначили. Был уверен теперь рванет на самый верх.

ОН (усмехнувшись): Рванул?

МОЛОДОЙ ЧЕЛОВЕК: Правильно понял... На пенсию сразу вывели. А ты? Ну как, прославился.

ОН молчит. Молодой человек хохочет.

ОН (зло): Ну ладно, поболтали, родственничек, и за дело! Впрочем, наш разговор пойдет тоже о родственнике. Он сюда через полчасика притопает. У меня с ним тоже — встреча.

МОЛОДОЙ ЧЕЛОВЕК: Папашка?

ОН: Итак дело. Как ты заметил, наш папашка — не просто сумасшедший. Он — действительно вылитый Ленин. Сходство — пугающее. И Артурка сразу сказал: «Грех не воспользоваться».

МОЛОДОЙ ЧЕЛОВЕК: Ну Артурка, ну Артуревич — из всего сделает баксы.

ОН: Справедливое замечание. Бизнес, предложенный на этот раз Артуром, распадается на две части.

МОЛОДОЙ ЧЕЛОВЕК: Весь — внимание.

ОН: Есть богатейший покупатель. Его отец — мультимиллионер, помешанный на Ленине. И сына назвал Ильичом! То ли от имени, то ли по призванию, но сын стал тоже ленинским фанатом... Месяц назад его папаша изволил отдать концы. И к нему перешли все папашины мультимиллионы... Короче, теперь у этого восхитительного богача появилось страстное желание: получить мумию Ленина... Он мечтает

повозить мумию по миру. А потом подарить ее Кубе... И основать там Мекку Коммунизма. Он много читал о вашей неразберихе, и подумал, что сейчас самое удачное время выкрасть мумию.

МОЛОДОЙ ЧЕЛОВЕК: Из Мавзолея? Спятил?! Здесь танк нельзя достать, а вы — Ленина. Нет, нет — дохлый номер.

ОН: Совершенно прав — это невозможно. Но у нас в Штатах хороший бизнесмен выслушивает до конца. У нас запрещено слово невозможно. Артурок все придумал: красть мумию из Мавзолея не надо. Это слишком хлопотно. Проще — ликвидировать Мавзолей.

МОЛОДОЙ ЧЕЛОВЕК: Не понял?

ОН: Мавзолей взлетает на воздух. Думаю, сейчас у вас это не проблема. После чего в западных СМИ начнут появляться информации... мы об этом позаботимся... дескать, мумию украли, оттого взорвали Мавзолей... И мы отдаем мумию мультимиллионеру.

МОЛОДОЙ ЧЕЛОВЕК: Не секу.

ОН: От тебя требуется немного — ликвидировать Мавзолей.

МОЛОДОЙ ЧЕЛОВЕК: Договоримся — рассказываешь все.

ОН: Короче, в Америке мы создаем мумию Ленина и продадим ее террористу как подлинную... украденную из взорванного Мавзолея.

МОЛОДОЙ ЧЕЛОВЕК: А где ж ты ее возьмешь?

(Билл смеется).

МОЛОДОЙ ЧЕЛОВЕК (наконец, понял, восхищенно): Иди на фиг!

ОН: Ну конечно: он же — вылитый.

МОЛОДОЙ ЧЕЛОВЕК: Ну а как же?..

ОН: Элементарно: мы с ним уже договорились — я привожу его на некий конгресс в Нью-Йорк. В Нью-Йорке нежный укольчик. И совсем безболезненно папашка Ленин уходит из наступающей капиталистической жизни... Труп мумифицируем... передаем кубинцу и получаем баксы.

МОЛОДОЙ ЧЕЛОВЕК: Несчастный папашка!

ОН: По-моему — наоборот: счастливый. Если бы ему сказать, что после смерти он станет истинным Лениным — клянусь: он почел бы себя счастливейшим из смертных... Ты должен оформить ему паспорт и побыстрее...

Вдруг замер, прислушивается. Крадется к двери и с силой толкает. Крик за дверью.

Входит Ильич, держась за лицо. Оглядывает комнату и как ни в чем ни бывало, садится около своего ружья в углу — под картиной «Ленин читает газету «Правда».

«ЛЕНИН»: Так, батенька, и ленинское лицо расквасить не долго.

МОЛОДОЙ ЧЕЛОВЕК: Давно слушаешь?

«ЛЕНИН»: С начала.

МОЛОДОЙ ЧЕЛОВЕК: Значит, все слышал?

«ЛЕНИН»: Революционная бдительность. Я сразу понял: чего-то замышляет, американец лжетоварищ Джон Рид. Надо, думаю, его хорошенько проверить... Я еще утром здесь на оконце занавесочку и задернул, чтобы ноги не видны были, когда опять приду. И пришел. Заранее. Во дворе сначала хоронился. А уж потом у двери встал на революционное дежурство (берет ружье). Отличное ружьецо... патроны к нему прихватил (смеясь, заряжает). Я вам это ружье оставил, чтоб пролетариату помочь, а вы меня обманули, никуда его не сдали. Так и простояло бесполезно ленинское ружье. Впрочем — я ведь только сначала думал, что оно ленинское, а оно оказалось (засмеялся) самое что ни на есть — *чеховское*... Не поняли?

МОЛОДОЙ ЧЕЛОВЕК: Что за ахинею несешь, дед?

«ЛЕНИН»: Да, нет не ахинея. Что такое ленинское ружье — это понятно всем революционерам. Зато что такое «чеховское» — понятно только всем актерам. Чехов так объяснил нам закон хорошей драмы: если в первом акте висит ружье, то в последнем оно должно что? (поднимает ружье и целится в молодого человека) ...

МОЛОДОЙ ЧЕЛОВЕК: Да ты что?!

«ЛЕНИН»: Ха-ха. Вот именно — выстрелить!

МОЛОДОЙ ЧЕЛОВЕК: «Человек с ружьем», ты чего здесь демагогию разводишь! Я бы на твоем месте сейчас к народу вышел. Может, еще не все потеряно? Брось людям пару ленинских лозунгов и позови нас посмотреть, что они с тобою сделают. С тобой и с твоим ружьем.

«ЛЕНИН»: Я вижу, ты уверен, что русская буржуазия взяла сейчас верх?

МОЛОДОЙ ЧЕЛОВЕК: Готов охотно поверить, что взяла «низ», Владимир Ильич.

«ЛЕНИН»: Ты что же думаешь, что все министры, в руках которых были армия, милиция, КГБ, Советы — любимое дитя пролетариата... ты думаешь, все они не смогли бы арестовать одного человека? Только одного нужно было арестовать, и занять только одно здание, где собрались российские министры-капиталисты...

ОН: Я чувствую, у вас какая-то очень интересная мысль, Владимир Ильич.

«ЛЕНИН»: Ильич ее высказал в 22 году.

ОН: Простите, но я слыхал, что у него в это время высох мозг, пардон?

«ЛЕНИН»: Что ж, все так. После смерти мой мозг хранился в институте Ленина. Одна половина была совершенно нормальная, а другая, нота-бене: архиссохлась. Сморщенный комочек. Но на то и был он гений, чтобы с ссохшимся мозгом продолжать творить во имя пролетариата. Великим интеллектом революции я написал тогда свое Завещание.

ОН: Ну как же, читали-с: «Сталин очень грубый, и за грубость его необходимо снять». Как же, помним!

«ЛЕНИН»: Нет, гражданин недорезанный американский буржуй, это была лишь маленькая часть Завещания, лишь верхушка айсберга. Сам айсберг вам знать было не дано. Да-да, существовала совершенно секретная часть, о которой знали лишь главные люди в партии.

МОЛОДОЙ ЧЕЛОВЕК: А что? Я в это верю. Давай, выкладывай, дед (подмигнул ЕМУ). А потом — к нашему делу!

«ЛЕНИН»: Ее обнаружил в институте Ленина все тот же художник Анненков. Эти ленинские бумаги хранились там вместе с мозгом Ильича.

МОЛОДОЙ ЧЕЛОВЕК: Мы все внимание.

«ЛЕНИН»: И я решился доложить ее вам, чтобы немного поубавить ваше сегодняшнее торжество (расхаживает с ружьем под мышкой). В день победы Октября взял я курс на мировую революцию. Но уже вскоре понял: сейчас не выйдет. И мне пришлось провозгласить: построение социализма возможно в России. Но я знал: это невозможно! Страна наша — крестьянская., и пролетариат тут в меньшинстве... И в конце концов мы власть потеряем. Через сколько-то лет обязательно потеряем. Мой мозг иссыхал от горя. Но я придумал! Так родилось мое Завещание, которое случайно увидел этот жалкий художник. Великое прозрение, обращенное к партии — как обмануть «глухонемых».

ОН: Кого?

«ЛЕНИН»: Глухонемых. Так я назвал в нем европейских капиталистов. Итак, тактический план, изложенный в моем завещании. Первое. В погоне за прибылью капиталисты всего мира захотят завоевать русский рынок. Ослепленные жаждой архинаживы, они превратятся в кого? В глухонемых! (смеется ленинским смехом).

МОЛОДОЙ ЧЕЛОВЕК (восхищенно): Ну дед, ну Ильич!

«ЛЕНИН»: И тогда у них мы получим продукты, на их деньги создадим свою армию. Для чего? Для будущей победоносной атаки против наших же кредиторов. Но для этого их следует успокоить, чтобы? Превратить в глухонемых. И в завещании я набросал план тактики: фиктивное отделение правительства от партии. Глухонемые поверят, но не до конца. Восстановление отношений со всеми странами, объявив принцип невмешательства. Глухонемые снова поверят, но опять не до конца. И далее — шла секретнейшая часть ленинского плана.

МОЛОДОЙ ЧЕЛОВЕК (хохоча): Ну? Ну?

«ЛЕНИН» (шепотом): Самым верным партийцам было предложено совершить великую жертву во имя будущей победы. Троцкий — идеолог мировой революции, главное пуга-

ло для глухонемых, согласился быть исключенным из партии и высланным за границу. В придачу к нему Зиновьева и Бухарина и прочих фанатичных революционеров, ненавидимых глухонемыми, должны были лишить постов и будто бы осудить. А на самом деле? Отправить в секретное место, где они готовили бы мировую революцию. К власти же приходит неизвестный глухонемым — Сталин. Он должен был раскрыть объятия для дружбы с глухонемыми. Объятия, в которых должен быть задушен мировой капитализм... Но уже перед смертью... Ильич... все понял про Сталина: вот почему умолял передвинуть его на другой пост, не доверять ему исполнение плана. Но в ничтожной борьбе друг с другом ученики мои сохранили Сталина. И что же — Сталин всех обманул: будто исполняя мой план, он попросту их уничтожил. Жалкий восточный человек не хотел мировой революции: ему нужна была власть... Но вот теперь, через 70 лет — свершилось. Скажу архиискренннe, прежде считал Горбачева Иудой, изменником делу пролетариата. И только в эти дни я его понял: он — новый Ленин.

МОЛОДОЙ ЧЕЛОВЕК. Иди на фиг! Сергеич — Ильич?

«ЛЕНИН». (шепотом) В ядре нашей партии признали: наши люди разуверились в ленинизме, страна истощена — гибнет пролетарское дело. И тогда Горбачев собрал посвященных и рассказал им новый план Первое — воскресить архивеликую ленинскую идею. То есть? Обмануть глухонемых... Чтобы потом, батенька — исполнить, наконец, мою, то есть ленинскую мечту — свершить всемирную революцию. Чтоб «от Японии до Англии сияла Родина моя»... Вот для чего была объявлена Перестройка (хохочет ленинским смехом).

МОЛОДОЙ ЧЕЛОВЕК. Ильич! Чистый Ильич!

«ЛЕНИН». Но Запад нам не поверил до конца. Аплодировали, перестройке но мало дали денег для нашего возрождения. То есть? (хохочет) Да, да — для грядущей своей погибели! И тогда Горби приказал самым верным членам партии пожертвовать собою и объявить путч. Чтобы? Чтобы потерпеть поражение, батенька! Но зато теперь глухонемые уж точно поверят в нашу перестройку — в нашу капитуляцию (хохочет). И шаг за шагом разоружатся. И при этом? Шаг за шагом воссоздадут нашу мощь. В моем конце — мое начало!... И вот тогда-то мы, наконец-то их задушим! И победит моя бессмертная мечта — мировая революция: «Только советская нация будет, только советской нации люди» (хохочет ленинским смехом). А какой успех нас ждет *теперь* внутреннем фронте. Не поняли? Расцветет ваш русский капитализм! Вы представляете, что у нас начнется, батенька? Все предсказал любимый поэт Ильича... Слово Некрасову-поэту-гражданину. «Я заснул, мне снились планы о походах на карманы благодушных россиян». Это — только начало... А вот какой будет расцвет: «Грош для новейших господ выше стыда и закона, Ныне тоскует лишь тот — кто не украл миллиона». И тогда-то оживут все наши прежние идеи социальной справедливости. И даже брежневский застой покажется народу раем. Такой секретный план придумал великий Сергеич-Ильич.

ОН. Браво! Но особенно нам понравилась ваша мысль о «самопожертвовании партии». И, коли вы слышали наш разговор за дверью...

«ЛЕНИН». А как же! Слышал, слышал. Из года в год тренирую ухо.

ОН. Значит должны оценить мое предложение. Ваше усыпление очень поможет захиревшим ленинским идеям.

МОЛОДОЙ ЧЕЛОВЕК. Ну совершенно точно, дед! Будут тебя возить по странам, будешь возлежать в ленинском облике в гробу, а вокруг будут продаваться книжки Ильича. Такое большевистское ООО создадим — миллиарды — в кассу партии. Вижу по глазам — оценил! Соглашайся, дед!

ОН. Великая пропаганда ленинских идей, дорогой Ильич! Смертью смерть поправ!

«ЛЕНИН». А я и не спорю — заманчивое дело. Но к сожалению, — слишком поздно...

МОЛОДОЙ ЧЕЛОВЕК. Не понял, что поздно? Горбичу, значит, не поздно жертвовать партией, а тебе, видите ли поздно?

«ЛЕНИН». (будто не слышал) Ах, как поздно, батеньки! Потому что никак нельзя вам это дело осуществить.

ОН. Но почему?!

«ЛЕНИН». Руки у вас нечистые, капиталистические щупальцы. Потому, молодые люди, нельзя мне вас отсюда выпустить. Вы враги, узнавшие важнейшую партийную тайну. Так что теперь (вздохнул) твоя очередь — чеховское ружье! (поднял ружье).

МОЛОДОЙ ЧЕЛОВЕК. Да ты что, папаша? Ты приди в себя!

Ленин молча взвел курок.

«ЛЕНИН». За то что посмели замыслить кощунство над телом Вождя. За то что хотите покуситься на мой Мавзолей...

МОЛОДОЙ ЧЕЛОВЕК: Ах ты, сукин сын!.

Рывком выхватывает револьвер, но в тот же миг раздается выстрел «ЛЕНИНА».

МОЛОДОЙ ЧЕЛОВЕК падает.

ОН. Боже мой!

«ЛЕНИН». Революционный суд — на фоне меня, читающего газету «Правда», в присутствии портретов уважаемых товарищей из Политбюро — свершился!

Вновь поднимает ружье и наставляет на Него.

ОН. Но Владимир Ильич? Ну зачем же так? Ну давайте по-хорошему? Я подписку дам о неразглашении? Обойдемся без крайностей!

«ЛЕНИН». (целясь). Главная беда наших интеллигентов-хлюпиков -- в вечном желании искать гнилой компромисс с буржуазией. Никаких компромиссов, батенька.

Стреляет. ОН падает.

«ЛЕНИН». Второй зайчонок! Мавзолей отстояли. (Аккуратно ставит ружье. Встает на стул, с поднятой рукой, устремленной в зал — как на скульптурах Вождя). Товарищи! Да здравствует новая эра в истории мировой революции! На повестке дня: — новое подполье и новая «Искра»!

Раздается выстрел. Это МОЛОДОЙ ЧЕЛОВЕК, все-таки сумел выстрелить.

«ЛЕНИН» падает.

МОЛОДОЙ ЧЕЛОВЕК. Попал, паскуда! (Затихает).

«ЛЕНИН. (лежа на полу, задумчиво) Все мертвы... Таков финал «Гамлета»... Я хорошо играл Тень Отца... (Умирает).

Прошло полгода.

То же помещение, Сейчас здесь вовсю идет ремонт, разрушены стены — помещение подвала стало огромным.

На стенах написанные краской портреты Ленина.

Появляется ОНА и щеголеватый молодой человек с косичкой. Это — АРТУР, он в шелковой рубашке, в мягком, свободном костюме. Говорит по-русски уже с легким акцентом.

ОНА. Знаешь, Артурка, чьи это портреты?

АРТУР. Это нам до смерти не забыть: дорогой Владимир Ильич!

ОНА. Нет, Артур, это папины портреты. С папиных фотографий. Папа-Ленин!

АРТУР. Такого человека погубили! Что с ним можно было сделать! Какие были планы!

Двое рабочих вносят огромную вывеску и ставят ее к стене.

АРТУР. Нет. Лицом к стене ставить нельзя — плохая примета.

Рабочие разворачивают вывеску, высоко ее поднимают. На вывеске портрет Ленина и надпись:.«В ГОСТЯХ У ЛЕНИНА». НОЧНОЙ БАР.

Работает с 12 ночи до 12 утра».

Стрип-шоу «Аленький цветочек».

Совместное американо-советское предприятие «Артур и Инесса».

АРТУР. Есть идея: при открытии и закрытии бара мы будем включать. Прошу, господа!

Включают магнитофон. И откуда-то сверху раздается голос Ильича:

«Революция, о необходимости которой говорили большевики свершилась...»

ГОЛОС (все повторяет и повторяет): «Революция, о необходимости которой говорили большевики свершилась...»

«Революция, о необходимости которой говорили большевики свершилась...»

«Революция, о необходимости которой говорили большевики свершилась... Свершилась... Свершилась... Свершилась!»

КОНЕЦ

1992 год.

Эту пьесу, законченную в декабре 1992 года (первая редакция) я написал для Евгения Леонова. Но так и не успел ему ее показать — он умер в январе 1994 года...

Палач. Взгляд на историю с гильотины

Тускло, призрачно освещается квартира Режиссера М.

В костюме Пьеро и Коломбины недвижно сидят Режиссер М. и его жена. В углу комнаты за старинным клавесином также недвижно, уронив голову на клавиши, сидит Человек в парике.

ГОЛОС РЕЖИССЕРА М. Я знал, что это Моцарт... Я столько раз хотел поставить пушкинского Моцарта. И нетерпеливо дожидался, когда он поднимет голову от клавиш, начнет играть. Он поднял голову. Но вместо Моцарта...

ЧЕЛОВЕК ЗА КЛАВЕСИНОМ (лихо стягивает с головы парик и хохочет). Разрешите представиться — палач Сансон!

ГОЛОС РЕЖИССЕРА М. Это снится...

САНСОН. Не имеет значения. Если каждую ночь вы будете видеть сон — продолжение сна предыдущей ночи, — отличите ли вы дневную реальность от сновидения?

КОЛОМБИНА. Телефон перестал звонить... Мы заживо похоронены.

ГОЛОС РЕЖИССЕРА М. Мы живы. Похоронена Революция. А как все начиналось! Троцкий — герой-любовник Революции. В черном фраке в Смольном объявляет о взятии Зимнего... Восторг, овации! А потом — ночь победителей. Он и Ильич постелили газеты прямо на полу, легли спать... В ту ночь в комнатах Смольного спали на стульях остальные вожди Революции, нынешние преступники. Всех извел Усатый...

САНСОН. И про себя не забудь.

ГОЛОС РЕЖИССЕРА М. В обмотках красноармейца, в солдатской шинели стою на трибуне. Объявляю низложенным буржуазное Искусство! (Кричит.) «Да здравствует гражданская война в театре! Да здравствует Великий Октябрь Искусств! Даешь мировую Коммуну Искусств!..» И с красным знаменем в руках я шел с молодыми актерами захватывать буржуазный театр... Но Блок сказал уже в двадцатом: «Революция превратилась в грудную жабу». Я ругался, кричал на него, а он... Он никогда не спорил, просто молча слушал... (Кричит.) Но это закон: Революция перестает быть зеленоглазой любовницей, и вот уже она скучная жена. Морщинистая Айседора Дункан, танцевавшая Интернационал... тряся обвисшими грудями.

В окне появляется лицо Маляра.

МАЛЯР. Ни *... я ты не понял — она по-прежнему в цвету, горькая наша Революция. Я отца за нее расстрелял, крест с колокольни сбросил. Думал — сыта. Ан нет — еще требует! Дочь помещика... Мы ее усадьбу сожгли — она только смеялась. Эсерка знаменитая. «Семя, — говорит, — чтобы прорасти, должно истлеть... Россия старая истлеет и расцветет царством духа». Красавица была... Любить мне себя позволяла. Я сам попросился ее расстреливать, чтоб ей не так страшно было... Я ее спросил: «Горестно тебе будет умирать?» А она ответила: «Горестно не умирать. Горестно, что Термидор победил».— «Кто он такой, этот Термидор?» — спрашиваю. А она смеется. Ничего не ответила и пошла к стенке. Туфли сняла... Говорит: «Девушке своей передай... Хорошие туфли, дорогие...» (Режиссеру М.) Когда поведут расстреливать — не забудь охраннику сапоги подарить, хорошие у тебя сапоги, дорогие... Великая война грядет. Мир пролетарским станет. Язык общим станет. ГОЛОС РЕЖИССЕРА М. Матерным.

МАЛЯР. Пролетарским... Нет, пока кровушка вокруг течет, Революция продолжается! Вот только кто этот Термидор? Кто таков?

САНСОН. Это я, палач Сансон, который приходит позаботиться о вас — обо всех, кто участвовал... Убираться за Революцией приходит. (Смеется.)

Загорается свет в квартире Режиссера М.

РЕЖИССЕР М. Плохо спал. Не дает покоя пьеса, которую я придумал.

ЖЕНА. Какая пьеса? Телефон молчит — будто заживо похоронены. И эта странная люлька с маляром, которую вчера подвесили под нашими окнами.

РЕЖИССЕР М. Пьеса о палаче Сансоне. Он был палачом во времена Французской Революции и написал записки о своих казнях. Сегодня ночью я его видел.

ЖЕНА. Кого?

РЕЖИССЕР М. И как подходит эта пьеса для эстетики нового театра! Запиши... «Нынче, когда мир сорвался с петель, когда милионнопалая рука войн и революций схватила человечество за горло, на всех театрах старой конструкции надо повесить замок. Кулисы, декорации — на помойку... Нужно строить театры со взбесившейся сценой... Сцена должна нестись на рельсах вдоль рядов зрительного зала. И, как бы сошедшая с ума от скоростей века, вырываться из зала прямо на улицу... Такая сцена станет телегой — мчащейся на гильотину телегой палача Сансона».

ЖЕНА. Какой палач? Какая, к шуту, сцена?! Мы гибнем! Напиши письмо Хозяину, умоляю! Я уверена: он хочет, чтоб ты ему написал... Он хочет заступиться... Ты единственный великий режиссер Революции... Все вокруг говорят: он тебя примет. Но ты упрямо не желаешь...

РЕЖИССЕР М. Приговоренный к смерти после ухода из камеры Великого Инквизитора... находит ключ от камеры. Видно, Инквизитор в раже пытки его обронил. Приговоренный открывает дверь камеры, и начинается его путь по подземелью на волю. С невероятными приключениями доходит до выхода... Он уже чувствует воздух воли, напоенный запахом цветов, когда попадает в объятия великого Инквизитора! И понимает: это была всего лишь последняя пытка — пытка надеждой. Так и Усатый — он оставляет нам эти последние часы для испытания надеждой... Кстати, маляр мне тоже приснился... Старый театр. Звук сорвавшейся бадьи. Туман над озером. Чайка... А тут кровавая телега, но... Но если когда-нибудь будут ставить эту пьесу о палаче — никаких сантиментов. Перед началом пусть соберут актеров и скажут: «Эврипид и Фриних, соревнуясь, написали пьесу, изображавшую гибель какого-то греческого города. Пьеса Фриниха была так скорбна, что зритель не мог удержаться от стенаний и слез. И тогда греки изгнали его из города. Ибо его искусство было не очищением, а эксплуатацией сострадания зрителей. Комедия — лучший рассказ о человеческом ужасе...» Чехов был очень веселый... Забавно слышать о нем, что он «такой печальный». Он все время хохотал! С ним невозможно было разговаривать... (Хохочет.) Комедия о Палаче... Человек особенно смешон перед гибелью. Ты знаешь, я рад, что написал эту пьесу... Мне будет, что представить в камере... и, главное, — с кем беседовать... Беседы с палачом. (Смеется.) Итак,

ДЕЙСТВИЕ ПЕРВОЕ — КАНУН ГАЛАНТНОЙ РЕВОЛЮЦИИ.

В центре сцены следует установить королевскую карету: все персонажи в этом действии выходят из нее. И вокруг кареты идет бал... которым и была тогда жизнь. «Кто не жил в восемнадцатом веке, тот вообще не жил». Бал... Но никакой массовки. Лишь в зеркалах — игра свечей, горящих в гигантских канделябрах. Отражаются, двоятся кружева, воланы, ленты, мерцают бриллиантовые пуговицы, фалды расшитых камзолов, обнаженные плечи... Поток драгоценностей слепит в зеркальной стене... Но во втором действии бальная зала окажется (смеется) эшафотом... Выходит, они танцевали, занимались любовью на гильотине. А пока — бал. Однако одна из стен бальной залы уже увешана мечами. И на фоне мечей появляется *он* — палач Шарль Сансон. Он поднимает гусиное перо и пишет — прямо по воздуху.

САНСОН. Замогильные записки... Меня уже не будет, но из-под земли я буду говорить в них с вами. У меня в доме есть секретная комната — сердце нашего дома. Здесь висят родовые мечи. Должность палачей — наследственная, передается от отца к сыну. Когда-то мои предки, благородные дворяне, участвовали в крестовых походах. Мой прапрадед — Шарль Сансон де Лонгеваль. Меня назвали в его честь — Шарль был великий воин, но великий мот. Он впал в большую бедность. И хитрецу пришла в голову идейка. Палачам всегда прекрасно платили, но должность эта — наследственная, передавалась от отца к сыну. Шарль узнал, что старик-палач в Реймсе не имеет сына. Ха-ха! Зато имеет дочку-толстуху — рукой не охватить. Но зачем охватывать одной рукой, если у вас их две? И сукин сын обхватил — женился. А после смерти ее папаши стал палачом Сансоном Первым... Силен был, как бык — о его ударах мечом гремела слава! Его переманила столица. Мой дед — Сансон Второй — уже палач города Парижа... Он умер внезапно, когда сыну исполнилось семь... Но если умирает отец, палачом становится сын, неважно, сколько ему лет. И бабушка сказала мальчику: «Теперь тебе нужно *туда*. Таков закон». И отец — маленькая кукла, наряженная в костюм палача, — стоял на эшафоте. Ибо без присутствия палача казнь считается незаконной — попросту убийством... И, хотя во время его малолетства головы рубил другой, ужас вошел в маленькое сердце. В молодые годы его разбил паралич. Так пришел мой черед встать на эшафоте... С детства я привык видеть ужас и отвращение на лицах людей. Но я, Сансон Четвертый, презирал их. Я стал первым Сансоном, который гордился своим делом... Я с детства приходил в эту нашу комнатку гладить клинки мечей... Я говорил себе: «Эти негодяи смеют нас презирать... За что? Разве мы придумали законы, наказывающие смертью? Их придумали они — проклятое человечество». За пару последних столетий кого мы только не убивали — к восторгу тысячных толп! Еврея — потому что он не христианин, христианина — потому что он протестант, католика — потому что стал атеистом... Нам приказывали — и мы убивали! Но людям мало убить, им надо всласть помучить *во время* казни. Смерть на кресте — древнейшая из *мучительных* казней. Недаром Господь избрал её Сыну для искупления наших грехов... Но и это еще не худший вид смерти. Придумали сдирать кожу живьем, варить в кипятке, сажать на кол... И венец мучительных наказаний — четвертование. Мне никогда не забыть, как отец четвертовал несчастного Дамьена, покушавшегося на короля... Как Дамьен с невыразимой грустью смотрел на свои руки и ноги, раздавленные во время пытки... После чего его привязали к четверке лошадей, и кони, рванувшись в четыре стороны, разорвали его... Когда несчастный умер, он оказался совсем седым. Но седым стал и мой отец. О, изобретательное проклятое человечество!

С юности я знаю: единственно гуманные люди на этом свете — мы, палачи. Ибо мы, как могли, ограничивали жестокость наказания. Мы даже придумали милосердную хитрость: при сожжении несчастных на костре багор с острым концом для перемешивания соломы мы ставили точно против сердца осужденного и следили, чтобы при разжигании костра багор падал и убивал приговоренного до начала огненных мук... Так прадед поступил с Жанной Д'Арк... И это мы стараемся ободрить на эшафоте распоследнего злодея — перед тем, как занести над ним меч... Но и этого всего людям мало... Они позаботились, чтобы неравенство в жизни осталось и в смерти. Виселица предназначалась для простолюдинов, а дворян мы убиваем мечом. Как они великолепны, наши мечи! Как играет на них солнце! И на каждом вырезано одно слово: «*Правосудие*». (Целует мечи.)

Итак, в отличие от своих предков, я всегда выходил на улицу с высоко поднятой головой... Я знал: люди презирают нас, потому что боятся. Тотчас вспоминают то, о чем стараются забыть, — о смерти. Ибо от нас исходит ее истинный запах — тончайший аромат плачущей души, убегающей в вечность. Он навсегда — в нашей одежде, он впитывается в кожу. Работа у нас опасная. Отца разбил удар после того, как однажды он увидел некое облачко, вылетевшее из тела, — душу! К счастью, за все десятилетия на эшафоте я такого не видел. Ибо как исполнять людские законы после этого?

В конце века все мои многочисленные братья разъехались в разные города. Они рубили головы в Реймсе, Орлеане, Суассоне, Монпелье, Дижоне... И когда мы сходились у отцовского стола, слуга почтительно называл нас по местам службы — месье де Реймс, месье де Орлеан... Смешно, но эти домашние прозвища вскоре стали официальными. Так я стал именоваться месье де Пари... Братья уже тогда обзавелись женами — дочерьми провинциальных палачей. Но я не спешил жениться. Ибо мне не нужна была женщина. Мне нужны были женщины, очень много женщин.

Как сладостны они все! Маленькую, костлявую я видел газелью. Чернявую, сухопарую — страстной брюнеткой. Толстые губы были для меня «зовущими к поцелую», и заплывшая жиром плоть грезилась мне воплощением томной неги... Однако узнав о моих занятиях, женщины в ужасе убегали. Со мной не хотели спать даже шлюхи. И, конечно, я нашел выход. Каждый вечер, переодевшись в дорогое платье, я покидал наш дом. Взяв экипаж, отправлялся в Пале Рояль, где разгуливали царицы света и полусвета... Здесь я был шевалье де Лонгеваль — это наше родовое имя. Что ж, должность палача не лишала нас дворянства. В голубом роскошном камзоле, приклеив восхитительную бородку «а ля Ришелье», я отправлялся на поиски приключений. Ухаживая за дамами, я мог себе позволить быть очень щедрым. Король отлично платил мне за услуги. Я получал шестнадцать тысяч ливров в месяц, плюс надбавка за каждую отрубленную голову. Если даже вычесть деньги, которые я платил пыточнику (когда казнь сопровождалась пытками) и плотнику (который следил за сооружением эшафота), оставалась кругленькая сумма... Именно тогда и произошло необыкновенное знакомство.

Мало кто посещал наш дом... Да что там «посещал»! Люди мыли руки, если случайно здоровались со мной. Аббат Гомар — один из немногих, кто решался приходить к нам.

Появляется аббат Гомар. В грубой рясе францисканского монаха, перепоясанной веревкой.

САНСОН. Этот францисканский монах стоял на эшафоте вместе со мною. Я отправлял ко Всевышнему, он напутствовал к встрече с Ним. Но однажды за столом после хорошей рюмки хорошего вина...

ГОМАР. Ах, друг мой! Каждый раз, молясь за преступника, я думаю о грехах в своей семье...

САНСОН. Вы позволите налить?...

ГОМАР. Не стесняйтесь. Вино создает общество, хорошее настроение. Мне это нынче необходимо. Моя племянница — Жанна де Воберньe, существо восхитительное, но... совершенно погрязшее в пороке...

САНСОН. Я был — весь внимание...

ГОМАР. Не забывайте наливать... Самое грустное, мой мальчик: она родилась в той же деревушке, что Жанна Д'Арк. Она даже названа в честь Орлеанской *девственницы*... Но вместо добродетелей героической Жанны... (Горестно.) Не забывайте наливать...

САНСОН. Крепитесь, святой отец.

ГОМАР. Мою Жанну сгубила красота. Жаворонка заманивают в клетку блеском зеркала... Грязная сводня заманила мою пташечку блеском легкой жизни. И нынче семена порока дали пышные всходы!

САНСОН. Порок меня не пугал, всходы обнадежили. Я выведал у аббата, где живет красавица, и, объяснив себе, что просто обязан вернуть красотку на стезю добродетели... стал караулить у ее дома...

Появляется Жанна со служанкой.

САНСОН. Боже... Лазоревые глазки, коралловые губки! Роскошная копна белокурых волос!.. А кожа!.. А грудь! Венера! Венера!..

РЕЖИССЕР М. Эти жалкие слова нужно кричать. Эта страсть — на разрыв аорты! Как Бомарше кричал любовнице: «Я хочу слиться с тобой, сука! Я хочу сожрать тебя живьем, тварь! Я хочу мою кровь — в твою!»

ЖАННА (резко обернувшись). Вы шпионите за мной, сударь? Кто вы?

САНСОН. Жертва, сраженная вашей красотой. (Кланяется.) Шевалье де Лонгеваль, молящий о счастье быть принятым вами.

ЖАННА (внимательно оглядев его). Пожалуй, вам можно будет зайти ко мне. Однако есть «но»...

САНСОН. Скажите! И, клянусь, преодолею!

ЖАННА (насмешливо). Преодолеть шевалье сможет только в случае, если он *очень и очень* состоятельный...

Комната Жанны — как картина Фрагонара. Жанна сидит в кресле. На лесенке над нею нависает парикмахер — сочиняет модную прическу, гигантское многоярусное сооружение из волос, увенчанное Амуром со стрелой. За всем этим наблюдает немолодой господин в золотом камзоле. Бросается в глаза его крупный хищный нос.

Входит Сансон.

ЖАННА (представляет). Шевалье де Лонгеваль. Шевалье де Сенгаль.

Оба в поклоне церемонно метут шляпами пол.

ЖАННА (шевалье де Сенгалю). Ну, начинайте наставления, несносный. И, надеюсь, вы при деньгах. Все так подорожало: прическа стоит, как маленькое поместье, ужас! Я готова сделать перерыв. (Вскакивает с кресла и ловко задирает юбки.)

ДЕ СЕНГАЛЬ. Нет-нет, сударыня! Мы получили друг от друга все, что могли дать. Вы слишком хороши, чтобы я имел право наслаждаться вами столь долго. Мы расстаемся, я по-

кидаю Париж. Но на прощанье, милая Жанна, позвольте дать несколько советов, которые ценнее денег.

ЖАННА. Стал старый и жадный...

Усаживается на прежнее место — в кресло. Парикмахер продолжает трудиться.

ДЕ СЕНГАЛЬ. Первое: прекрасная плоть — это капитал. А всякий капитал требует, чтоб его пустили в рост. Любовь — как война, она должна сама себя содержать. Я хочу на прощанье сделать вам подарок. Завтра вы, обнаженная, ляжете на розовое канапе. Вас нарисует присланный мной живописец. Моя задача — передать этот портрет королю. Ваша — впоследствии расплатиться со мной... И торопитесь: многое говорит о том, что в этой спесивой стране что-то вскоре произойдет. Народ — это сборище палачей. (Сансон вздрагивает.) Дайте простолюдину шесть франков, велите кричать: «Да здравствует король!» — и он радостно доставит вам это удовольствие. Назначьте семь, прикажите кричать: «Смерть королю!» — и он заорет с еще большей радостью. У народа нет принципов и веры. Его боги — хлеб, вино и безделье. Безнаказанность он считает свободой, аристократию — злым хищником, а наглых демагогов — пастырями, нежно любящими свое стадо. Ваш монарх уже сказал: «После меня — хоть потоп». Так что второй мой совет: заработав деньги, спешите покинуть эту опасную страну грядущего потопа!.. (Наклонившись, шепотом.) Судя по крепким бедрам, линиям рта и подбородку, этого шевалье стоит пустить в дело. Но, насладившись, поскорее оставьте эту опасную страну. Совет мудреца! (Склонившись в поклоне, вновь подметает шляпой пол и удаляется.)

ЖАННА (разочарованно). Ушел, скупердяй! (Сансону.) Что скажете вы?

САНСОН (тотчас бросается на колени). Я пришел заклинать вас вернуться на стезю добродетели!

ЖАННА. Хотите вернуть меня на стезю... сейчас?

Сансон кладет деньги.

ЖАННА (парикмахеру). Оставьте же нас... и поскорее.

САНСОН. Что было потом... рассказ об этом я унесу с собой в могилу.

Прошло три дня. Вновь над Жанной колдует парикмахер.

ЖАННА. Сегодня мы прощаемся, мой милый...

САНСОН. Не бросайте меня! Я принес вам много денег.

ЖАННА. Это много для вас, увы, не для меня... Я мотовка, мой друг. Я несколько раз бежала из Парижа от кредиторов. Но они меня всегда легко находили... Знаете, как? Узнавали, где тратится наибольшее количество денег. (Хохочет.) Так что доверимся мудрым словам шевалье де Сенгаля. Мы уже насладились друг другом — стоит ли повторять пройденное?

САНСОН. Я был влюблен и высказал эту жалкую мольбу всех влюбленных: «Не прогоняйте меня, я могу вам еще пригодиться!».

ЖАННА (смеется). Глупец, я родилась в той самой деревушке, где родилась другая Жанна. И верю: меня ждет великая судьба!

САНСОН. Она оказалась права. Шевалье де Сенгаль... впрочем, никакой он был не шевалье — венецианский проходимец по имени Казанова... Но рассчитал он правильно: голая красавица тотчас покорила стареющего короля. И стала знаменитой фавориткой — графиней Дюбарри. А Франция весело запела: «Ах, плутовка, старого развратника соблазнила ловко...» Так что она не ошиблась... Но я тоже не ошибся! Я очень пригодился ей — правда, через двадцать лет...

Сансон залезает в карету. Он глядит из окна кареты в исчезнувший век.

Он вспоминает тот галантный Париж.

САНСОН. Париж тогда был сладостной блудницей. Гостиные представляли собой поле брани, где шло непрерывное сражение. Все мужчины сражались за то, чтобы соблазнить женщин, все женщины — за то, чтобы побыстрее быть соблазненными...

РЕЖИССЕР М. Галантная музыка! Тот маскарад!..

САНСОН. Это случилось после смерти старого короля. «Король умер! Да здравствует король!». Людовик Шестнадцатый только что вступил на престол. В ту ночь я придумал отправиться на маскарад в Опера... Знакомое чувство: на эшафоте я прячу свое лицо под маской и то же делаю на маскараде. (Надевает маску и выпрыгивает из кареты.) Мой камзол, моя фигура всегда привлекали внимание дам. Впрочем, с дамами надо здесь поосторожнее — под маской прячутся старухи и девицы, царицы света и полусвета... В тот вечер я увидел изящное домино, сопровождаемое несколькими кавалерами...

Неизвестная в домино весело смеется.

САНСОН. Никогда не видел столь грациозного тела.

Смело направляется к маске, но кавалеры тотчас преграждают ему путь.

Он пытается их обойти. Однако они, как стена.

ПЕРВЫЙ КАВАЛЕР. Коли вам не надоела жизнь, сударь, никогда не приближайтесь к этой даме.

Домино в танце, смеясь, исчезает в толпе.
К Сансону тотчас подходит Маска.

МАСКА (хохочет). Кто вы, наивный провинциал?
САНСОН. К вашим услугам — шевалье де Лонгеваль.

МАСКА. Вы хоть сейчас поняли, кто была эта дама в домино?

САНСОН (наконец, понимая). Боже мой!..

МАСКА (хохочет). Да, Мария-Антуанетта — королева Франции... Вас могли заколоть, дружок.

САНСОН. Так я встретил еще одну даму, к которой мне все же придется приблизиться... правда, тоже через двадцать лет.

МАСКА. Однако маски прочь, сударь... (Снимает свою и его.) Что ж, стать не обманула — шевалье и вправду хорош...

САНСОН. Это была герцогиня де Грамон. О похождениях этой прелестницы говорил тогда весь Париж. И я начал решительную атаку...

ГЕРЦОГИНЯ (отталкивая). Как же вы неопытны... Запомните: никогда *не* торопитесь в приют Наслаждения... ибо пропустите восхитительную станцию в стране Изнурительной Нежности... Приходите завтра ко мне. И мы начнем ваше образование.

САНСОН. Но... вы замужем?

ГЕРЦОГИНЯ. Боже мой, вы солгали... Вы не шевалье? Не может дворянин думать о таких глупостях... Вы, скорее, сойдете за великолепно сложенного кучера. Впрочем... это только возбуждает... И запомните: мой муж — благороднейший человек. Однажды — я была тогда совсем юна — я бежала от него с маркизом де С. Но мой умница муж послал за нами свою лучшую карету. Нет-нет, не для того, чтобы нас настигнуть, избави Бог! Просто мысль о том, что жена герцога де Грамон путешествует в жалкой наемной карете, была для него нестерпима... Это вряд ли понятно людям вашего сословия.

САНСОН. Клянусь честью, сударыня, я дворянин!

ГЕРЦОГИНЯ. Ну, хорошо, хорошо... Я жду вас завтра в нашем дворце за утренним туалетом.

САНСОН. Сколько прелестных обычаев уничтожила революция... Например, «lavais» — утренний туалет знатных

дам, во время которого они принимали поклонников. Она приняла меня в ванной, лежа под простыней. Что может быть притягательней обнаженного женского тела, прикрытого жалким куском материи?

Во дворце Герцогини. Герцогиня, Сансон и камеристка Китти.

ГЕРЦОГИНЯ. Милочка Китти, оставь нас. (Камеристка уходит.) Итак, раскройте ваши желания — в пределах путешествия в страну Нежности.

САНСОН. Я мечтаю, сударыня, о дозволении откинуть на мгновенье ненавистную простыню.

ГЕРЦОГИНЯ. Но вы помните — на мгновение. (Приподнимает простыню.) Вы получили представление о прелестях, которые вам сулит будущее?

КИТТИ (входя). Пришел маркиз де С.

ГЕРЦОГИНЯ. Как же вам повезло! Увидеть маркиза де С.! Маркиз — мой первый и поныне главный любовник. Великолепный наставник. Похитив, он поселил меня в своем «Петит мезон» вместе с двумя проститутками. И научил истинным премудростям любви... К сожалению, бедный маркиз сейчас сидит в Бастилии. Но за большие деньги его привозят ко мне раз в месяц. Так что ждать он не может... А вы... приходите завтра.

Входит маркиз де С.

ГЕРЦОГИНЯ. Дорогой друг, оцените мое новое приобретение... (Представляет мужчин.) Шевалье де Лонгеваль — маркиз де С.

Маркиз и Сансон в церемонном поклоне усердно метут шляпами пол.

ГЕРЦОГИНЯ. Я обнаружила это неотесанное бревно на маскараде.

МАРКИЗ ДЕ С. (разглядывая Сансона). Ну, что сказать, дорогая? Он явно обещает быть усердным в нашем любимом деле. Но есть качество, уничтожающее все его достоинства. Вижу по глазам: он ревнив.

ГЕРЦОГИНЯ (в ужасе). Шевалье ревнив?!

МАРКИЗ ДЕ С. (Сансону). И прежде, чем наша повелительница позволит вам разделить со мной ее драгоценнейшее тело, вы обязаны раз и навсегда усвоить истину, без которой...

ГЕРЦОГИНЯ и МАРКИЗ ДЕ С. (вместе). Не может быть истинной любви!

МАРКИЗ ДЕ С. Итак, ревность — есть всего лишь... всего лишь доказательство глупой относительности человеческих понятий. (С видом ученого.) Есть племена, где вам предложат жену, как обычную чашечку кофе. Там это входит в понятие гостеприимства... За то же самое в европейских странах женщину презирают, а в какой-нибудь Персии вообще убьют... Ужас!

ГЕРЦОГИНЯ. О! Чувствую, нас с ждет великолепный монолог!

МАРКИЗ ДЕ С. К счастью, в Париже нет персов, и даже напротив. Пример тому — муж герцогини. Истина номер один: обманутый муж не смешон. Смешон муж ревнивый. Да, герцогиня для меня — дороже жизни... Но я не буду возражать, если по сладострастию или просто по любопытству она отдастся вам. Я назову это милой прихотью... Однако вы, с вашими простонародными предрассудками...

САНСОН (угрожающе). Меня зовут шевалье де Лонгеваль, сударь!

МАРКИЗ ДЕ С. Мой друг! Назовитесь хоть королем Франции, вас выдадут ваши красные натруженные руки... (Герцогине.) Но, вместе с тем, в нем есть что-то притягивающее. Нет, это очень интересный господин... Этот псевдошевалье пахнет Истиной...

ГЕРЦОГИНЯ. Говорите... говорите! Но и... приступайте к делу!

МАРКИЗ ДЕ С. (раздевая герцогиню). Мне было тринадцать, когда я открыл Истину. В тот день я изнасиловал нашу служанку... Она была невинна и богобоязненна. Именно тогда я понял: только в ужасе и боли рождается истинное наслаждение. В нас просыпается наша подлинная природа — природа зверя... Оркестр боли и страсти —этот хор постоянно звучит в природе. (С ученым видом.) Вот почему амебы при совокуплении поедают друг друга, и крабы во время случки выкусывают друг у друга куски. Вот почему даже при обычном поцелуе в нас пробуждается невинная жажда — укусить... (Герцогине.) Прошу! (Герцогиня целует маркиза.) Однако, мадам, вы преступно ошиблись. Вы наградили меня флорентийским поцелуем. А я вас учил какому? Здесь должен быть...

ГЕРЦОГИНЯ. Венецианский!

МАРКИЗ ДЕ С. При котором следует...

ГЕРЦОГИНЯ. Умело ласкаться языками, не забывая сладостно пощипывая ушки любимого... (Трагически.) Как же я могла забыть! О, как вы хороши, мой учитель! Я взволнована! (Сансону.) Оставьте нас, шевалье! Быстрее! И, если сможете оценить мудрость маркиза, приходите завтра.

САНСОН. Это был мир Содома и Гоморры... Мой эшафот, залитый кровью, показался мне храмом невинности... Но я пришел вновь!

Во дворце. Герцогиня лежит в постели.

ГЕРЦОГИНЯ. Мои стихи: «Легкая муслиновая шаль на белых точеных плечах не скрывала грудь...» Вы видите, как вам доверяют... Хотя и ждут многого... Для начала сходите узнать, куда запропастилась моя камеристка. (Насмешливо.) Поищите негодницу, только хорошенько! (Сансон уходит.)

ГОЛОС САНСОНА. Кэти! Кэти!

ГЕРЦОГИНЯ (нежно). Какой глупец. (Закрывает глаза и лежит уже обнаженная на постели. Он возвращается.)

САНСОН. Сударыня, дом пуст, служанки нигде нет... Сударыня! И я... Так, по галантному обычаю, она позволила себе проспать самое интересное... проснувшись невинной...

ГЕРЦОГИНЯ. Ах, мой друг, сны бывают так пленительны, что, порой, жаль просыпаться. Я буду ждать продолжения сегодняшнего сна. А пока — ступайте!

САНСОН. В субботу она повезла меня в Версаль. Ночной Версаль... Там все дышало тогда сладостным безумием... Стонущие чудовища о двух головах таились в темноте ночи в баскетах парка... Бал под звездным небом в зале канделябров... Горят разноцветные свечи. И Мария-Антуанетта танцует в прическе с павлиньими перьями... Режим казался вечным, как египетская пирамида, и никогда не был так близок к гибели. (Сансон танцует с герцогиней.) «Мене, текел, фарес[1]» — эти слова уже горели на стенах Версальского дворца... Все танцевавшие в тот вечер встретятся со мной на эшафоте.

ГЕРЦОГИНЯ. Ну, идемте же... ну, возьмите меня здесь... (Сансон хватает её.) Нет... Нет и еще раз нет! (Вырывается.) Это всего лишь очередная станция в стране Изнурительной Нежности.

Из кареты с трудом вылезает толстый Людовик Шестнадцатый.

Долго смотрит на танцующих и задумчиво говорит свое любимое: «М-да».

Танцы прекращаются.

КОРОЛЬ. М-да. (Залезает обратно в карету.)

Танцы возобновляются.

[1] Мене, текел, фарес (взвешено, сочтено, разделено) — таинственные слова, по библейскому преданию, начертанные невидимой рукой на стене во время пира у вавилонского царя Валтасара, пророчившие ему гибель.

ГЕРЦОГИНЯ (поправляя платье). Меня тревожит наш король. Этот добродушный толстяк опасно выбивается из череды своих предков... Все Людовики были королями Любви. Людовик Четырнадцатый прибыл в армию в карете с двумя возлюбленными — и армия восторженно рукоплескала. Людовик Пятнадцатый превратил двор в гарем, и его гордый нос украшает потомство множества наших фрейлин. Как любят шутить у нас в Версале: «Бог простит, свет забудет, но нос останется». Французы разрешают своим королям всё, кроме одного — быть смешными... А наш Людовик посмел быть верен жене. Смешнее не бывает! Поверьте, мы на пороге Революции...

Из кареты вылезает герцог Орлеанский.

ГЕРЦОГИНЯ. А вот и главный революционер Франции. Младшая ветвь Бурбонов, а нос — как у старшей. Фирменный галльский нос, который можно успешно использовать в любовной дуэли, если откажет основное оружие...

САНСОН. Вы были с ним!

ГЕРЦОГИНЯ (хохочет). И с ним тоже!.. Мария-Антуанетта его ненавидит. Он не получил звания гранд-адмирала. Может после этого порядочный человек не мечтать о Революции?!

Появляется принц Лозен.

ГЕРЦОГИНЯ. А это его главный друг — наш первый Дон Жуан, наш красавец герцог Лозен. (Смеется.)

САНСОН (почти испуганно). И с ним — тоже?!

ГЕРЦОГИНЯ. И с ним. И с ним. И с ним... Не дворец, а какой-то бардак... Сейчас Лозен и герцог задумали наш первый революционный заговор — сделать рогатым бедного короля.

Из кареты появляется ножка Марии-Антуанетты.

ЛОЗЕН. Ваше Величество, дозвольте мне стать ступенькой для божественной ножки... (Падает у дверцы кареты.) Смелее, моя королева! (Королева ставит ножку на грудь Лозена.) Вы ступили на сердце Лозена. (Страстно целует ножку.)

МАРИЯ-АНТУАНЕТТА. Ах!

Он тотчас вскакивает, и королева уже в его объятиях.

Он целует ее, и она возвращает поцелуй. Потом в ужасе отталкивает его, убегает.

Лозен и герцог уходят. Из кареты долго, с трудом, вылезает король.

Вновь появляется Мария-Антуанетта.

МАРИЯ-АНТУАНЕТТА (нежно). Мой милый, я послала тебе счета.

КОРОЛЬ. М-да...

МАРИЯ-АНТУАНЕТТА. Мадам Бертен сшила восхитительный народный туалет. И я придумала, где его надеть. В Трианоне построим прелестный маленький театр, и я сыграю в нем служанку Розину из пьесы Бомарше.

КОРОЛЬ. М-да.

МАРИЯ-АНТУАНЕТТА. Только не ворчи... Правда, следует как-то освежить это платье. Я присмотрела великолепное колье... которое твой дед заказал для этой шлюхи Дюбарри...

КОРОЛЬ. Министр Мальзерб просил тебе передать: за парком твоего дворца начинаются деревни, где крестьянам нечего есть — у них нет даже хлеба.

МАРИЯ-АНТУАНЕТТА (насмешливо). Если нет хлеба, пусть умный министр порекомендует им... есть пирожные!

КОРОЛЬ. М-да... Кроме того, наши богатые буржуа волнуются... Они требуют прав. И если они узнают о новых тратах...

МАРИЯ-АНТУАНЕТТА. По-моему, им дали главное право — платить налоги. На то они и богатые. Объясните

этим жадным идиотам, Ваше Величество: монархия — дело очень дорогое...

ГЕРЦОГИНЯ. Она прелестна. И сумела невероятное — разорить самую богатую в мире французскую казну. Нет-нет, у нас будет революция!.. На днях я возьму вас с собой в театр. Надеюсь, вы знаете кто такой Бомарше?

САНСОН. Бомарше — великий человек.

ГЕРЦОГИНЯ. Несомненно. Недаром он отправил на тот свет парочку своих старых жен... Сейчас он написал пьесу. Главный герой — слуга по имени Фигаро. Этот Фигаро... чем-то похож на вас. Послушайте, а вы не слуга?

САНСОН. Я шевалье де Лонгеваль.

ГЕРЦОГИНЯ. ... И этот Фигаро говорит там восхитительно-возмутительные вещи, которые почему-то хотят услышать все — королева, принцы крови... Сопротивляется один глупый король. Он один понял то, чего не понимают наши умники...

Площадь перед театром. На площади — толпа.

САНСОН. Герцогиня повела меня на премьеру. Экипажи стояли вдоль Сены, и тысячная толпа заполняла площадь... Была порядочная давка, и лакей прокладывал нам дорогу... В толпе зевак я увидел забавную троицу. Я и прежде часто видел их вместе в Люксембургском саду... Они жили, видимо, поблизости — в Латинском квартале.

Появляются двое молодых людей и красотка-девушка. Один из них нежно ее обнимает.

САНСОН. Девушка — невеста вот этого остроносого уродца. Его зовут, как я узнал потом, Камиль Демулен. С ними всегда гуляет этот малорослый молодой человек с узким лбом и поразительно упрямым подбородком. Он обожает голубые фраки, и у него привычка чрезмерно пудрить волосы. Так что когда он снимает шляпу, над ним поднимается белый нимб. Готов поклясться, малорослый тайно влюблен в девицу, но вряд ли позволил себе хоть что-то. Он из тех онанистов, которые умрут, но не отважатся объясниться с любимой женщиной. Его имя — Максимилиан Робеспьер... В тот день им не хватило билетов — «Одеон» был набит знатью...

Троица остается стоять в толпе.

Мимо них слуга проводит в театр герцогиню и Сансона.

Театр «Одеон». На сцене — Фигаро.

ФИГАРО. «Вы дали себе труд родиться, только и всего...» (Рев и овация зала.) «... С умом, и вдруг — продвинуться? Да что вы, шутить что ли изволите, ваше сиятельство? Раболепная посредственность — вот кто всего добивается!» (Овация.) «... Все вокруг меня хапали, а честности требовали от меня одного!» (Все тот же рев восторга.)

САНСОН. И принцы крови, и главные подруги королевы — герцогиня де Ламбаль, герцогиня де Шиме, госпожа Полиньяк, моя герцогиня де Грамон и все прочие красавицы заходились в овациях...

ФИГАРО. «... За мной опустился подъемный мост тюремного замка, а затем, у входа в этот замок, меня оставили надежда и свобода. Как бы мне хотелось, чтобы когда-нибудь в моих руках очутился один из этих временщиков, которые так легко подписывают самые беспощадные приговоры...» (Овация.)

САНСОН. Кто мог тогда предположить, что очень скоро Фигаро погонит всю эту рукоплещущую, разряженную толпу ко мне на эшафот... Лишь один человек это знал.

Дворец герцогини де Грамон. Сансон и герцогиня де Грамон.

ГЕРЦОГИНЯ. Завтра вы сопровождаете меня к кардиналу де Рогану. Этот отменнейший болван очень красив! И,

как бывает нынче с принцами церкви, не отстает от принцев крови... В его дворце мы продолжим ваше образование. Там есть несколько комнат, где выпуклые фигуры на стенах демонстрируют все виды наслаждений. И приглашенные дамы в лорнет изучают их... прежде чем разойтись по спальням для повторения картин... Так что не удивляйтесь, мой друг, если мне придется вас покинуть... вместе с хозяином. Надеюсь, вы уже не хотите задать надоевший вопрос?

САНСОН. Уже нет.

ГЕРЦОГИНЯ. Браво! Наконец-то не вижу простонародного ужаса в ваших глазах. И еще: не удивляйтесь — за ужином мы все сидим... нагие. Но дамы из общества — в масках, а шлюхи — без. Это справедливо. Как говорит кардинал: «Дамы из общества обязаны сохранять элегантность в неприличии и чувство достоинства в разврате». Он все-таки у нас Высокопреосвященство и, следовательно, моралист...

Дворец кардинала де Рогана.

САНСОН. Но, к ее разочарованию, все было иначе.

ГЕРЦОГИНЯ. Какая скука! Оказалось, сегодня у кардинала собирается философский кружок, столь модный нынче в Париже. Несколько очень умных аристократов, несколько очень красивых и пугающе умных дам... Что делать, в наш век господства философов нам, красивым женщинам, приходится быть еще и умными... (вздохнув) если мы хотим быть модными. Так что не удивляйтесь моим рассуждениям о Спинозе... Ибо приглашен Казот, наш философ, таинственный масон и блистательный рассказчик... (Застенчиво.) Излишне говорить, что и с ним...

Появляется толстенький улыбчивый человек — Казот.

САНСОН. Надо сказать, что вечер и вправду протекал крайне скучно... И этот Казот, вопреки рекомендации, никого не развлекал. Весь вечер он пребывал в каком-то тоскливом молчании.

ГЕРЦОГИНЯ. Мой дорогой Казот, я вас не узнаю!

КАЗОТ. Простите, герцогиня, некий сумрак овладел мной. Но я с наслаждением слушаю умные разговоры вокруг.

САНСОН. ... Разговоры были вольные. Кто-то под общий хохот смело цитировал стихи: «И кишками последнего попа сдавим шею последнего короля». Сыпались анекдоты о глупом короле... Особенно веселился Мальзерб — самый либеральный из министров...

МАЛЬЗЕРБ. Ах, друзья мои! Как бы я хотел быть сейчас молодым... Только вы, молодежь, увидите будущую революцию. Предсказанное нашими философами счастливое царство Разума. Нам, старикам, до этого не дожить...

КАЗОТ (вдруг поднимается и монотонно, без выражения, будто сомнамбула). Да нет, господа, вы все доживете до этой революции, о которой так мечтаете. (Все замолкают.) Но знаете ли вы, что произойдет с вами *после* революции? Это случится уже в царстве Разума. И вот во имя Разума, во имя Свободы и Равенства вы, господин Мальзерб... да и все, здесь сидящие... (долго молчит) отправитесь на эшафот... (Движение в зале. Казот будто разглядывает нечто.) Но какой странный эшафот вас встретит... На нем — удивительное сооружение... Топор, висящий между двумя балками...

МАЛЬЗЕРБ (пытаясь шутить). Вы хотите сказать, что нашу Францию после Революции завоюют могущественные варвары?

КАЗОТ. Нет-нет, сударь, варвары тут не при чем. Люди, которые отправят вас на смерть, будут такими же поклонниками философии, как и вы. Они будут произносить те же речи о Разуме и цитировать те же стихи Дидро... При этом убивать! Бессчетно убивать!

ГЕРЦОГИНЯ (пытаясь прервать испуганное молчание). Ах, мои милые мужчины... Вы все помешаны на политике! Насколько мы, дамы, счастливее вас. К политике мы непричастны, ни за что не отвечаем, таков наш пол. И потому...

КАЗОТ (резко прерывает). Ваш пол, сударыня, не сможет послужить вам защитой. И вас, герцогиня, постигнет та же участь — эшафот!

ГЕРЦОГИНЯ. Да послушайте, господин Казот, что вы такое проповедуете? Что же это будет? Конец света, что ли?

КАЗОТ. Этого я не знаю. Но знаю: вас, герцогиня, со связанными руками повезут на плаху. И вместе с герцогиней — вы, сударыня... и вы... и вы... (Тычет рукой в толпу.)

ГЕРЦОГИНЯ (всё пытаясь обратить слова Казота в шутку). Не многовато ли нас, месье? Как же мы поместимся в одной карете?

КАЗОТ. Карета? (По-прежнему будто разглядывает невидимую картину.) Никакой кареты, сударыня! Тюремная телега везет вас на смерть... Впрочем, и более высокопоставленные дамы поедут на эшафот в такой же позорной повозке — с руками, связанными за спиной.

ГЕРЦОГИНЯ (иронически, но голос ее дрожит). Уж не принцессы ли крови?

КАЗОТ. Более высокопоставленные... Потому что в карете на казнь поедет только один.

ГЕРЦОГИНЯ. И кто же сей счастливый смертный?

КАЗОТ (хрипло). Король Франции.

Раздается общий ропот. Вмешивается Мальзерб.

МАЛЬЗЕРБ. Дорогой мой, вы слишком далеко зашли в этой мрачной шутке. Вы рискуете поставить в опасное положение наше общество и самого себя.

КАЗОТ (будто приходя в себя). Вы правы... Я хочу откланяться, господа.

ГЕРЦОГИНЯ. Нет, господин мрачный пророк, вы нам предсказали всякие ужасы. Что же умолчали о себе?

КАЗОТ. Я могу ответить только словами иудея Иосифа Флавия, описывающего осаду Иерусалима: «Горе Сиону! Горе и мне!» Я вижу себя на том же эшафоте, сударыня!

Казот учтиво кланяется и уходит.

САНСОН. По-моему, она была возбуждена... кровью. И все опять случилось. Это было время любовной гласности. Около ее дворца постелили солому, говорившую: «Сегодня ночью тут нужен особенный покой». Как положено, она

пригласила подруг — навестить ее утром. И, глядя на темные круги вокруг глаз хозяйки, согласно правилам галантности, они обязаны были говорить восхищенно: «Как вы утомлены!»...

Но все произошло иначе.

Герцогиня и Сансон.

Она кладет ногу на маленький стульчик и слегка откидывается в кресле.

ГЕРЦОГИНЯ. Говорите же, мой друг. Я должна испытать ваше красноречие... *перед*...

САНСОН. Ваша крохотная ножка покоится на маленьком стульчике. И красота маленькой ступни обещает восхитительные колени...

ГЕРЦОГИНЯ. Банально, но сойдет. Разрешаю проверить ваши смелые предположения... Делитесь же впечатлениями, друг мой.

САНСОН. О, колени — последняя станция, где прощаются с дружбой. Здесь начинается любовь...

ГЕРЦОГИНЯ. Пошловато, но, судя по происхождению, которое вы упорно скрываете, это предел. Итак, вы удостоены галантного отличия — поцелуя... чуть выше колена. (Он прижимается губами.) Далее!

САНСОН. Строка поэта: «Белая шея чиста, как алебастр... Пышная грудь возбуждает желания... и жадно хотят припасть к ней уста».

ГЕРЦОГИНЯ. Я хорошо воспитана. Я готова обнажить грудь... для дружеского поцелуя... и заодно... (Он помогает ей снять великолепное платье.) Уверена, что одежду выдумал какой-то горбатый карлик, чтобы скрыть свое тело... (Декламирует.) «Бесстыдно белеет рубашка, украшенная серебром и кружевом... а внизу раскинулась холмистая долина Амура». Ну, помогите же несчастной избавиться от оплота добродетели... (В темноте.) Неплохо... совсем неплохо. Но кто вы? Кто вы, черт возьми? Я вас отчего-то боюсь... Когда рассказывали про эшафот... как хищно горели ваши глаза!

САНСОН. Вы действительно хотите узнать правду? Вы не боитесь её узнать?

ГЕРЦОГИНЯ. Даже если вы жалкий слуга, вы великий любовник.

САНСОН. Я... палач.

ГЕРЦОГИНЯ (после долгой паузы). Надеюсь, более я никогда вас не увижу.

САНСОН. Никогда не говори «никогда»... Вскоре оно подкралось — последнее десятилетие правления короля... И вот уже по прихоти королевы возведен дворец Трианон...

Трианон.

МАРИЯ-АНТУАНЕТТА. Здесь я спасаюсь от грандиозности Версаля, от тысяч слуг, от неумолимости этикета. Здесь нет постоянной французской напыщенности, нет колоколов, но есть колокольчик. Здесь я могу принимать, кого хочу. Здесь наконец-то я получила право на свою частную жизнь...

КОРОЛЬ (вылезая из кареты). М-да...

САНСОН. Трианон окончательно подорвал наш бюджет, и даже мне задержали жалование. И я отправился в Версаль... Мне была назначена аудиенция.

Версаль. Король и лейб-медик. Входит Сансон.

КОРОЛЬ (стоит спиной к Сансону). Это тот человек?

ЛЕЙБ-МЕДИК. Именно так, Ваше Величество.

КОРОЛЬ (спиной). Передайте этому человеку — ему будет заплачено сполна.

САНСОН. И, рассматривая презирающую меня спину, я привычно отметил сильные мускулы шеи, выступавшие из-под кружевного воротника.

Король, вздрогнув, оборачивается.

КОРОЛЬ (лейб-медику). Он еще здесь?

ЛЕЙБ-МЕДИК (поспешно Сансону). Аудиенция закончена. Уходите, сударь!

САНСОН. Но я запомнил... шею!

РЕВОЛЮЦИЯ

САНСОН. Революция... Ее все ждали, все о ней говорили. Сколько просвещенных умов — потомков древнейших родов — считали хорошим тоном издеваться над королем, любить Вольтера и называть Бога выдумкой для дураков! Но, несмотря на все вольности в разговорах, никто не думал изменять присяге. О революции болтали с удовольствием, ибо всерьез... не верили в нее. И как все мгновенно свершилось! Июльским утром еще была королевская власть, но днем ко мне прибежал мой помощник Жако...

ЖАКО. Шарло, народ громит Бастилию!

САНСОН. Это была тюрьма для аристократии... довольно красивое здание с башнями. Мы с Жако прибежали на площадь, когда Бастилия была взята. Прямо напротив нее Бомарше построил свой дворец — с множеством окон по фасаду. У него, видно, был прием, во всех окнах стояли гости...

Победный рев толпы. Крики радости.

Появляется Камиль Демулен, окруженный толпой. Рядом с ним — человек, торжественно несущий пику с человеческой головой.

САНСОН. Жако! Но это...

ЖАКО (воодушевленно). Голова! К тому же, вашего знакомца — коменданта Бастилии. (Весело.) Кто это у нас так высоко забрался — поближе к небесам?! (Хохот толпы.)

ДЕМУЛЕН. Народ! Французы! Великая нация! Оковы пали! Мы победили! Свобода, равенство и братство! И одно царство — Разума.

Восторженный рев толпы.

САНСОН. Я бывал в Бастилии. Там сидели шестеро заключенных. Одного из них я должен был казнить, но он оказался сумасшедшим. Второй свое отсидел, но выходить отказался... Я буду часто вспоминать пустую Бастилию, проходя по переполненным революционным тюрьмам. Но тогда этот огромный замок в считанные дни разобрали по камешку на сувениры. И на месте Бастилии открыли кафе...

Бал не прекращается. Только теперь танцуют простолюдинки вместе с великосветскими красавицами. Выносят столики кафе.

Сансон садится за столик.

САНСОН. Какое счастье — казни прекратились! Город задыхается от свободы и радости! Бульвары полны красавиц-простолюдинок.

Входит Казот. Садится за соседний столик.

САНСОН. Здравствуйте, месье Казот. Вы меня, конечно, не помните...

КАЗОТ. Ну почему же? Вы были с герцогиней де Грамон. У вас особое лицо. Мне оно показалось знакомым...

САНСОН. Вряд ли вам оно знакомо, сударь. Когда я работаю, мое лицо — под маской. Я палач.

КАЗОТ. Так вот в чем дело! Значит, это вас я видел там — под странным сооружением с висящим топором!

САНСОН. То есть, как это — видели, сударь?!

КАЗОТ (не отвечая). Итак, вы палач...

САНСОН. И, поверьте, с гордостью исполняю свою работу... Я подал прошение в Национальное Собрание. Стыдно сказать, но люди только двух профессий лишены у нас гражданских прав — палачи и актеры. Конечно, у нас с актерами имеется что-то общее — мы все выступаем на подмостках...

Однако есть решающая разница: польза актеров часто сомнительна, но всегда несомненна польза палачей. И теперь я от имени всех палачей требую уравнять нас в правах с другими гражданами.

МАРКИЗ ДЕ С. (появляется). Браво! Браво, палач!

КАЗОТ. Здравствуйте, маркиз!

МАРКИЗ ДЕ С. Гражданин маркиз... Ваши прорицания, любезный Казот, так испугали тогда герцогиню... Но, как видите, всё обернулось совсем иначе... Как великолепен, радостен революционный Париж! И просто наводнен недорогими красавицами. Вчера, охотясь на гризеток, я наблюдал постреволюционную фантасмагорию мод... Расшитое платье вельможи, рядом — фрак адвоката и нищее сабо простолюдина... И все — братья!

ГОЛОС РЕЖИССЕРА М. Это была нежная революция. Все, как у нас в феврале семнадцатого года... Бархатная революция, спрятавшая свой когти... *пока!*

МАРКИЗ ДЕ С. (хохочет). Никто теперь не работает, все выступают... Люди счастливо забыли слово «делать» — помнят только «говорить». Выступив на митинге, бегут в оперу-буфф, или в публичный дом, или в революционный клуб... Газеты плодятся, как кролики. И, главное, можно писать обо всем... У меня взяли пьесу, которую вчера объявляли непристойной. Ведь я — пострадавший от «проклятого режима»... Кстати, моя камера в Бастилии находилась в северном крыле — да, да, как раз на этом месте, где мы с вами сейчас пьем вино.

САНСОН. Смею спросить: за что же вы, сударь, сидели в Бастилии?

МАРКИЗ ДЕ С. Был женат. На скучной даме из семьи с восемью веками истории. Средневековые родители не смогли понять смелых экспериментов. Дело в том, дорогой месье палач, что я вовлек в любовные изыскания её родную сестру. И соединил их вместе в кровати, прибавив одну шлюху и одну герцогиню... За это меня и упекли в Бастилию...

Хорошо сидим — философ, содомист и палач... Как революционна эта компания!

САНСОН. А что герцогиня? Вы ее видите?

МАРКИЗ ДЕ С. Мой дорогой друг! Зачем мне дореволюционные прелести, когда вокруг столько революционных.

ГОЛОС РЕЖИССЕРА М. Все время шумит толпа... Она хохочет, поет песни... И все время славит вождей Революции — будто кто-то включает и выключает динамик.

В великолепном камзоле со шпагой и в напудренном парике появляется герцог Орлеанский и рядом с ним — принц Лозен.

ТОЛПА (ревет). Да здравствует герцог Равенство! (Овация.) Да здравствует Лозен –бесстрашный генерал Революции! (Овация.)

МАРКИЗ ДЕ С. Какой скучный человек этот герцог... Захотел забрать корону у нашего толстяка...

Появляется Демулен в шляпе, украшенной дубовыми листьями, в обнимку с красавицей Люсиль — она в красном революционном колпаке.

ТОЛПА. Да здравствует Камиль Демулен! Отец штурма Бастилии! (Овация.)

Демулен целует Люсиль.

Оба весело кричат при каждом поцелуе: «Аристократов на фонарь!».

ТОЛПА (подхватывает). Са ира! Са ира! Это пойдет! Это пойдет![2] Аристократов на фонарь! Да здравствует Камиль Демулен!

---

[2] Са ира — от франц. «Ça ira»; рус. «Ах, [дело] пойдёт!» или Ах, пойдут дела на лад!» — одна из самых знаменитых песен Великой французской революции; до появления «Марсельезы» — неофициальный гимн революционной Франции.

МАРКИЗ ДЕ С. Где историческая справедливость?! Все славят этого уродца, призвавшего народ идти на Бастилию. Но первым, кто позвал народ крушить оплот тирании, был я, маркиз де Сад! За несколько дней до него, когда еще только начинались волнения в Париже, я уже орал из окна камеры: «Круши треклятую Бастилию!» Собралась грозная толпа, но меня оттащили от окна, увезли в сумасшедший дом. А я всегда ждал... жаждал Революцию! Я ее Иоанн Предтеча. И это поймут, когда мои сочинения будут изданы. Сочинения смельчака, открывшего, что жажда насилия — это жажда Революции. Вот тайный смысл человеческой натуры. (Кричит.) Са ира! Это пойдет! Аристократов на фонарь! Род человеческий веселится на свободе, забросив скучные занятия! Школяры в отсутствие учителя...

КАЗОТ (дотоле молчавший). Точнее — овцы в отсутствие пастыря. Все вокруг потопчут, изгадят, а потом сами себя и погубят.

МАРКИЗ ДЕ С. Однако, какова попка... (Бросается вдогонку за прошедшей девушкой.)

САНСОН. Прощайте, месье Казот.

КАЗОТ. Скорее, *до свидания, палач!* К сожалению.

ПЛАЧ КАЗОТА

КАЗОТ. Они уже пошли — часы революции. Волшебные часы, где минута равна веку. Лавина событий. Но тонущая королевская власть продолжит жить в прежнем неторопливом течении времени. И бедный король не сможет понять, куда исчезло его преданное дворянство, где они — верные вчера солдаты. Он не знает, что все уже волшебно переменилось, ибо за день Революции проходит столетие... Однако глух и слеп не только несчастный король. Слепы и они — наши просвещенные философы, вольнолюбивые аристократы. Ведь народ, который они освободили сегодня, уже завтра возненавидит освободителей. Торопливые часы мчат к невиданной крови. Начнут рушиться авторитеты опыта, таланта, происхождения. На вершины поднимутся исполины, которые при падении окажутся карликами. И топор нависнет над всеми... Горе тебе, Сион! Горе и мне!

По команде Режиссера М. танцевальная зала поднимается и становится эшафотом. Преображается и карета. Верх ее улетает к колосникам,

и карета оказывается телегой палача.

В Национальном собрании.

Председательствует депутат Верньо.

ВЕРНЬО. Слово депутату доктору Гильотену.

ГИЛЬОТЕН. Граждане депутаты! Поступило обращение к депутатам от палача города Парижа Шарля Сансона. Предлагаю заслушать этого достойного человека. (Сансону.) У вас три минуты.

САНСОН. Граждане депутаты! Как известно, палачи казнят преступников, приговоренных законом. Однако откуда взялся этот позорный предрассудок — что мы, берущие на себя исполнение закона, считаемся гражданами второго сорта?!

ГОРЗА. Это справедливо! Каждый человек должен испытывать содрогание при виде палача, многократно лишавшего жизни своих ближних. Это основано на понятиях гуманизма.

САНСОН. Решительно возражаю! Палач — одна из самых гуманных профессий. Кто ободрит идущего на смерть? Палач. Кто старается причинить ему как можно меньше страданий? Палач! И если вы, господин Горза, не дай Бог, очутитесь на эшафоте... клянусь, вы оцените мою заботливость.

Смех в зале. Хохочет и Горза.

САНСОН. А ведь смеялся-то он зря...

ВЕРНЬО. Слово депутату Робеспьеру.

РОБЕСПЬЕР. Я не любитель длинных речей. Скажу коротко. Гражданин Сансон прав. Но, покончив с неравенством служителей эшафота, мы должны покончить и с неравенством *на* эшафоте... Как известно, головы рубят только дворянам. Простым людям суждено качаться на виселице. Защитим же равенство, граждане! Рубить головы следует всем!

САНСОН. Я в ужасе следил за тем, как они голосовали. Рубить голову *всем*! Сколько работы прибавится! И мне с ней попросту не справиться... После заседания я бросился к доктору Гильотену, этому замечательному человеку, так радеющему о нас — палачах.

Сансон и Гильотен.

ГИЛЬОТЕН. Вы хотите предложить виселицу для всех?

САНСОН. Нет-нет! Трупы повешенных портят нравы — преступники подолгу висят на потеху толпе. (Вздыхает.) Нет, доктор, отсечение головы — самый передовой способ казни.

ГИЛЬОТЕН. И как прекрасно, что, благодаря революции, этим передовым способом теперь смогут воспользоваться все!

САНСОН. Но сколько может быть таких казней? (О, если бы я мог тогда представить!) И какой поистине железной должна быть рука палача... Ведь если осужденных будет слишком много, устанет рука, и казнь обратится в страшные мучения...

ГИЛЬОТЕН. Мне нравится, что вы заботитесь о высоком качестве своей работы... Значит, следует найти механизм, который действовал бы вместо руки человека!

САНСОН. Браво! Именно!

ГИЛЬОТЕН (с упоением). Конечно! Нужна машина! Мы обратимся к нашим ученым. В век Революции передовая нация должна казнить передовым способом!

САНСОН. Браво!

ГИЛЬОТЕН. Механизируем вашу работу! С наслаждением общаюсь с вами! Нечасто встретишь такого думающего палача.

САНСОН. Все — для блага Отечества, гражданин... И у меня уже есть на примете один изобретатель.

САНСОН. Вечером ко мне пришел Шмидт — немец, настройщик пианино, один из тех двух-трех людей, дружививших со мной в те годы.

Дом палача Сансона. Входит Шмидт.

САНСОН. Воскресными вечерами мы с ним играем дуэтом — он на клавесине, я на виолончели. И моя жена Мари — у нее отличный голос — поет... Да, наконец, я женился. С возрастом страсти улеглись, и дочь палача из Марселя дала мне тихое семейное счастье... Шмидт — прекрасный механик, и я поведал ему о своих затруднениях.

Шмидт и Сансон играют арию Орфея. Мари, Шмидт и Сансон вместе нежным хором поют: «Потерял я Эвредику, Эвредики больше нет...»

ШМИДТ. Надо, чтобы твоя приводила человека в горизонтальное положение... Она самая удобная для любого механизма... (Все втроем продолжают петь: «Потерял я Эвредику, Эвредики больше нет... Больше нет!») Жди моя до воскресенья... Моя будет думать.

САНСОН. И чудо! Уже в следующее воскресенье Шмидт придумал. Я позвал Гильотена. В то воскресенье у нас как всегда проходил музыкальный вечер...

Сансон, Шмидт, Гильотен и Мари — жена Сансона.

Мари поет: «Потерял я Эвредику, Эвредики больше нет... Больше нет!»

САНСОН. Гражданин Шмидт изучил все способы, применявшиеся прежде.

Сохранились две немецкие гравюры Луки Кранахского и одна итальянская — Ахила Бончи, рисующие механические способы казни. (Разворачивает чертеж.)

ШМИДТ. Но моя сделала сама. Ставь два столба, и между ними висит лезвие. Она двигается между столбами.

САНСОН. Осужденный при этом лежит на животе, привязанный к доске.

ГИЛЬОТЕН. Прекрасно! Использует право на последний отдых... К тому же это не только поза отдыха — это поза любви, если хотите... Это важно для наших депутатов-гуманистов.

ВСЕ (поют). «Потерял я Эвредику... Эвредики больше нет...»

ШМИДТ. Она... осужденный кладется на доску точно под лезвие. Лезвия опускается и поднимается при помощи рычага. Раз (радостно) — и лезвия летит прямо на шею.

САНСОН (поясняя). Дернул веревку — и уже лезвие скользит между двух перекладин и точно падает на шею осужденного. Как это облегчит наш нелегкий, вековой труд!

ГИЛЬОТЕН. Браво! Браво! (Все по очереди целуют Шмидта.) Сегодня счастливейший день моей жизни!

ВСЕ (поют хором страстно). «Потерял я Эвредику... Эвредики больше нет».

ШМИДТ. Но мой не хочет вмешивать себя в этот штук. Не надо говорить про мой.

САНСОН. Я предлагаю назвать этот... не побоюсь слова «великий»... великий механизм в честь главного энтузиаста — доктора Гильотена!

ВСЕ (хором). Гильотина!

ГИЛЬОТЕН (прослезившись). Благодарю вас за доверие, друзья мои...

САНСОН. Однако в Национальном Собрании потребовали медицинского заключения. Первый медик Франции — лейб-медик короля месье Луи Дерю находился в Версале.

И я отправился к нему... Как изменился великий дворец! Я шел по пустым великолепным залам... Несколько слуг с жалкими, испуганными лицами, увидев меня, тут же попрятались... Пока я ждал приема, слышался грохот колес по булыжнику. Это уезжали кареты. Вчерашние вельможи — «наши», как их звала Мария-Антуанетта, спешили покинуть опасный дворец и своих владык.

ЛЕЙБ-МЕДИК. Здравствуйте, месье Сансон.

На столе, покрытом зеленым бархатом, Сансон раскладывает чертеж.

Потом на доске, висящей на стене, мелом чертит топор гильотины — в форме полумесяца.

ЛЕЙБ-МЕДИК. Его Величество, конечно же, заинтересовался подобной переменой в исполнении наказаний...

САНСОН. Безвластный король номинально оставался главой нации. К тому же,

король... обожал слесарничать!

Входит король в черном камзоле. Нарочито не замечая Сансона, он рассматривает на доске рисунок топора.

КОРОЛЬ. М-да. (После паузы доктору Луи.) Что думаете вы?

ЛЕЙБ-МЕДИК. Мне кажется, это весьма удобно...

КОРОЛЬ. Удобно... (Усмехается.) Очень удобно... М-да... Но уместен ли тут такой изгиб? Я говорю о форме лезвия. (Подходит к доске.) Лезвие подобной формы придется впору не каждой шее. Для одной оно будет чересчур велико... В то время как толстую шею ваше лезвие даже не охватит...

САНСОН. И тут я инстинктивно взглянул на его шею, которая была хорошо видна из-под тоненьких кружевных воротничков. Шея короля явно превышала размер, заданный Шмидтом лезвию гильотины...

КОРОЛЬ. Я уверен, что куда правильней... вот так!.. (Король заменяет полукруг лезвия одной косой линией. По-

прежнему не оборачиваясь, стараясь не глядеть на Сансона, обращается к лейб-медику.) Видимо, это *тот* человек? Спросите его мнение о моем предложении...

САНСОН. Думаю, замечание Вашего Величества превосходно. (На лице короля появляется довольная улыбка) ... Я, было, откланялся, но уехать мне не удалось...

Играют тревогу.

Вбегает командир швейцарских гвардейцев.

КОМАНДИР. Ваше Величество! Голодные женщины... Они вооружены... Подходят к ограде дворца!

САНСОН. Сразу после Революции всё начало куда-то исчезать. Исчез и хлеб в Париже... Как я узнал, уже вернувшись, чья-то рука... думаю, в перстнях, ведь в заговоре участвовал герцог Орлеанский... ударила в барабан. И шесть тысяч «библейских Юдифей», шесть тысяч голодных женщин пошли на Версаль. В тот день с утра шел ледяной дождь. Они шли ко дворцу, задрав юбки и покрыв ими голову. Шесть тысяч дам с задранными юбками! Это был галантный поход!

КОМАНДИР. Ваше Величество... Под юбками у многих «дам» — очень волосатые ноги. Ваше Величество, там множество переодетых мужчин!

КОРОЛЬ. М-да...

КОМАНДИР. Ваше Величество, прикажите картечью...

КОРОЛЬ. М-да... Наш великий прадед рекомендовал: «Даму можно ударить, но только цветком»... Пропустите их, сударь. И пусть выберут депутацию, я приму их. (Сансону, не оборачиваясь.) Прощайте... Как назван ваш механизм?

САНСОН. «Гильотина» — в честь депутата Гильотена.

КОРОЛЬ. В честь депутата... (Усмехается.) Это славное название.

САНСОН. Но выйти из дворца было невозможно, везде толпился народ... И мы вернулись в залу.

Король сидит, окруженный промокшими торговками рыбой.

КОРОЛЬ. Мне весьма приятно видеть красавиц славного города Парижа.

ТОРГОВКА. Ваше Величество... Ваше Величество... (Падает без чувств.)

КОРОЛЬ (не без любопытства). Она умерла?

ЛЕЙБ-МЕДИК. Нет, сир, от избытка чувств она вовсе лишилась чувств...

ТОРГОВКА (очнувшись). Ваше Величество! (Почти плачет.) Вы точно такой же, как на монетах... точно такой же!

КОРОЛЬ. М-да... Мне сообщили о ваших нуждах, сударыни. Мы приказали, чтобы мука из подвалов Версаля уже с утра отправилась в Париж. А сейчас, милые дамы, время позднее, идите спать. Вас накормят и разместят.

ТОРГОВКА (повторяет). *Милые дамы*... это мы! (Рыдает.) Ваше Величество... Вы разговариваете, а я будто держу в руках золотой экю!

САНСОН. Дам устроили в помещениях для прислуги. И я наконец-то покинул дворец. Уже в Париже я узнал продолжение. Посреди ночи топот сотен ног разбудил Версальский дворец... Это было действо, заготовленное парижским отцом похода. Через тайные ходы, которые никто не знал, кроме принцев крови, толпа проникла во дворец. Утром королевскую семью ждало великое унижение — чернь, заполнившая двор, потребовала, чтобы Людовик и Мария-Антуанетта с дофином вышли на балкон... Выйдя, они увидели головы несчастных гвардейцев — они качались на пиках над вопящей, проклинавшей толпой, которая ревела: «Короля и австриячку — в Париж!»

Так выиграл принц Орлеанский... Безвластных короля и королеву, окруженных толпой, повезли в Париж — в старый дворец Тюильри...

В это время я сидел в Национальном собрании, где выступал доктор Гильотен...

Национальное Собрание.

ГИЛЬОТЕН. Граждане депутаты, сегодня поистине великий день! Во-первых, впервые в истории Франции равенство будет даже на эшафоте. Отныне всех казнят одинаково! (Овация.) Во-вторых, вы сейчас ознакомитесь с гуманнейшим из изобретений нашего великого века. Лежащий на доске лицом вниз... можно сказать, отдыхающий осужденный не видит нависшего над ним ужасного лезвия. Палач дергает за веревку, и осужденный (говорит нежно) чувствует лишь слабый ветерок над шеей... (Весело.) И все! Поверьте, граждане депутаты, эта машина так отрубит вам голову, что вы даже не почувствуете.

Хохот депутатов.

ВЕРНЬО. Тише, граждане. Переходим к голосованию... (Голосуют.) Национальное собрание одобрило гильотину единогласно. (Овация.)

ГИЛЬОТЕН (обнимая Сансона). Оно пришло — новое время!.. Вложи свой меч в ножны навсегда, труженик эшафота. Теперь палачу не нужна грубая сила. Теперь палачом у нас может стать любой! Нет мучений, но есть наказание!

САНСОН (усмехается). Избавлены от страданий? Милый доктор, к сожалению, есть тайна, известная любому палачу: помимо мучений от казни, жертвы испытывают страдания, которые следует назвать посмертными. Если бы вы видели, как содрогается обезглавленное тело, испытывая нестерпимую боль уже после отсечения головы... И как мучается душа!

ГИЛЬОТЕН (изумленно). Вы верите в душу?

САНСОН. В нее верят все палачи. И некоторые из нас видели, доктор, как отлетает от тела... это белое облачко.

ГИЛЬОТЕН. По решению собрания испытаем гильотину на овцах.

Сансон и лейб-медик короля.

ЛЕЙБ-МЕДИК. Говорят, сегодня утром отменены титулы, гербы, ливреи лакеев. И как же теперь у нас будут зваться принцы крови?

САНСОН. Как все граждане — по фамилиям... Впрочем, герцогу Орлеанскому народ дал титул — гражданин Равенство!.. Дерните за веревку. (Крик овцы.)

ЛЕЙБ-МЕДИК. Удачно! Но, гляжу, народ сам начал исполнять вашу работу. На фонарях качаются аристократы. Кстати, один — у вашего дома.

САНСОН. Его сняли утром.

ЛЕЙБ-МЕДИК. Значит, этот новый. Качаются вместо фонарей... Ибо фонари все разбиты... хлеба нет... Почему после революции все исчезает? (Сансон молчит.) А вы уже... боитесь разговаривать... При короле не боялись... Что делать, свобода, равенство, братство!.. Дергайте! (Крик овцы.) Король вчера решил выехать в Сен-Клу на пасхальную литургию. Но национальные гвардейцы ему не разрешили. И наш великий революционер маркиз Лафайет, командир гвардейцев, не смог уговорить кучку своих негодяев. Они уже не подчиняются ему. Власть захватывает городская коммуна, то есть, чернь!.. Поверьте, скоро и Лафайет, и герцог Равенство выпьют напиток, который сами приготовили.

САНСОН (по-прежнему не отвечая). Последняя овечка... Дергайте! (Крик овцы.) Браво! Его Величество оказался прав. Это идеальный вариант лезвия... Гильотина готова!

ЛЕЙБ-МЕДИК. Что ж, можно запускать на эшафот людей.

Ночь в доме Сансона. Слышны выстрелы пушки.

МАРИ (просыпаясь). Что-то случилось?

Вбегает Жако.

ЖАКО. Поднимайся, Шарло! Король и австриячка сбежали из Парижа... Я думаю, у нас теперь будет много работы.

//Место?// Гул набата и шесть пушечных выстрелов.

КАЗОТ. И опять заспешили часы Революции... Король задержан в Варенне. (Набат.) Король возвращен в Париж... (Набат.) Толпа ворвалась в Тюильри... Король низложен и увезен в тюрьму Тампль... Власть в Конвенте у крайних. Всем заправляет Коммуна Парижа... Са ира. Это теперь пойдет!

Кабинет Шометта — прокурора Коммуны. Шометт вручает Сансону приговор.

САНСОН (изумленно). Лейб-медик короля?

ШОМЕТТ. Медик тирана... Он участвовал в его побеге. И имел наглость на следствии не отрицать этого... Надо хорошенько допросить его об участии в королевском побеге маркиза Лафайета... Что ты уставился, Шарло? Странно, да? Лафайет — герой революций, мы, доверчивые глупцы, поставили ему бюст в Ратуше. А он же наверняка изменник... Как и проклятый Мирабо.

САНСОН. И Мирабо тоже?

ШОМЕТТ. Все изменники... Эти маркизы и графы, присосавшиеся к груди матери нашей, Революции... Но настало время истины. Лафайет вчера успел бежать... До остальных доберемся. Революция — грозная гражданка... Готовься к большой работе, Шарло. А пока отправляйся, готовь свою гильотину... (насмешливо) для встречи с медиком Его Величества.

САНСОН. Гильотина стояла на Гревской площади, где по традиции казнили в течение веков. И что же! Рядом с гильотиной я увидел веселую толпу, её разрушавшую!.. Конечно, под песни. Теперь у нас всё делалось под песни.

Рев и пение толпы.

ЖАКО (счастливо). Мы отправляем гильотину ко дворцу, Шарло! Там теперь самое место для нашей веселой красотки.

САНСОН. С каким энтузиазмом взялись за дело! Как у нас любят и умеют разрушать! Какое вдохновение!

Толпа ревет песни.

САНСОН. Гильотину погрузили на подводы и повезли на площадь перед королевским дворцом Тюильри...

ТОЛПА. Мы поставим твой театр, Шарло, под окна дворца! (Хохот. Все поют.) «Са ира! Это пойдет! Са ира! Аристократов на фонарь!»

Появляется Жорж Дантон.

ДАНТОН (держит речь). Тирания существовала, потому что с ней мирились мы! Скольких ошибок избежала бы великая нация, если бы вместо рабских статуй королей поставила на площадях гильотину. Хорошо, что нынче ты, мудрый народ, нашел ей достойное место! И пусть любуется на свое будущее из своих окон кровавый тиран!

ЖАКО. Давно пора толстячку потрахаться с секиркой!

ТОЛПА (ревет восторженно). «Са ира! Это пойдет!» Толстяка на гильотину!

ДАНТОН. Слышу твой голос, народ! Но для начала выбросим останки его коронованных предков туда, где им самое место! В парижские мусорные ямы! (Рев и пение толпы.)

//Место?// Жако и Сансон.

ЖАКО. Зря ты не пошел, Шарло. Как нам было весело! Все пришли в королевскую усыпальницу в Сен-Дени. И с песнями выбрасывали останки королей...

ТОЛПА (поет, кричит). А теперь потащим святую тетку!

ЖАКО. О, святая Женевьева — покровительница Парижа! Окажи нам святое покровительство... (Хохочет.) И мы выкинули из храма мощи святой Женевьевы... Я исполнил

твою прежнюю работу, Шарло, — мечом разрубил ее святые кости. (Хохочет.) Бога нет! Мы, нация — вот он Бог!

Тюрьма Консьержери.

САНСОН. Замок Консьержери — здесь теперь революционная тюрьма переполнена... Говорят, арестовали даже Бомарше. Но наш буревестник Революции чудом выкарабкался и улизнул за границу... Я иду среди людей, лежащих прямо на полу. И все вспоминаю, как приходил в тюрьму тирана — пустую Бастилию, вспоминаю ее шестерых узников... В нашей революционной тюрьме заключенные лежат вповалку уже на первом этаже. И в ужасе молчат, пока я иду, — гадают, за кем я явился. В это утро я пришел за лейб-медиком. Камеры богатых и еще вчера знаменитых людей — на втором этаже и с относительными удобствами...

Тюремная камера. Сансон и лейб-медик.

ЛЕЙБ-МЕДИК (спокойно ест). Уже? Вы дадите мне десяток минут?

САНСОН. Да, конечно, торопиться некуда.

ЛЕЙБ-МЕДИК. Тогда присаживайтесь, милейший... Я заказал дюжину устриц. Как вы, наверняка, заметили за годы своей работы, француз может умереть по-всякому. Но он не может умереть голодным. (Выжимая лимон, отправляет последнюю устрицу в рот.) Отменные устрицы. Как действует ваш снаряд?

САНСОН. Пока не жалуюсь.

ЛЕЙБ-МЕДИК. Жаль, что не смогу поделиться с вами своими впечатлениями... Начнем?

САНСОН. К вашим услугам, сударь.

ЛЕЙБ-МЕДИК. Здесь вы ошиблись. (Смеется.) Сегодня я — к вашим.

САНСОН. Нам нужно сделать туалет — срезать волосы, чтобы освободить шею...

ЛЕЙБ-МЕДИК. Об этом позаботился сам Господь. (С хохотом снимает парик — он совершенно лыс.)

САНСОН. Я просил для вас экипаж, но все экипажи куда-то исчезли. Велено теперь всех везти в позорной телеге.

ЛЕЙБ-МЕДИК. Магическая дама — эта революция, при ней моментально исчезает всё!

Едут по улице Сент-Оноре.

САНСОН. О чем вы думаете, сударь?

ЛЕЙБ-МЕДИК. Бог есть... В вашей телеге, Шарло, это особенно ясно... Ба, каковы зрители... (Проезжают мимо дома. Наверху в окне стоят, обнявшись, трое —Робеспьер, Дантон, Демулен.) Да это просто святая революционная троица!

САНСОН. Это жилище гражданина Робеспьера. Он занимает здесь скромную квартирку.

ТОЛПА. Эй, лекаря везут! Покажи нам голову, набитую рецептами. (Толпа поет. Въезжают на площадь.)

САНСОН. Приехали. Позвольте связать вам руки?

ЛЕЙБ-МЕДИК (протягивает руки). У меня к вам последняя просьба: постарайтесь не связывать руки *ему*. Это его оскорбит.

САНСОН. Вы о ком это, сударь?

ЛЕЙБ-МЕДИК. Вы поняли!.. Революция — прожорливая дама, и, видно, скоро придет *его* очередь.

САНСОН. Это произошло 11 декабря 1792 года — король предстал перед судом Конвента. Я понял, что повидаюсь с королем в третий раз... Жирондисты, эти богатые буржуа, уже все получившие от революции, были против казни. Они пытались остановить бешено крутившееся колесо...

Конвент. Председательствует жирондист Верньо.

ВЕРНЬО. Я ставлю вопрос о правомочности Конвента судить короля. Ведь, согласно Конституции, принятой нами, его особа неприкосновенна. Более того — священна.

РОБЕСПЬЕР. Здесь много говорят о законах. А само свержение короля законно? А взятие Бастилии было законно? А сама революция законна? Тиран Цезарь был умерщвлен двадцатью ударами кинжала на основании одного главного закона Революции — закона свободы... Я хочу обратиться к депутатам Жиронды: «Наши враги радуются, видя сегодня, как секира дрожит в наших руках. Называя его священной особой, вы тем самым чтите воспоминания о своих цепях. Король — этот призрак прошлого — должен исчезнуть!

ВЕРНЬО. Но решается вопрос о казни главы государства! Должно быть всенародное голосование... Народ должен сам сказать — он «за» или «против»... Это голосование поставит наш приговор под охрану нации. Вспомните уроки английской Революции — там не было плебисцита. И что же? Прошло немного лет после казни Карла Первого, и английский народ вернул монархию... И обвинил приговоривших его...

КАМИЛЬ ДЕМУЛЕН. Нас хотят запугать призраком народа, требующего отчета в крови тирана? Тирана, которого этот же народ сверг! Вырвал скипетр из кровавых рук! И тем самым осудил его раньше, чем начали судить его мы... Нас хотят напугать непостоянством — кого? Нашего великого народа? Это оскорбление французов. Я не допускаю даже мысли о том, что честная нация, послав нас, своих представителей, на штурм тирании, потом будет нас же преследовать. Никогда... слышите — никогда французы не будут так несправедливы и так жестоки! Никакого обращения к нации! Мы должны решать сейчас и здесь.

САНСОН. И наступил час голосования... Депутаты шли через яростную толпу...

ГРОМКИЙ ШЁПОТ. Голосуй правильно, гражданин. И помни: упадет его голова или твоя!

Конвент.

ДАНТОН. Сегодня речь идет о свободе! О великой трагедии, которую нам предстоит разыграть на глазах всех наро-

дов. Речь идет о том, чтобы под мечом народа пала голова тирана! Голосую за смерть!

САНСОН. Подошла очередь голосовать герцогу Орлеанскому... Все ожидали, что он воздержится, он имел на это право...

ГЕРЦОГ ОРЛЕАНСКИЙ. Всецело преданный своему долгу, убежденный, что всякий, кто посягал на самодержавие народа, заслуживает смерти, голосую за смерть.

Восторженный рев толпы.

САНСОН. Он торопился стать революционным королем... заплатив за это головой родственника.

МАРАТ (выскакивает на трибуну, как из катапульты; он картинно народен — рубашка апаш и платок на голове). Людовик кровавый! (С бешенством.) Он! Виновен! Во всех преступлениях! Он осквернил Францию! Берегитесь, тираны! Падет главная голова контрреволюционной гидры! Скоро отсечем и остальные! Смерть ему!

ВЕРНЬО (со скорбью). Объявляю результат. Большинством голосов народные представители приговорили бывшего короля Франции гражданина Капета к смертной казни. Приговор должен быть приведен в исполнение в двадцать четыре часа...

САНСОН. И я вспомнил его шею...

ШОМЕТТ. Вызовите представителя адвокатов короля!

АДВОКАТ. Мы ждали, что в зале будут судьи, но там были одни обвинители... От имени адвокатов мы ходатайствуем о вынесении приговора на суд народа.

ШОМЕТТ (насмешливо). Ходатайство отклонено.

АДВОКАТ. Король просит дать ему трехдневную отсрочку и разрешение провести эти дни с семьей и без свидетелей.

ШОМЕТТ. Ходатайство отклонено. С семьей ему разрешено побыть в эти двадцать четыре часа... (Адвокат уходит. Сансону.) Как много хлопот ради того, чтобы слетела голова одного глупца. И все потому, что на ней — корона! Гражданин Сансон, тебе предстоит великая миссия — завтра на площади Республики впервые в нашей истории ты казнишь коронованного тирана. Гильотина видна из окон Тюильри. Так что, надеюсь, из дворцовых окон тени его предков будут любоваться поучительным зрелищем... Во время казни возможно нападение врагов Республики. Имей под балахоном нож и пистолет. Пусть поступят так же и твои помощники...

САНСОН. Мне сказали, что после отсечения головы будет пушечный залп?

ШОМЕТТ. Отменено... Голова короля не должна при падении произвести больше шума, чем голова любого другого преступника. (Уходит.)

САНСОН. Король! До сих пор помню его презрение ко мне... Теперь свой последний час он должен был разделить со мной... Всю ночь я молился вместе с Мари... Все-таки помазанник Божий.

Дом Сансона. Рассвет следующего дня. Непрерывно бьют барабаны.

МАРИ. Очень много писем бросили ночью в наш почтовый ящик. (Передает ему пачку писем.)

САНСОН (читает). В этом хотят освободить короля по дороге и обещают меня убить, если окажу сопротивление. Писал хороший роялист!.. А в этом меня грозят убить, если кто-нибудь сумеет освободить короля по дороге. Это уже писал добрый республиканец... И в этом... и в этом... (После каждого прочтенного письма Сансон вешает под плащ очередной пистолет. Обращается к Мари.) Отнесешь эти письма в Комитет Общественного спасения.

МАРИ. Но могут найти авторов.

САНСОН. Будем надеяться на милосердие Господа, может быть, он их защитит... Я не стал объяснять Мари, что теперь работает множество шпионов. При власти тирана их было куда меньше... Приходится вести себя, как подобает доброму республиканцу.

Оглушительно гремят барабаны.

МАРИ. Каждый округ направил батальон национальной гвардии для охраны твоего эшафота. Наш сын — в одном из батальонов. Знаешь, он вчера рассказывал, с каким уважением смотрят на него теперь. Как добиваются его внимания девушки...

САНСОН (гордо). Еще бы — сын палача и сам будущий палач! Ему предстоит казнить врагов нации... Что ж, дожили — палач, и вправду, становится почтенным гражданином... Однако, Мари, пора на дело... «Жертва должна быть принесена!»...

Дом Сансона. Сансон и помощник палача Жако.

ЖАКО. Я только что из Тампля. В наших услугах тиран не нуждается — его постриг камердинер... До двух часов ночи тиран молился, потом спокойно проспал до пяти утра. Вот нервы!.. Просил не приводить к нему австрийскую шлюху, сказал: «Хочу избавить ее от жестокой минуты разлуки». Попросил меня передать ей его завещание. Но я ему сказал: «Это не мое дело. Мое — проследить, чтоб вы вовремя отправились на эшафот».

САНСОН. Сукин ты сын, Жако.

ЖАКО (смеется). Это значит — добрый республиканец... Но в завещание я заглянул... Толстяк просит сына не мстить за него. Как будто сын сможет это сделать! Его сына, слава Богу, мы научим быть истинным патриотом — дофин, говорят, уже ругается непотребными словами и горланит революционные песни. (Хохочет.)

САНСОН. Ладно, поехали... Наш фиакр двигался среди рядов Национальной гвардии, стоящей вдоль улиц до места казни...

Рев толпы, бьют барабаны.

ЖАКО. А начальство-то смотрит!

В окне дома Робеспьера стоят, обнявшись, Дантон, Робеспьер и Демулен, о чем-то весело болтают.

САНСОН. Улицы до того были запружены народом, что мы добрались до площади Революции только к девяти утра. Все пространство площади занимала толпа...

Эшафот, окруженный национальными гвардейцами и жандармами.
Крики: «Едут!..Толстяка везут!..»

ЖАКО (кричит). Везут короля на аудиенцию с гильотинкой!

ТОЛПА (хохочет). Ай, да Жако! Ай, да Шарло! Да здравствует Шарло — лучший лекарь революции! (Толпа орет революционные песни.)

САНСОН. С эшафота я видел, как со стороны церкви Маделен показалась карета, окруженная строем кавалеристов. Пора было встречать...

Король и священник выходят из кареты. Людовик — в традиционной шляпе королей. Сансон, Жако и прокурор Шометт встречают короля у эшафота.

ШОМЕТТ. Приготовь осужденного гражданина Капета к казни, гражданин Сансон.

САНСОН. Ваше Величество... (Поправляется.) Гражданин Капет, вам следует снять шляпу.

КОРОЛЬ. М-да. (Снимает.)

САНСОН. Теперь извольте снять камзол... и я свяжу вам руки.

КОРОЛЬ (возмущенно). Этого не может быть, милостивый Государь!

САНСОН. Но... иначе нельзя...

КОРОЛЬ. Разве вы не слышали?! Таково мое решение, сударь.

САНСОН. Но... вам придется это сделать.

КОРОЛЬ. Вы осмелитесь поднять на меня руку?

ЖАКО. Ты перепутал, Капет! Ты не в Версале. Ты у ступеней эшафота.

СВЯЩЕННИК. Уступите, Ваше Величество, и вы пойдете по стопам Христа. Он вознаградит вас.

КОРОЛЬ (подумав). М-да... (Протягивает руки.)

Сансон осторожно связывает их, стараясь не причинить ему боли. Священник протягивает королю образ Спасителя. Король целует и быстро поднимается на эшафот.

САНСОН. Толстый, с выпадающим из-под белой рубашки животом... какой-то домашний... Этакий добрый буржуа, который укладывается спать...

КОРОЛЬ (вдруг повелительно поднимает связанные руки). Барабаны, молчите!

САНСОН (изумленно). Они выполнили его приказ! Наступила тишина.

КОРОЛЬ. Французы! Сейчас ваш король умрет! Я прощаю своих врагов и желаю, чтобы моя кровь защитила французов и смирила гнев Божий... Я умираю невинным. Я... (Тотчас начинают греметь барабаны. Король пытается еще что-то сказать, но грохот барабанов все заглушает.)

ШОМЕТТ. Да поторапливайтесь вы, черт возьми!

САНСОН. А ну, веселее!

В мгновение Жако и помощники валят короля на доску.

СВЯЩЕННИК (шепчет). Отойди в лоно Господа, потомок Святого Людовика...

САНСОН. Поехали!

Грохот падающего топора гильотины. Сансон подхватывает голову короля и высоко поднимает. Восторженный рев народа: «Да здравствует нация!» Крики: «Эй, Шарло, полей нам!» Руки с платками тянутся к эшафоту. «Ишь, как хлещет из толстого борова!»

Молодой человек вскакивает на эшафот и, засучив рубашку, сует руку в лужу крови. Кричит: «Братья! Нам угрожали, что кровь Людовика Капета падет на наши головы. Пусть же исполнится эта угроза! Подставляйте головы и платки! Добрым республиканцам кровь королей приносит счастье!» Вся площадь поет: «Са ира! Са ира! Это пойдет! Это пойдет! Всех аристократов развесим на фонарях... Это пойдет! Это пойдет...»

САНСОН. Я положил его голову между толстых подагрических ног... У него было удивительно спокойное выражение лица.

САНСОН. После казни короля — началось! Люди сделались будто безумными. Кровь короля словно освятила эшафот... Гильотина уже не снималась с площади Революции. И две красные балки с висящим топором грозили городу.

Прокурор Коммуны Шометт и Сансон.

ШОМЕТТ. Мы принесем в жертву Свободе всех злодеев! И только тогда покой и благоденствие воцарятся в торжествующей Республике! Это список осужденных, гражданин Сансон.

САНСОН. Здесь двадцать человек! Нужны дополнительные телеги. Да и старые разваливаются. Приходится набивать осужденных в телеги, как сельдей в бочку.

ШОМЕТТ. Иди в приемную — пиши бумагу: «Гражданин Робеспьер, в связи с террором требуются новые телеги...» Ты знаешь, у Республики туго с транспортом. Депутатов возить не на чем. (Кричит.) Просите гражданку!

Входит герцогиня де Грамон — в простеньком платьице и в изящной косыночке.

САНСОН. Боже мой! Прошло двадцать лет, но она была еще хороша.

ГЕРЦОГИНЯ (нарочито не замечая Сансона). Прошу справедливости, гражданин прокурор.

ШОМЕТТ. Иди же, Сансон. (Сансон выходит.)

ГЕРЦОГИНЯ. Месье, он невиновен... Он лишь приехал навестить меня.

ШОМЕТТ. Ваш любовник, гражданка, бежал за границу к нашим врагам. И теперь тайно приехал в Париж переспать с вами. И был арестован. Впрочем, суд Республики разберется...

ГЕРЦОГИНЯ. Но, поверьте, гражданин прокурор, он...

ШОМЕТТ. Невиновен, я слышал. Значит, вам следует поторопиться с доказательствами невиновности... Да что ж вы не понимаете, гражданка?

ГЕРЦОГИНЯ. И тогда вы его освободите?

ШОМЕТТ. Торг неуместен в суде Революции... Ну, быстрее, быстрее... Не надо ничего снимать... Просто поднимите юбку... Да не так!.. Что ж, приготовиться не могли... (Раздраженно заталкивает ее в маленькую комнату.)

В пустой кабинет возвращается Сансон с заявлением. Потом появляются Шометт и герцогиня. Она поправляет одежду.

САНСОН. Написал, гражданин.

ШОМЕТТ (берет у Сансона бумагу). Хорошо. Жди решения Неподкупного... Вы свободны, гражданка.

ГЕРЦОГИНЯ. Но... то, что я просила...

ШОМЕТТ. А что вы просили?

ГЕРЦОГИНЯ (растерянно). Об услуге...

ШОМЕТТ (строго). О какой?

ГЕРЦОГИНЯ (совсем растерянно). О судебной...

ШОМЕТТ. Суд не оказывает услуг, суд выносит приговор. Надеюсь, подобно нашим врагам, вы не сомневаетесь в суде Революции, гражданка?

ГЕРЦОГИНЯ. Подлец!

ШОМЕТТ. По-моему, тебя пора познакомить с самой справедливой женщиной по имени Гильотина. (Вдруг ярост-

но.) У Революция хорошая память! Революция помнит, что гражданка Грамон раньше звалась герцогиней Грамон. Пошла вон, титулованная шлюха!

ГЕРЦОГИНЯ (Сансону). Как видишь, месье Казот оказался прав — и до мелочей.

ШОМЕТТ. Ты знаком с врагами народа, Шарло?

ГЕРЦОГИНЯ. Ну что вы... он не знаком. Я любила многих мужчин. Среди них были самые умные, самые красивые и даже самые подлые... но никогда не было самых трусливых. (Уходит.)

ШОМЕТТ (звонит в колокольчик, говорит вошедшему гвардейцу). Арестуйте гражданку. (Сансону.) Отвезешь распутную тварь на гильотину вместе с ее любовником. Мститель Революции гражданин Сансон, иди и трудись на ее благо!

САНСОН. «Трус»... Попробуй быть смелым, если каждый день отправляешь в корзину головы смелых...

Тюрьма Консьержери. Сансон и Жако. Сансон с ножницами в руках. К нему выстраивается очередь из осужденных. Они подходят — он их стрижет.

ЖАКО (выкликает). Гражданин герцог Монморанси!..

САНСОН. Этот герцог начинал нашу революцию...

ЖАКО. Какие люди! (Выкликает.) Гражданин Мальзерб!

САНСОН. Министр Мальзерб был самым либеральным из министров короля... Боже мой, все они были *тогда*...

ЖАКО. Жаль, что для вас, господа у нас нет достойного экипажа. Но зато ехать недалеко... (Выкрикивает.) Герцогиня де Грамон!.. Пожалуйте стричься, перезрелая красавица. Конечно, если волосики у вас свои...

На Жако набрасывается молодой человек, кричит: «Подлец!» Его оттаскивают жандармы.

САНСОН. Это и был тот самый аристократ из Пуату, приехавший к ней. Он любил ее безумно! Как он целовал ее по дороге...

На эшафот.

ГЕРЦОГИНЯ (Сансону). Видишь, я была неправа — все-таки встретились. Прощай, милый трус. (Аристократу.) Прощай, мой любимый.

Они целуются. Она уходит.

Грохот падающего топора — и восторженный рев толпы.

САНСОН (аристократу). Вы готовы, сударь?

АРИСТОКРАТ. Я все хочу тебя спросить, палач, та ли это секира... что пролила кровь Его Величества?

САНСОН. Та самая, гражданин.

АРИСТОКРАТ. Господи, спасибо, что удостоил! (Счастливо улыбается, встает на колени, целует помост.) Я иду к тебе, моя любимая!

ЖАКО (передразнивая). Ах, спешу к тебе, дорогуша! Но сначала тебя трахнет другая красотка — наша гильотинка. (Уводит его к доске.)

Все тот же грохот падающего топора — и тот же восторженный рев толпы.

//Место?// На следующий день. Прокурор Шометт и Сансон.

ШОМЕТТ. Приговор на девятнадцать человек. (Передает бумагу.)

САНСОН. А как насчет телег?

ШОМЕТТ. Не все так быстро... Вопрос обсуждается, гражданин. Но у меня к тебе свой вопрос. Мне сообщили... Когда надо было опустить топор на шею врага Республики

гражданки Грамон, ты почему-то перепоручил дернуть веревку помощнику Жако?

САНСОН. ... Да, шпионы были повсюду. Как сказал тогда мой брат: «Они у меня даже в супе».

Сансон молчит. Шометт пристально смотрит на Сансона.

ШОМЕТТ. Топор должен приводить в движение ты сам. Запомни это, Шарло... Иначе твоя роль на эшафоте может стать... страдательной.

САНСОН. Хорошо, гражданин, запомню... И так меня подмывало добавить: «И если нам придется встретиться на эшафоте, непременно дерну веревку сам»... Но, конечно же, я не добавил!

ШОМЕТТ. Завтра тебе предстоит почетная работа, Сансон... Только что мы осудили шлюху Людовика Пятнадцатого — графиню Дюбарри. Приговор надлежит исполнить в двадцать четыре часа. Я хочу, чтоб вы казнили ее последней. Пусть ожидание смерти будет ещё одним наказанием для королевской потаскухи...

САНСОН. Мои грехи возвращались ко мне на эшафот... Ее я тоже не видел двадцать лет... И после истории с герцогиней хорошо понимал, что будет со мной, если она меня узнает. И, не дай Бог, бросится ко мне за помощью. С любимой, конечно, «рай на эшафоте», но...

Тюрьма Консьержери. Сансон и Жако. Вводят графиню Дюбарри.

САНСОН. Прекрасные черты искажены ужасом больше, чем временем... Лицо распухло от слез... (Старается не глядеть на нее.) Надо постричься, гражданка...

Мгновение Дюбарри смотрит на Сансона, силясь что-то вспомнить.

САНСОН. Как же я боялся! Но ею владел ужас... к моему счастью. (Поспешно.) Жако, начинай же!

Сансон на всякий случай стоит в стороне, наблюдая за тем, как Жако и двое помощников пытаются ее остричь.

ДЮБАРРИ. Нет! Нет! (Отчаяние придает ей силы. И двое жандармов с трудом держат ее, пока Жако срезает роскошные волосы.) Я хочу рассказать прокурору... Зовите прокурора!

САНСОН. С каким страхом я вслушивался в ее сбивчивую речь...

ДЮБАРРИ. Я невиновна! Я невиновна! Зовите прокурора!

Входит Шометт.

ШОМЕТТ. Кто здесь кричит о невиновности?! Шлюха, заставлявшая тирана тратить народные деньги! Шлюха, возглавлявшая заговор против Республики, — как сама призналась...

ДЮБАРРИ. Нет! Тысячу раз — нет! Мне сказали, что если признаюсь, меня отпустят... Они так мне говорили, месье прокурор. Не убивайте меня! (Бросается перед ним на колени и тотчас вскакивает, лихорадочно.) Я должна сообщить... о бриллиантах, которые утаила. Везите меня в мое поместье! Я все покажу. Мне удалось спрятать! Прокурор!..

ШОМЕТТ. Твои попытки тянуть время тщетны. Народ предоставил тебе великую милость — кровью искупить свои преступления... Вези ее, Сансон!

Едут в телеге.

Общий вопль: «Да здравствует Республика! Смерть королевской шлюхе!»

САНСОН. Все улицы были заполнены нашими славными патриотами. Я правил лошадью и всю дорогу боялся — узна-

ет! (Графиня рыдает.) Какие это были горькие рыдания! Таких не слышал даже я. А я знаю в этом толк — сколько их было в моей телеге! Но двадцать лет назад я сказал ей правду — я ей пригодился! И хотя негодяй Шометт приказал казнить ее последней... Жако, неси ее на эшафот первую!

ДЮБАРРИ (отбивается, истошно кричит). Минуточку, только одну минуточку, господин палач!..

Их глаза встречаются.

САНСОН. И в этот миг она меня узнала! (Помощникам.) Быстрее! Да что же вы копаетесь! Быстрее!

ДЮБАРРИ. Спаси меня, милый! (Ее пытаются унести на доску, она борется,

кричит.) Минуточку, еще одну минуточку, господин палач! Прошу *тебя*. Спаси! Минуточку... одну только минуточку! (Ее уносят на доску.)

ЖАКО (кричит). Готово! Отдыхает!

САНСОН. И я дернул за веревку. (Грохот гильотины. Восторженный вопль толпы.)

Надо было показать ее голову народу... окровавленную прекрасную голову, которую целовал... Но я не смог!

Юнец в красном колпаке выскакивает на эшафот.

ЮНЕЦ. Шарло, почему ты не покажешь нам голову шлюхи, обиравшей нас столько лет?

Толпа на площади грозно гудит.

САНСОН (вдруг яростно). Она твоя, гражданин, если ты не боишься крови!

ЮНЕЦ. Кровь врагов только радует патриотов! (Площадь аплодирует.)

САНСОН. Принеси ему наш ящик, Жако... (Насмешливо поясняет юнцу.) Это ящик под помостом, куда скатываются головы. Там большой выбор.

Жако приносит ящик с головами. Юнец наклоняется, достает голову Дюбарри. Идет с ней к краю эшафота и... падает вместе с головой! Голова катится по помосту, юнец лежит без движения.

САНСОН. Апоплексический удар... Я до сих пор гадаю, что его убило — собственный ужас или то, что происходило в моей душе... То, что ужаснее ужаса и стыднее стыда... Его убил мой страх!

САНСОН (записывает). Сегодня в тюрьмах убивали священников и аристократов... И в то же время в городе толпа с песнями врывалась во дворцы. Аристократов выволакивали на улицу и убивали... Над Парижем теперь властвует толпа и те, кто сводит ее с ума, — великие безумцы Робеспьер, Марат, Дантон, Шометт и «бешеные»... Толпа хочет крови. Все умеренные должны погибнуть. Это, прежде всего, жирондисты — наши богатые буржуа, устроившие Революцию... Днем я пошел проверить эшафот — завтра предстоит много казней. И по дороге увидел очередную толпу. Что-то несли на высоком шесте...

ТОЛПА. Эй, Шарло, сегодня мы трудились за тебя... Эй, палач, с тебя причитается!

Жако торжественно несет шест с человеческой головой.

САНСОН. Это была женская голова — с выбитыми зубами, запекшейся кровью и волосами, испачканными в навозе...

ЖАКО. Мы несем красотку на свиданку к австрийской шлюхе...

САНСОН. Боже правый... я узнал её! Голова знаменитой красавицы герцогини де Ламбаль качалась на пике...

ЖАКО. Эй, Шарло! Ты никогда не спал с принцессами, а мы все попробовали. Прости, что не оставили тебе, но, поверь, ничего особенного... «Са ира! Это пойдет! Это пойдет!.. Аристократов на фонарь...»

САНСОН. Я понял — они несли ее к Тамплю, где была заключена королевская семья. Ближайшую подругу Марии-Антуанетты — к тюрьме Марии-Антуанетты...

ЖАКО (приплясывая). Ну дела! Поднес голову на пике к самому окну. Беззубая в навозе заглянула в комнатку. Австрийская шлюха рухнула без чувств... «Са ира! Са ира! Это пойдет! Аристократов на фонарь!»

Сансон и Шометт.

ШОМЕТТ (торжественно). По призыву гражданина Дантона, Коммуна города Парижа потребовала учреждения Революционного Трибунала... (Входит маленький невзрачный господин, этакая канцелярская мышка.) Знакомься, палач, это гражданин Фукье-Тенвиль — главный общественный обвинитель Трибунала. Теперь будешь работать с ним. Много работать, горький труженик нашей горькой Революции...

РЕЖИССЕР М. Революционный Трибунал. Зал декорирован в стиле любимого Революцией республиканского Рима. Судьи — в креслах на фоне бюста Брута. Стены разрисованы ликторскими пучками прутьев и красными фригийскими колпаками.

Выступает Робеспьер.

РОБЕСПЬЕР. Все преступления против Республики передаются в ваш Трибунал. Граждане судьи, вы ничем и никем более не ограничены. Республика доверяет вам все средства и пытки тоже... Главное — изобличить врагов! Ваши решения окончательные и обжалованию не подлежат. Главным общественным обвинителем назначается гражданин Фукье-Тенвиль.

Фукье-Тенвиль встает. Овация.

САНСОН. Шометт, как и все «бешеные», был сумасшедший, помешанный на революции. Этот, напротив, — сух, бесстрастен. Тот был фанатик. Этот — карьерист и негодяй.

ФУКЬЕ-ТЕНВИЛЬ. К сведению граждан, с этой минуты в зале заседаний трибунала будет ежедневно присутствовать один из его членов, обязанный принимать доносы добрых патриотов. Отныне Республика признает одно наказание для своих врагов — смерть.

САНСОН. Этот тип явно приготовился отправить на тот свет больше людей, чем все мои предки вместе взятые... Уже вечером Трибунал решил, что даже проститутки — наши скрытые враги. Заражая болезнями честных республиканцев, жрицы Любви посягают на боеспособность Республики. Они же подрывают общественную Добродетель — это достояние Революции.

Сансон и Фукье-Тенвиль.

САНСОН (вздохнув). Телеги совсем развалились, гражданин Фукье-Тенвиль.

ФУКЬЕ-ТЕНВИЛЬ. Это не моя забота, гражданин. Что у тебя далее?

САНСОН. Но я писал и писал об этих телегах гражданину Робеспьеру...

ФУКЬЕ-ТЕНВИЛЬ. Это не его забота... Далее?

САНСОН. Но тогда чья, гражданин? По дороге проститутки рыдают или пляшут... Наши телеги не выдерживают такой предсмертный темперамент. Вчера две проститутки и герцогиня Монморанси вывалились на мостовую.

ФУКЬЕ-ТЕНВИЛЬ. Это твоя забота. Лишнего транспорта у меня нет.

САНСОН. Но в Париже было столько телег! Куда они подевались?

ФУКЬЕ-ТЕНВИЛЬ. Ты недоволен Республикой?

САНСОН. Я доволен... но как насчет телег?

ФУКЬЕ-ТЕНВИЛЬ. Вопрос обсуждается в Комитете. Это — тебе. (Передает бумагу.) Девять человек: три шлюхи, остальные — аристократы. Рад, что они поедут на тот свет в достойной компании.

САНСОН (глядя в протокол). Казот?!

ФУКЬЕ-ТЕНВИЛЬ. Опаснейший враг. Участвовал в побеге короля. Его племянница дважды спасала Казота своим телом с помощью развратных судей... Но теперь —другие судьи.

Тюрьма Консьержери. Сансон и Казот.

САНСОН. Я должен приготовить вас...

КАЗОТ. Да, конечно...

САНСОН (стрижет ему волосы). К сожалению, вашими спутницами будут продажные девки.

КАЗОТ. Спаситель висел на кресте рядом с разбойниками, так что мне оказана великая честь...

САНСОН. На днях я отвозил на плаху министра Мальзерба, герцогиню Монморанси... В телеге все вспоминали о вас. Герцогиня просила передать вам ее поцелуй... Но я все хочу спросить: это будущее вам тогда приснилось, привиделось?..

КАЗОТ. Вы рядом со смертью... столько лет... Неужели вы не верите в Бога? Не спрашивайте более. Дайте мне возможность побыть в молчании *перед*...

Двор тюрьмы. Сансон руководит посадкой в телегу.

САНСОН. К счастью, сегодня людей не так много... Граф де Рошфор отравился в камере. Так что усаживайтесь поудобнее, гражданин Казот...

Казот садится на стул, установленный в центре телеги. Открывает Библию. Появляются три проститутки, сопровождаемые жандармами.

КАЗОТ (тотчас встает, проститутке). Мадмуазель, счастлив уступить вам место!

ПЕРВАЯ ПРОСТИТУТКА. Ишь, чего выдумал! (Хохочет.) Мы теперь все равны... особенно под топором. Сиди, дедушка.

КАЗОТ. Француз, если только он не король, не может сидеть в присутствии дамы. Революция, мадмуазель, не отменила учтивости...

Первая проститутка, хохоча, садится на место Казота.

САНСОН. Все устроились? Поехали...

Едут под рев толпы: «Продажные девки! Развратницы!»

ПЕРВАЯ ПРОСТИТУТКА (в толпу). Да сам ты тварь поганая! Говно вонючее!

ТРЕТЬЯ ПРОСТИТУТКА (второй). Покажи им жопу, Лизетта! У тебя она — что надо!

Вторая проститутка не отвечает — плачет.

ТРЕТЬЯ ПРОСТИТУТКА. Раскисла! Ничего, я покажу свою. (Показывает зад.) Вот она какая!.. Небось, хочешь? (Толпа хлопает.) Хрен тебе!

ТОЛПА. Браво, девушки! Зачем их на гильотину? Лучше нам отдайте!

ПЕРВАЯ ПРОСТИТУТКА. А я лучше под топор лягу, чем под тебя, ублюдок. И будь проклята ваша Революция! Да здравствует король!

ТОЛПА. Ты что орешь, паскуда!

САНСОН (торопливо, испуганно). Попрошу замолчать, гражданка.

ПЕРВАЯ ПРОСТИТУТКА. Какая я тебе гражданка? Я мадмуазель, идиот! Да здравствует король! Что хочу, то и ору... А вот ты попробуй, заори!.. Не можешь! Только и есть у вас свобода — на гильотине. Все погибнете, говнюки!

Проезжают мимо дома Робеспьера.

ТРЕТЬЯ ПРОСТИТУТКА. Ты посмотри, кто стоит...

В окне, как обычно, видны Робеспьер, Дантон и Демулен.

ПЕРВАЯ ПРОСТИТУТКА. Эй, Робеспьер, говорят, ты до сих пор девственник! Спускайся, хоть напоследок тебя мужиком сделаю, онанист проклятый!.. А этот, морда, Дантон, неужто забыл, как ко мне ходил? Голос у тебя зычный, здоровый. А хуечек — во! (Показывает мизинец.)

Толпа хохочет. Вторая проститутка по-прежнему тихонечко рыдает.

КАЗОТ. Не надо... плакать.

ВТОРАЯ ПРОСТИТУТКА. Я не смерти боюсь, сударь. Я в грехе умереть боюсь...

КАЗОТ. А ты покайся. Скажи Ему: «Прости, Господи!» Он Отец. Он любит тебя. И в любой час ждет раскаяния блудного сына...

ВТОРАЯ ПРОСТИТУТКА. И он простит меня?!.

КАЗОТ. Непременно. Он просит тебе это передать... А теперь молча про себя все помолимся. (Все три девицы замолкают и шепчут молитву. Шепчет.) «И тогда соблазнятся многие, и друг друга будут предавать, и возненавидят друг друга; И многие лжепророки восстанут, и прельстят многих; и, по причине умножения беззакония, во многих охладеет любовь; претерпевший же до конца спасется...».

(Вдруг встает в телеге.) Слышу, Господи: поднявший меч мечом и погибнет!

САНСОН. Всю ночь в голове у меня звучали эти слова... Но утром заботы оттеснили их. Надо было думать о телегах... И я решился отправиться к Марату. Он был истинный «друг гильотины», его имя славили теперь при всех убийствах. На последнем революционном празднике толпа внесла его в Конвент в венке триумфатора. И я подумал: если

ему так нравится отправлять на казнь людей, пусть позаботится о том, в чем мне это делать... Марат тогда болел. Его тело покрывали странные струпья. Они воспалялись. И, стараясь унять нестерпимый зуд, он сидел дома в теплой ванне, покрытой грязным сукном. Я решил завтра же отправиться к нему домой вместе с Жако — Марат его любил...

Дом Сансона. Барабанный бой на улице. Крики толпы. Вбегает Жако.

ЖАКО. Несчастье! Убили... (Сансон молча глядит на него.) Только что! Друга народа больше нет.

САНСОН. Я вспомнил слова Казота... и похолодел от страха.

Трибунал. Сансон и Фукье-Тенвиль.

ФУКЬЕ-ТЕНВИЛЬ. Республике брошен вызов. Шарлотта Корде, преступница, приехавшая из провинции, сообщила любимому Марату, что раскроет заговор врагов Республики. И друг народа ее принял. Подойдя к его ванне, мерзавка вонзила нож в великое сердце... Приговор будет готов сегодня. Топор гильотины должен немедля покарать убийцу отца нации...

Тюрьма Консьержери. В камере — Шарлотта Корде. Входят Сансон и Фукье-Тенвиль.

САНСОН. Никогда не видел такой красавицы. Светло-каштановые волосы были распущены, закрывали плечи...

ШАРЛОТТА (с усмешкой Сансону). Я приготовила их для вас, сударь!

ФУКЬЕ-ТЕНВИЛЬ. Облегчи совесть перед смертью. Кто тебе внушил ненависть к Марату?

ШАРЛОТТА. Мне нечего занимать ненависть у других, у меня своей довольно.

ФУКЬЕ-ТЕНВИЛЬ. Но кто-то навел тебя на мысль об убийстве?

ШАРЛОТТА. Дожив до почтенных лет, вы не знаете: плохо исполняется то дело, которое рождено не *вашим* сердцем. Особенно если надо жертвовать жизнью.

ФУКЬЕ-ТЕНВИЛЬ. За что же ты ненавидела великого революционера?

ШАРЛОТТА. Революционерка — я. Я люблю великие принципы Революции и ненавижу ее крайности. Марат сеял ненависть в народе. И непременно разжег бы гражданскую войну... Теперь его нет! И передайте осудившим меня судьям: я с радостью отправляюсь на небо. Надеюсь встретить там Брута и других мучеников, пожертвовавших жизнью во имя Свободы... Жизнь не дорога мне. Современники малодушны, среди них мало патриотов, умеющих умирать за Отечество.

ФУКЬЕ-ТЕНВИЛЬ. Ну что ж, очень скоро ты увидишь Брута и прочих... Тебе придется надеть красную рубашку, в нее перед казнью наряжают отцеубийц. Начинай, Сансон. Она твоя...

Двор тюрьмы. Сансон помогает Шарлотте влезть в позорную телегу.

САНСОН. Повезло, поедешь одна... Сегодня удивительный день — нет казней.

ШАРЛОТТА. Так Господь повелел — по случаю праздника, смерти Марата. (Смеется.)

САНСОН (не отвечая на опасные шутки). Сядь в кресло... В телеге очень трясет.

ШАРЛОТТА. Нет, я буду стоять. У меня просьба: я впервые в Париже и хочу увидеть его улицы... Если можно, не торопитесь...

САНСОН. Поверь, если поедем медленно, это не доставит тебе удовольствия. Там тысячные толпы поклонников Марата.

Крики толпы: «Наемница! Убийца! Мерзавка! Роялистская тварь!

Будь ты проклята! Будь проклято чрево, тебя породившее!..»

САНСОН. Как видишь, народ любил Марата...

ШАРЛОТТА. Народ часто любит чудовищ. Но, надеюсь, что нынешняя любовь будет недолгой... Какие красивые улицы!

САНСОН. Это Сент-Оноре... Мы уже недалеко.

ШАРЛОТТА. Жаль, что так скоро.

В раскрытом окне квартиры Робеспьера, как всегда, стоят трое — Демулен, Дантон и Робеспьер.

САНСОН. Они молча глазели на приговоренную. Я и сам смотрел на нее во все глаза — так поразительна была ее красота. Но еще поразительней был ее гордый вид. Она хранила его все время, пока мы ехали среди рева проклятий.

ШАРЛОТТА. Какая замечательно огромная площадь... Это сад Тюильри и дворец?

САНСОН. Да, приехали.

ШАРЛОТТА. Должна сказать, что Париж — очень красивый город, я рада, что его повидала... Не заслоняйте от меня гильотину. Я ее не боюсь. Напротив, давно хотела ее увидеть. В нашем маленьком городке так много о ней говорили... Что я должна делать дальше?

САНСОН. Лечь на доску и только.

Шарлотта Корде идет по эшафоту к доске, мы ее уже не видим.

ГОЛОС ШАРЛОТТЫ. Передайте друзьям: во время казни Шарлотта бросилась на доску — как в постель к возлюбленному. И крикнула: «Да здравствует Республика!»

САНСОН. Поехали! (Дергает за веревку.)

ТОЛПА. Да здравствует нация! Да здравствует Республика!

Жако поднимает ее голову и показывает ее народу.

ЖАКО. Вот тебе, сука! (Бьет голову по щеке.)

САНСОН. Негодяй! (Тихо.) Боже мой, щека... покраснела! (Молчание и ропот толпы.)

Это был первый недовольный ропот на площади Революции...

САНСОН. После гибели Марата началось революционное безумие... Я не помню последовательности событий... Постоянные казни перемешались в моей несчастной голове. Слишком много крови... Кажется, это случилось уже после смерти Марата. Голод, наступление армий неприятеля, ужас перед грядущей расправой, если погибнет Революция, окончательно ожесточили сердца... И ораторы объясняли народу: республику защитят только трупы врагов... В это время Франция задыхалась в кольце фронтов. Австрийцы, англичане, пруссаки... Весь мир — против нас. Внутри Республики восстали крестьяне Вандеи — с вилами шли против ружей! Восстал Лион. Сдался англичанам Тулон. И тогда... да, тогда случилось невероятное — Робеспьер, Дантон и «бешеные» заставили Конвент объявить Террор. Само Государство начинало официальную компанию убийств...

РОБЕСПЬЕР. Террор — это лучший друг свободы, делающий свободу непобедимой. Запомним: великая Революция — великая кровь. Террор — это быстрая, строгая, непреклонная справедливость. Опорой Республики в мирное время является добродетель. Но во время потрясений революции нашей опорой должны стать одновременно и добродетель, и террор. Добродетель, без которой террор губителен. И террор, без которого добродетель бессильна. (Рев толпы.)

ДАНТОН. Мы будем убивать священников и аристократов не потому, что они виновны, а потому, что им нет места в светлом будущем!

ТОЛПА (поет). «Аристократ решит протестовать, в ответ народ наш будет хохотать... Ах, са ира, са ира, са ира! Это пойдет! Аристократов на фонарь!»

САНСОН. Уже вскоре тюрьмы оказались переполнены — некуда стало сажать новых заключенных. Но в Трибунале придумали, как очищать камеры. Во все тюрьмы внедрили агентов, которые предлагали несчастным заключенным организовывать заговоры — будто бы для освобождения. После чего «заговорщиков» немедленно отправляли на гильотину... Сегодня очередной такой «заговор» доставил на мой эшафот тридцать четыре жертвы. Среди них достойны упоминания юный герцог Креки и другой юноша — Андре Шенье. Говорят, замечательный поэт... Когда я готовил его к гильотине, он попросил меня передать его стихи какой-то даме. Мне пришлось отнести их в Трибунал. Уж не знаю, что они сделали со стихами и дамой... Да, я боялся! И не скрываю! Боялись все!..

Сегодня 16 сентября — день самый примечательный. До этого дня я казнил только врагов Республики. Нынче же приехал в Консьержери за известным революционером, журналистом Горза... Он был добрым республиканцем, голосовал за смерть короля. Но Робеспьер, Дантон и «бешеные», к восторгу народа, уже начали пожирать партию умеренных — партию жирондистов. Горза имел несчастье к ней принадлежать. Теперь и его обвинили в заговоре... Вместе с ним отправлялись на гильотину восемь аристократов, в том числе мать герцогини де Грамон, герцогиня Ларошфуко, маркиза Водрейль и семидесятилетний барон Тренк. Его подвел попугай, наученный славить короля. Пытались переучить, но попугай орал свое: «Да здравствует король!» Донесли. И постановили: барона — на гильотину, а попугая — на перевоспитание.

Двор тюрьмы. У телеги Сансон и отъезжающие на гильотину.

САНСОН. Граждане, на площади ветрено... Следует одеться потеплее...

ГОРЗА. Боишься, что простудимся? Ничего, ты нас хорошо согреешь.

САНСОН (не реагируя на шутку). Устраивайтесь, граждане. К сожалению, у нас осталась только одна годная телега... Будем же великодушны — гражданок устроим поудобнее, особенно немолодых... Прошу, гражданка... для вас стул. (Помогает старухе Грамон войти в телегу.) ... Вот так я оказал своей покойной красотке последнюю услугу — нашел удобное местечко для ее мамаши в пути на гильотину.

ГОРЗА (насмешливо). Я протестую! Должно быть равенство даже в телеге. Для этого мы и сделали Революцию! (Серьезно.) И еще, палач, требую, чтоб после них вытерли нож. Кровь революционера не должна мешаться с кровью чертовых аристократов... Надеюсь, на эшафоте я увижу то самое лезвие, которое истребило тирана?

САНСОН. И не только увидите — ощутите «ветерок» от него, как шутил доктор Гильотен.

ГОРЗА. А ты насмешник, палач! Да, когда-то я голосовал против прав палачей... Что ж, наслаждайся триумфом! Какой ты по счету палач в роду Сансонов?

САНСОН. Четвертый, гражданин.

ГОРЗА (кричит). Да здравствует Сансон Четвертый — истинный король Республики! Мы хотели низвергнуть монархию, а основали новое царство — твое, палач!

САНСОН. ... И опять я вспомнил проклятые слова Казота.

САНСОН. Каждый раз, придя в Консьержери, я проходил мимо заржавленной двери камеры, в которой сидела королева французов. Она так и не научилась наклонять голову и, входя в камеру, расшибла в кровь лоб о низкую притолоку. Казалось, что о ней забыли... Но революцию можно обвинить в чем угодно, только не в плохой памяти... Начался суд и над ней. Я был на этом суде.

ГОЛОС РЕЖИССЕРА М. Появляется королева... Ей тридцать семь лет, но тюрьма и страдания превратили красавицу в старуху. В черном платье вдовы она по-прежнему надменна и величественна...

САНСОН. Ее обвиняли во всем: начиная с того, что она немилосердно транжирила народные деньги, устроила голод и заговор против Республики и кончая обвинениями самыми чудовищными... Я вошел в зал, когда выступал Эбер, один из вождей «бешеных»...

ЭБЕР. Нет преступления, которым себя не запятнала вдова Капет. Погрязшая в разврате, она склоняла к прелюбодеянию собственного сына.

Возмущенный рев зала.

ФУКЬЕ-ТЕНВИЛЬ. Вдова Капет, вы можете ответить?

МАРИЯ-АНТУАНЕТТА. Отвечать этому господину — ниже человеческого достоинства.

ЭБЕР. Вот кого пытаются защитить от гнева нации некоторые сердобольные, называющие себя революционерами... Но мы с вами знаем: все королевское отродье должно накормить голодную до справедливости гильотину! Сегодня мы судим своих королей. Завтра доберемся до чужих. И берегитесь, защитники тиранов!

Восторженный рев толпы.

САНСОН. Это он, конечно, о жирондистах...

СУДЬЯ. Вдова Капет, мы приговорили тебя к смертной казни.

Все тот же восторженный рев толпы.

САНСОН. И я, потомок презренных палачей, пошел готовиться принять вторую королевскую голову.

Рассвет. В камере королевы.

МАРИЯ-АНТУАНЕТТА (пишет письмо). «Четыре пятнадцать утра... Сестра, меня приговорили к смерти. Но смерть позорна только для преступников. А меня они приговорили к свиданию с Вашим братом... Я надеюсь умереть с таким же присутствием духа, как и он... Я прошу моего сына никогда не забывать последних слов своего отца. Вот эти слова: «Пусть мой сын никогда не будет стараться отомстить за мою смерть». Напоминайте их ему чаще, дорогая... Я прощаю всех, причинивших мне зло. И сама прошу у Господа прощения за все грехи, которые совершила со дня рождения. И надеюсь, Он услышит мою молитву... Боже мой, как тяжело расставаться с Вами! Прощайте, прощайте, прощайте!»

Фукье-Тенвиль и Сансон.

ФУКЬЕ-ТЕНВИЛЬ. Вот приговор. Всю ночь австрийская шлюха писала письмо сестре короля. В своем письме хитрая австриячка решила нас задобрить. Она не хочет мстить... Интересно, как она может мстить? И кто может мстить суду Революции?

САНСОН. Я помнил слова Казота и мог ответить на его вопрос... Но не ответил.

ФУКЬЕ-ТЕНВИЛЬ. Кстати, граждане требуют подумать о сестре тирана. Следует ли ей оставаться на свободе? Что говорит твое республиканское сердце, исполнитель воли революции?

САНСОН. Ему нравились его могущество... и мой страх. (Глухо.) Думаю... её тоже.

ФУКЬЕ-ТЕНВИЛЬ. Верно, Сансон. Тебе выпадет великая честь покончить со всей семейкой.

САНСОН. Когда мне дадут карету для королевы? Точнее, где ее взять? Все кареты разобрали депутаты...

Фукье-Тенвиль, ничего не ответив, выходит из комнаты.

САНСОН. Пошел совещаться с Робеспьером. Странная власть. Убивают легко, но самого простого вопроса решить не могут... Все время советуются, «согласовывают», как они говорят. Потому что все боятся... За любой промах теперь одна плата –встреча со мной. (Смеется.)

ФУКЬЕ-ТЕНВИЛЬ (вернувшись). Мы тут перекинулись мнениями... И спросили друг друга: «А почему надо везти австриячку на казнь в карете?»

САНСОН. Но так везли короля...

ФУКЬЕ-ТЕНВИЛЬ. За это время революция поумнела. Мы сейчас — страна истинного равенства. Так что королеву повезешь в той самой позорной телеге, в которой возишь на эшафот обычных преступниц. Единственная привилегия — шлюха в телеге будет одна. Чтобы было ясно, к кому относится негодование народа.

САНСОН. Но телега... она может развалиться в любой момент. Я много раз говорил и писал об этом.

ФУКЬЕ-ТЕНВИЛЬ. Это не ко мне. Все? До свиданья.

САНСОН. И опять целую ночь моя богобоязненная жена молилась. И я не спал и молился. В пять утра загремели барабаны национальных гвардейцев. В десять утра я пришел в Консьержери... Королеве, этой законодательнице мод, Робеспьер позволил иметь в тюрьме только два платья — черное и белое. Черное износилось, хотя она его много раз штопала. Но она сохранила белое. Видно, понимала, что оно понадобится ей для последнего выхода...

РЕЖИССЕР М. Сансон входит в особую «комнатку» — сюда перед казнью приводят смертников. Его ждет Мария-Антуанетта в белом платье, плечи прикрыты белой косынкой. На голове — белый чепчик с черными лентами. В полумраке комнаты она вновь прекрасна.

МАРИЯ-АНТУАНЕТТА. Все в порядке, господа, мы можем ехать.

САНСОН. Нужны предварительные меры, гражданка. Необходимо остричь волосы.

Она молча снимает косынку — волосы у нее уже обрезаны.

САНСОН. Вот так она не позволила мне дотронуться до царственной головы.

САНСОН. Вот так человек из презренного рода палачей связал руки короля и королевы Франции...

МАРИЯ-АНТУАНЕТТА. Мой старший брат упрекал меня за то, что не читаю книг. Но здесь я поняла: он был неправ — читать следовало только одну. Могу ли я взять ее с собой, господин палач?

САНСОН. Конечно, на Библию разрешения не нужно.

МАРИЯ-АНТУАНЕТТА. Тогда мы можем ехать...

Двор тюрьмы.

МАРИЯ-АНТУАНЕТТА (глядя на телегу, побледнев). Как?..

САНСОН (вздохнув). Таков приказ, гражданка Капет. (Ставит табурет, чтобы она могла взойти в телегу.) ... Раскрылись ворота, и моя телега, окруженная жандармами, вывезла королеву Франции к народу Франции.

ТОЛПА. Смерть австрийскому отродью! Смерть коронованной шлюхе!

САНСОН. Всю дорогу она сидела в телеге, величаво снося проклятия толпы. Причем, жандармы давали возможность людям из толпы прорываться к телеге...

ЧЕЛОВЕК ИЗ ТОЛПЫ (бросаясь к королеве, тычет кулаками в лицо). Шлюха! Шпионка!

Ржанье встающих на дыбы испуганных лошадей.

САНСОН (жандарму). Что вы делаете! Вы не охраняете! Смотрите, что с лошадьми... Телега сейчас развалится... Да что же вы!...

ЖЕНЩИНА ИЗ ТОЛПЫ (подбегая к телеге). Вот тебе, тварь! (Пытается ударить ее по лицу.)

САНСОН. И опять жандармы ничего не предпринимают. Видно, у них имеется особый приказ...

ЖАКО (перекрикивая). Граждане и гражданки! Мы везем на бал Ее Величество. У нее важная встреча с дамой по имени Гильотина... Госпожа Гильотина у неё теперь в любовницах вместо госпожи Полиньячки!

ТОЛПА (хохочет). Ну и остряк наш Жако! Где ты нашел такого, Шарло?

ЖАКО. Давайте спросим, удобно ли ей в нашем революционном экипаже? Не правда ли, народ нашел для вас достойную карету?!

САНСОН. Королева испила свою чашу до дна — с достоинством, не бледнея...

В доме Робеспьера — привычная сцена. В окне — Дантон, Демулен и Робеспьер. Они оживленно, весело переговариваются.

САНСОН. В кафе напротив дома Робеспьера я заметил художника Давида. Последнее время Давид повадился сидеть в этом кафе, мимо которого всегда едет моя телега.

Давид сидит за столиком и торопливо рисует.

ГОЛОС РЕЖИССЕРА М. И под звук копыт постепенно проступает карандашный набросок Давида: «Королева, которую везут на казнь».

САНСОН. На площади Революции телега остановилась напротив главной аллеи Тюильри — ее любимой. (К Марии-Антуанетте.) Приехали, гражданка Капет.

МАРИЯ-АНТУАНЕТТА. Не будем задерживаться, господа. (Выходит из телеги и быстрой, легкой походкой взбегает (взлетает) на эшафот.)

ЖАКО (кричит). Готово!

САНСОН. Поехали! (Дергает за веревку.)

Гремит гильотина. Толпа ревет. Подняв голову королевы, Сансон, под восторженные вопли народа, обходит с ней эшафот.

ЖАКО (идет за ним, приговаривая). Готовьте платочки, пламенные патриоты. Раздаем бесплатно кровь королей... Не надо давиться, всем крови хватит!

Вдруг восторженный рев толпы обрывается.
Голова королевы открывает глаза и смотрит на толпу!
Несутся крики ужаса.

ЖАКО (побледнев). Да что ж вы испугались!? Это посмертное сокращение мышц... Это бывает! Это... это... бывает.

Но огромная площадь, заполненная народом, в ужасе безмолвствует.

САНСОН. Ненадолго пережила королеву набожная сестра короля Елизавета. Трибунал обвинил ее, конечно же, в заговоре. В сообщники ей приписали девятерых аристократов. Всех их я набил в одну телегу... Когда пришла ее очередь подняться на эшафот, я хотел снять платок, покрывавший ее плечи.

ЕЛИЗАВЕТА (вздрогнув). О, нет, только не это, ради Бога!..

САНСОН. Она сказала это с такой непередаваемой стыдливостью...

ЖАКО. О-ля-ля! Тогда пошагаем в платочке на досочку, гражданка Капет. (Уводит ее.)

ГОЛОС ЕЛИЗАВЕТЫ. Господи, прости им, ибо не ведают, что творят!

САНСОН. Поехали! (Дергает за веревку. Грохот гильотины.)

САНСОН. Теперь каждый день я наблюдаю кровавое бешенство толпы. Появилась новая профессия — ненавистники. Они стоят в первых рядах около самой гильотины — с вечно раскрытыми ртами для проклятий и революционных песен... Люди помешались, жажда казней перешла всяческие границы. Партия, которая не может угодить этой всеобщей ненависти, должна проиграть. Впрочем, революция не признает слова «проиграть». Только одно слово — «погибнуть»!.. «Неподкупный» — так называют маленького фанатика Робеспьера... И все его сподвижники — кровавый красавец Сен-Жюст, интеллектуал Демулен, сам пугающийся собственных речей и вечно яростный Дантон объединились с «бешеными» революционерами из Парижской Коммуны — Шометтом, Эбером и прочими. И пошли в атаку на вчерашних отцов Революциии — на богатых буржуа, на партию жирондистов.

Конвент. Выступают Эбер и Робеспьер.

ЭБЕР. Обездоленные земного шара, объединяйтесь! Мир — хижинам, война — дворцам! Пусть головы королей украсят бастионы всемирной Революции. Но сначала давайте наведем порядок в собственном доме. Всякий, решивший остановить движение Революции, — враг народа!

РОБЕСПЬЕР. Я не люблю длинных речей. Да, те, кого мы называли жирондистами, были отцами Революции. Но сегодня они ее злейшие враги... Мягкотелые, когда мать-Революция требует жестокости, накопившие баснословные состояния, когда народ голодает! Они захотели наслаждаться покоем, они не принимают нашей великой борьбы. Вот почему сегодня они составили заговор против Республики. Но мы разоблачили жалкую клику. Революционный Трибунал, вся нация ждет твоего решения!

Рев толпы.

САНСОН. Потрясающая новость! Двадцать один жирондист — краса и гордость Революции — арестованы сегодня ночью... Но днем я понял, что дело затянется. Трибунал и косноязычный Фукье-Тенвиль никак не могли справиться со всеми этими великими говорунами — Бриссо, Верньо... Уж очень смешно было обвинять в заговоре против Республики тех, кто основал эту Республику... Но сегодня, придя в Трибунал, я услышал...

ФУКЬЕ-ТЕНВИЛЬ. Граждане судьи! Процесс над врагами Республики недопустимо затянулся. От имени Трибунала предлагаю обратиться к Конвенту со следующей инициативой: «В связи с тем, что общественное мнение нации уже осудило этих изменников... а Трибунал беспомощно тратит время на условности, предписанные законом... просим Конвент освободить Трибунал от соблюдения судебных формальностей, присущих старому строю». (Приветственные крики толпы.)

Трибунал. Фукье-Тенвиль и Сансон.

ФУКЬЕ-ТЕНВИЛЬ. Радуйся, Сансон, тебе решено дать новые телеги... Их сделали специально для тебя руки рабочих Парижа. (Подмигнул.) Скоро... очень скоро повезешь с комфортом наших революционных вельмож.

Конвент.

РОБЕСПЬЕР. Граждане депутаты! Я не люблю длинных речей, но когда мы основали Революционный Трибунал, все ожидали, что это учреждение, разоблачая преступления одной рукой, *тотчас* будет карать их другой. Однако выяснилось, что Трибунал обременен массой формальностей. Когда убийца схвачен на месте преступления, нужно ли уточнять, сколько ударов нанес он своей жертве? Разве не очевидны преступления жирондистов? Так перестанем же опутывать руки революционной Немезиде!..

САНСОН. И трусливый Конвент поспешил одобрить предложение Робеспьера. Сегодня я пришел в Трибунал, и на моих глазах за два десятка минут все легендарные деятели Революции...

ФУКЬЕ-ТЕНВИЛЬ (заканчивая чтение). Приговорить их всех к смерти...

САНСОН. ... Да, отправлены в мою телегу вчерашними сотоварищами.

Приговоренные жирондисты скандируют: «Мы не виновны! Мы невиновны!».

Все это покрывает нечеловеческий вопль: «Я убиваю себя, чтобы вы знали — мы невиновны...».

САНСОН. Один из них закололся на моих глазах.

Приговоренные, взявшись за руки, поют «Марсельезу».

Трибунал. Фукье-Тенвиль и Сансон.

ФУКЬЕ-ТЕНВИЛЬ. Приговор. (Протягивает бумагу.)

САНСОН (читая). Но почему двадцать один? Осталось двадцать после самоубийства.

ФУКЬЕ-ТЕНВИЛЬ. Самоубийце также следует отрубить голову. Постановление Трибунала.

САНСОН. У вас кровь, гражданин Фукье-Тенвиль... на подбородке.

ФУКЬЕ-ТЕНВИЛЬ. Да ты что? (Глядится в зеркало.) Плохо шутишь, гражданин Сансон. (Мгновение они глядят друг на друга. Вскоре понимает, молчит, дальше шепотом.) Тоже... видишь. Ладно, иди!

САНСОН. С некоторых пор я стал видеть кровь... Обычно — на скатерти во время еды, или на собственном лице. Но чаще — на лицах других.

На следующее утро. Тюрьма Консьержери. Сансон и Жако входят в тюремную залу, где уже собрались осужденные.

САНСОН. Двадцать человек уже нас ждали. Труп самоубийцы лежал в центре... Все разговаривали друг с другом с каким-то воодушевлением... Оказалось, всю ночь они пировали в этой зале. И сейчас весело беседовали, как добрые друзья перед дальним путешествием...

ОДИН ИЗ ЖИРОНДИСТОВ (пародируя Робеспьера). Я не люблю длинных речей, я не умею оскорблять законов Разума и Правосудия. (Общий хохот.)

САНСОН (приготовив ножницы). Граждане осужденные, начинаем необходимый туалет... Пожалуйте стричься.

ГОЛОС. А покойникам стричься вне очереди? (Общий хохот.)

САНСОН. Как изменилось время! Прежде, когда я заходил в Консьержери, тотчас воцарялась тишина. Тюрьму охватывал ужас. Теперь так привыкли к казням, что мое появление часто встречают шутки и смех. Никогда равнодушие к жизни не доходило до такого: осужденные едят, пьют, сочиняют куплеты — и все это накануне смерти! (Вызывает.) Гражданин Дюпра!

Сразу двое жирондистов — Дюпра и Мельвиль — подходят к Сансону.

ДЮПРА. Послушай, Шарло, у нас к тебе деликатное поручение... Ночью, во время застолья, мы выяснили, что любили одну женщину... И она нас любила... обоих. Мы хотели бы написать ей этакое семейное письмо. И просим тебя тайно передать его ей.

САНСОН. Они боялись за неё. Нынче любовное письмо от врагов нации вполне могло отправить на эшафот... Но их шутливое настроение передалось мне, и я согласился.

МЕЛЬВИЛЬ. Тогда стригись первым, Дюпра, а я пока...

Сансон остригает волосы Дюпра, в это время Мельвиль лихорадочно пишет письмо.

После Мельвиль садится на табурет стричься, передает перо Дюпра. И Дюпра, хохоча, дописывает общее послание. Они вручают его Сансону.

САНСОН. Работы было много — постричь двадцать человек и мертвеца. Я так устал, что порезал шею великому Верньо.

ВЕРНЬО (усмехаясь). Надеюсь, лезвие твоей гильотины режет умелей твоих ножниц, палач!

САНСОН. Он и здесь сострил!

Телега Сансона с вождями жирондистов выезжает из ворот Консьержери.

Вопли толпы: «Да здравствует Республика! Предателей — на гильотину!»

Толпа поет «Марсельезу».

ЖИРОНДИСТЫ (кричат). Да здравствует Республика! (Поют «Марсельезу»).

ЖАКО. Вон они едут — богатенькие отцы нации — прямиком к красотке гильотине... Привыкли к почету, отрастили животики, которые сегодня отправит в яму с известью наш добрый Шарло.

Хохот, рукоплескания толпы.

САНСОН (Жако). Перестань!

ВЕРНЬО (в телеге). Не мешай ему. Он прав. Это такая клоунада... Мы поем «Марсельезу» — и они поют ее же. Мы отцы Республики, и нас убивают по обвинению в ненависти к Республике... Сумасшедший дом — общий хор осужденных и осудивших. Шути, Жако, паясничай! Все равно смешнее не придумаешь!

Проезжают мимо дома Робеспьера.

Вся троица, как обычно, стоит в окне — Робеспьер, Дантон, Демулен.

РОБЕСПЬЕР. Едут. Слава богу, не вижу малодушия на лицах.

ДЕМУЛЕН (истерически). О, несчастные! Я обличал великого Верньо... Я причина их гибели! Проклятье на мне!

ДАНТОН. Не надо, Камиль. И мы, и они отлично понимаем: политическая необходимость выше справедливости. Они жертва, которую пришлось нам всем принести на алтарь Свободы! Во имя великого будущего!

ВЕРНЬО (кричит из телеги). Прощайте, старые друзья! Точнее, до скорого свиданья! Революция — это бог Сатурн, который пожирает своих детей. Так что берегитесь — Боги жаждут!

САНСОН. И я опять вспомнил Казота...

САНСОН. Это была массовая казнь. Доска гильотины до того была залита кровью, что одно прикосновение к ней казалось ужаснее самой смерти. Все продолжалось сорок три минуты... Этого было достаточно, чтобы Республика лишилась своих основателей... Что же касается письма... Да, они, видно, сильно любили её. Но я тоже любил Мари и детей. И мне показалось, что Жако видел, как они его передали. Так что письмо я отнес в Революционный Трибунал. И когда вез их любовницу на гильотину, рискнул шепнуть ей об их любви... Но это потом. А тогда я был как пьяный. Мне нужно было разрядиться... В это время бесконечных казней у нас появились поклонницы, как у знаменитых актеров, — преданные зрительницы, мы их называли «фурии гильотины». От постоянных криков ненависти у них и вправду стали лица фурий! Они приходили в экстаз от крови и обожали спать с моими помощниками... В тот день я выбрал самую красивую и бешеную. Ее звали Ведьма...

Комната Ведьмы. По стенам развешаны грязные платки. Сансон и Ведьма. Она набрасывается на Сансона. Потом они, обессиленные, лежат на кровати.

САНСОН (оглядывая комнату). Что это... на стенах?

ВЕДЬМА. Платочки, любимый. Платочки с кровью. Со всех твоих казней собрала, ни одну не пропустила. Кровь короля, королевы, Корде, кровь сегодняшняя... коллективная — жирондистов. Надеюсь, ты понял, платочка с чьей кровью тут не хватает... (Очень нежно.) С твоей, любимый! (Хохочет.)

САНСОН. Выйдя из ее дома, на улице я увидел маркиза де С. — все время забываю его имя... Он был в прежнем туалете — весьма странном и даже опасном... Нынче на улице от веселой толпы начала революции не осталось и следа. Встречаешь только испуганные или свирепые лица. Одни, проходя мимо тебя, торопливо отводят взгляд, другие, напротив, жадно впиваются глазами, выискивая добычу — надеясь различить аристократа. Но узнать их нынче нелегко: от прежнего многообразия одежд ничего не осталось. Все носят одинаковые серые куртки и темные платья. Однако вид маркиза был вызывающ — отлично сшитый фрак, правда, вытертый до блеска временем, розовые панталоны, правда, сохранившие следы всевозможной еды...

МАРКИЗ ДЕ С. Вы так удивлены... Видно, ожидали меня увидеть в *вашем* поместье?

САНСОН. Вы не боитесь разгуливать в таком виде?

МАРКИЗ ДЕ С. Я Комиссар Больничной Ассамблеи, пострадавший при прежнем режиме. И могу себе позволить ходить, как захочу. Я даже умудрился издать свои сочинения. Правда, наши нынешние — великие ханжи... Робеспьер, прочитав, пришел в бешенство. Все тираны заботятся о благопристойности. К тому же, я не пишу доносы в Трибунал... Так что, возможно, вскоре придется заглянуть к вам... (смеется) на огонек. Но пока наслаждаюсь жизнью... Эти фурии гильотины — мудрые твари. Они посвященные. И с готовностью откликаются на самые смелые фантазии *боли!* Я плачу, и они пускают меня в свои постели... обычно днем, когда свободны от ваших помощников. У вас удивительный взгляд, Сансон... Знаете, что в ваших глазах? Страх! Если боится палач, Революция дошла до верхней точки.

Трибунал. Фукье-Тенвиль и Сансон.

ФУКЬЕ-ТЕНВИЛЬ. Сегодня, Шарло, ты окончательно покончишь с проклятым наследием прошлого.

САНСОН. Я сразу понял: пришел черед герцога Луи Филиппа Жозефа Орлеанского... А ведь герцог Равенство все делал, как надо — вместе с Робеспьером голосовал за казнь короля, вместе с Робеспьером расправился с жирондистами... Но сейчас, в безумии террора, принц крови сильно компрометировал бывшего союзника. И его, не без дьявольского юмора, обвинили в сотрудничестве с его жертвами — жирондистами!

Трибунал. Выступает Фукье-Тенвиль.

ФУКЬЕ-ТЕНВИЛЬ. Ваши союзники по заговору, презренные жирондисты уже оставили свои головы на гильотине. Пришел черед и вам встретиться с Немезидой... Гражданин, говорите последнее слово.

ГЕРЦОГ ОРЛЕАНСКИЙ. Все это, право, было бы похоже на шутку! Если бы ее не произносил негодяй.

ФУКЬЕ-ТЕНВИЛЬ (безразлично). Значит, говорить не хотите! И правильно. Согласно закону, принятому Конвентом... (с усмешкой) за который, кстати, голосовали и вы, Трибунал избавлен от нелепых формальностей. Гильотина, гражданин Равенство, именовавшийся прежде герцогом Луи Филиппом Жозефом Орлеанским, ждет вас.

ГЕРЦОГ ОРЛЕАНСКИЙ. Учитывая все мои заслуги перед Республикой, смею высказать последнюю свою к ней просьбу — не медлить.

ФУКЬЕ-ТЕНВИЛЬ. Эту просьбу Республика выполнит с удовольствием. Вы умрете сегодня же — во второй половине дня.

Фукье-Тенвиль и Сансон.

ФУКЬЕ-ТЕНВИЛЬ (протягивает приговор). Вместе с герцогом поедут пятнадцать человек. По пути на гильотину остановите телегу у дворца герцога в Пале-Рояле — там его ждет сюрприз.

САНСОН. У меня проблема с транспортом...

ФУКЬЕ-ТЕНВИЛЬ. Как? Опять?

САНСОН. Новые телеги вмиг развалились.

ФУКЬЕ-ТЕНВИЛЬ (патетически). Новые телеги, сделанные руками рабочих?!

САНСОН (вздохнув). Именно... Все новое почему-то разваливается...

ФУКЬЕ-ТЕНВИЛЬ. Думай, что говоришь, гражданин! Садись и пиши заявление.

Тюрьма Консьержери. Камера герцога Орлеанского.

ГЕРЦОГ ОРЛЕАНСКИЙ (с аппетитом уплетая цыпленка). Прости, Шарло, но такая мелочь, как казнь, не должна помешать насладиться восхитительным цыпленком.

САНСОН. Вы так аппетитно едите, что мне захотелось поесть с вами, гражданин герцог.

ГЕРЦОГ ОРЛЕАНСКИЙ. Здесь между нами важная разница: ты сможешь это сделать вечером, а я уже нет... Я готов, мой друг! (Вытирает губы салфеткой.)

САНСОН. Никто из осужденных аристократов не захотел ехать с изменником. Так что герцог поехал в телеге один...

Выезжают из ворот тюрьмы.

ТОЛПА. Эй, герцог! Спеши за братцем! Смерть королевскому отродью! Шарло, отчего он такой длинный? Исправь ошибку природы! Укороти Орлеана, Шарло!

САНСОН. А ведь недавно та же толпа носила его бюст, увенчанный лавровым венком!

ГЕРЦОГ ОРЛЕАНСКИЙ (бормочет). И я служил этому сброду...

САНСОН. Около дворца герцога мы остановились. (Торжественно.) Мне поручено передать, что ваш дворец Пале-Рояль конфискован и стал собственностью трудового народа.

ГЕРЦОГ ОРЛЕАНСКИЙ. Передай своим хозяевам: только нищие и воры, ставшие нынче у власти, верят, что дворец может быть чем-то важным в жизни Орлеанского принца. Одним дворцом меньше... Одной жизнью... Поехали!

САНСОН. Принц принял смерть спокойно, но без наглого равнодушия. Жако в этот день почему-то молчал... (К Жако.) Хорошо, что сегодня мы обошлись без твоих шуточек.

ЖАКО. Это и есть моя шутка: принц крови заплатил, чтобы Жако оставил его в покое, хотя бы перед смертью. (Хохочет.)

САНСОН. Все последние дни я казнил генералов Революции. В Конвенте не хотели признавать, что революционные солдаты могут терпеть поражения. Поэтому все наши неудачи Робеспьер объяснял изменой военачальников. Сегодня я обезглавил друга герцога Равенство — герцога Лозена. Вслед за принцем Лозен перешел на сторону Республики — и был ее храбрейшим генералом... Он много шутил перед смертью...

Утром на заседании Трибунала вынесли двадцать пять приговоров. У Фукье-Тенвиля я застал вождя «бешеных» — Эбера.

ФУКЬЕ-ТЕНВИЛЬ. Сегодня Трибунал поработал на славу...

ЭБЕР (указывая на Сансона). Вот он, самый полезный деятель Республики! Приходится много трудиться, друг? Ничего: если у тебя много работы — дела Республики идут на лад!

САНСОН. К сожалению, граждане, сегодняшний выезд придется отложить... Несмотря на караул, кто-то утащил доски с гильотины...

ЭБЕР. Всюду враги, Сансон... Значит, мало сажаем!

САНСОН. Я мог бы объяснить им, что наступили холода и людям нечем топить. Все исчезло, и дрова тоже. Но... промолчал.

ФУКЬЕ-ТЕНВИЛЬ. У тебя кровь на щеке.

САНСОН. Нет, это кажется. Мне тоже сейчас кажется, что у вас глаз в крови... Я уже говорил, гражданин, новые телеги развалились.

ФУКЬЕ-ТЕНВИЛЬ. Я не могу все время заниматься твоими телегами. Ты что, не знаешь, как это делается? Возьми десяток национальных гвардейцев, прокатись по городу и конфискуй телеги.

ЭБЕР. Поверь, гвардейцы тебе очень пригодятся. Республика нынче бдительна и беспощадна!

САНСОН. Ремонт эшафота занял полдня. Все это время мы рыскали по городу. Нашли четыре телеги в сарае герцога Ларошфуко, к счастью, сделанные при прежнем режиме...

Трибунал. Фукье-Тенвиль и Сансон.

ФУКЬЕ-ТЕНВИЛЬ. Ты вовремя нашел телеги... Нелегко говорить, Шарло, но те, кого мы с тобой считали своими друзьями, неистовыми революционерами... кого народ ласково прозвал «бешеными»... они...

САНСОН. Тоже?!

ФУКЬЕ-ТЕНВИЛЬ (вздыхает). Плели тайно... подлый заговор. Как повезло Революции, что нас ведет Непокупный. Он вовремя разоблачил негодяев. Трибунал сейчас разбирает их дело... И сразу отвезешь их. Сегодня хороший денек, без дождя, так что патриоты останутся довольны.

САНСОН. В последнее время казни собирали все меньше людей, и он, видно, думал, что это из-за дождей...

САНСОН. Вечером пришел на заседание Трибунала, где заканчивали с «бешеными»... Уставшие от постоянной работы судьи дремали.

ФУКЬЕ-ТЕНВИЛЬ (бесстрастно). Есть много свидетельств того, как, прикидываясь ненавистниками короля, эти люди мечтали о восстановлении королевской власти...

Один из подсудимых — Анахарсис Клоотс — хохочет.

САНСОН. Этот Анахарсис Клоотс, пожалуй, единственный из «бешеных», кто сохранил смелость и присутствие духа. Он был безумен в своей жестокости. Думаю, его надо было послать к врачу, но они послали его на гильотину.

ФУКЬЕ-ТЕНВИЛЬ (бесстрастно). ... И потому приговор Республики должен быть один –смерть...

АНАХАРСИС КЛООТС (кричит). Признайте, граждане, ведь странно, что человек, которого сожгли бы в Риме, повесили в Лондоне, колесовали в Вене, будет гильотинирован в Париже, где восторжествовала республика!

САНСОН. ... Но Эбер, еще недавно обвинявший в постыдных грехах королеву, всегда неистовый, беспощадный, совсем ослабел.

ЭБЕР. Вы не можете так с нами... Мы были преданны... Ну, заключите нас в тюрьму. Но зачем же убивать! (Плачет.)

ФУКЬЕ-ТЕНВИЛЬ (насмешливо). Гильотина — лекарство, а не убийство. Горькое лекарство, которое Революция заставляет принимать своих врагов...

САНСОН. Пришел черед и моего знакомца, всемогущего Шометта.

ФУКЬЕ-ТЕНВИЛЬ. Подсудимый Шометт, встаньте! Вы изобличены в том, что были шпионом Англии и получали

деньги от ненавидящих свободу англичан. (Шометт молчит. Клоотс оглушительно хохочет.)

САНСОН. Беспощадный Шометт совсем впал в прострацию...

САНСОН. Я задействовал все конфискованные телеги. В то утро два десятка «бешеных» отправились на гильотину... Мы выехали из ворот тюрьмы, и все было, как всегда.

ТОЛПА. Смерть ублюдкам! Шарло, постриги их головы! В добрый путь на гильотину, сукины дети! Предатели! Оборотни!..

Эбер плачет, Шометт молчит.

АНАХАРСИС КЛООТС (кричит). Подлые твари!

САНСОН. Впрочем, вчера они называли их «доблестными парижанами».

В окне дома Робеспьера, как всегда, стоят трое — Робеспьер, Демулен, Дантон.

РОБЕСПЬЕР. Шометт сформулировал сам: «Убивая, революция очищает самое себя». У нас не было выхода... Своими безумствами они губили наше дело. (Демулен и Дантон молчат.)

Революционная площадь. Возле гильотины.

САНСОН. Приехали, граждане... Я называю имена, а вы поднимаетесь на гильотину... Анахарсис Клоотс!

АНАХАРСИС КЛООТС. Да здравствует Всемирная Республика! Да здравствует всемирное братство трудового народа!

САНСОН. Жако, давай! (Грохот гильотины.) ... Гражданин Эбер!

ЭБЕР. Нет! Нет! Подождите, граждане! Подожди, гражданин палач. Я прошу сообщить Робеспьеру! Я признаю... рас-

каиваюсь во всем, в чем он прикажет. Нельзя же все время убивать! Так никого не останется!

САНСОН. Ну почему же? «Если у меня много работы, дела Республики идут на лад!» Дела Республики — как нельзя лучше, гражданин! Тащи его!

Жако и помощники волокут Эбера на доску. Тот кричит, вырывается.

ЖАКО (кричит). Он на доске! Отдыхает! (Вопли, крики Эбера.)

САНСОН. Поехали, Жако! (Дергает веревку. Грохот гильотины. К Шометту.) Твоя очередь, гражданин. Я не забыл твое пожелание и сам опущу топор.

ШОМЕТТ. Спасибо на добром слове, Шарло. (Жако уводит Шометта.)

ЖАКО (кричит). Отдыхает!

САНСОН. Поехали! (Дергает веревку. Грохот гильотины.)

ТОЛПА (восторженно). Да здравствует Республика! (Поют «Марсельезу».)

САНСОН. Первым из троицы друзей не выдержал Камиль Демулен. Он начал писать статьи против террора. И Дантон, еще вчера призывавший к расправам, сегодня вообще удалился от дел. Я видел его в Конвенте... Рябое лицо, багровое от страстей, стало теперь бледной маской...

ДЕМУЛЕН (выступает). ... Но врагам не стоит обольщаться! Дантон спит, но это сон льва. Он проснется, когда придется защищать истинных революционеров от их обезумевших братьев!

Трибунал. Сансон и Фукье-Тенвиль.

САНСОН (осторожно). Я видел Дантона в Конвенте. Он как-то сильно сдал — тридцатипятилетний старик...

ФУКЬЕ-ТЕНВИЛЬ. Нервничает, ожидая встречу... с тобою. Много наворовал, хочет насладиться жизнью, устал от

революции. Его друг Демулен в свой газетенке смеет честить нас «обезумевшими братьями», «корсарами мостовых». Это всего лишь очередной заговор тех, кто устал от революции.

САНСОН. Любимое слово — «*заговор*» — было произнесено.

Трибунал.

САНСОН. Вчера Фукье-Тенвиль передавал мне очередной приговор с двадцатью семью именами, когда в Трибунале появился Дантон... Впервые за последний месяц! Они заговорили, не стесняясь моего присутствия.

ФУКЬЕ-ТЕНВИЛЬ. Мне кажется, вам обоим следует покаяться. Уверен, Неподкупный простит.

ДАНТОН. Покаяться — в чем? В том, что мы не хотим больше крови?

ФУКЬЕ-ТЕНВИЛЬ. Но иначе...

ДАНТОН. Я знаю, что будет иначе... Однако в последнее время мне больше нравится быть гильотинированным, чем гильотинировать других...

ФУКЬЕ-ТЕНВИЛЬ. Всего лишь фраза. Ибо ты не веришь, что это может осуществиться. Но, поверь, — может... Тебе и Камилю лучше сейчас бежать.

ДАНТОН. Нельзя унести родину на подошвах башмаков...

ФУКЬЕ-ТЕНВИЛЬ. И это тоже — фраза.

ДАНТОН. Передай её своему хозяину, который послал тебя с этим предложением. Ему придется прекратить казни или... Или сделать то, чего он больше всего боится, — арестовать нас. Это будет последний вздох убитой им Революции.

САНСОН. «Убитой всеми вами Революции», — так я поправил его, конечно же, мысленно... Бедный Дантон! Он смешно уверен, что его не посмеют тронуть! Не понял, что они сами приучили улицу к падению кумиров... Улица сделала кровавого Марата святым после смерти, а Робеспьер стал для черни святым при жизни. Возлюбленная Жако, одна из

наших фурий, повесила портрет Неподкупного вместо иконы — в изголовье постели. И бедный Жако после утех любви видит его сверлящие глаза... Уверен: Робеспьер посмеет...

Конвент.

САНСОН. Началось!.. Я пришел в Конвент в разгар его речи...

РОБЕСПЬЕР. Нам предложили решить дилемму: одержат ли несколько человек верх над нацией? Несколько человек, возомнивших себя непогрешимыми, кумирами, смеющими диктовать Революции! Сегодня мы увидим, сможет ли Конвент разбить этого сгнившего кумира, или сгнивший кумир, падая, раздавит Конвент и Революцию...

САНСОН. Далее я не дослушал. Все было ясно... Я пошел готовить телеги... Мне передали, что они встретились ночью перед арестом. Робеспьер пришел к Дантону...

РОБЕСПЬЕР. «Бешеные» хотели превратить свободу в вакханку, ты — в проститутку... Все отлично понимают, как ты смог так разбогатеть при нашем жалком депутатском жаловании. Откуда у великого трибуна жилище, похожее на дворец? Я снимаю крохотную комнатушку... и это все, что мне принадлежит.

ДАНТОН. Тебе принадлежит комнатушка... и вся Франция. Да, я люблю жизнь... страстно! Люблю женщин... страстно! Но что ты в этом понимаешь, убогий карлик?!

РОБЕСПЬЕР. А я люблю революцию, которую вы оба убиваете: один — наглой корыстью, другой — мягкосердечием, которое для нее страшнее любой корысти. Ибо дыханье революции — это кровь врагов... Великая Революция — великая кровь! И те, кто не может служить революции жизнью, должны послужить ей смертью. Прощайте, друзья, и пусть ваши головы поцелуются в корзине палача.

ДАНТОН. Самое глупое: история поставит нас троих в обнимку... Прощай, Робеспьер. (Они долго смотрят друг на друга... и вдруг обнимаются.)

САНСОН. Брали их сегодняшней ночью. Я присутствовал при аресте. Дантон сдался жандармам без сопротивления. Но Демулен...

Квартира Камиля Демулена.

ДЕМУЛЕН (кричит в окно). Мой народ, на помощь! Они схватили великого Дантона! Хотят обезглавить Революцию! К оружию, граждане! К тебе, народ, обращаюсь я — Демулен — первый проповедник Свободы! Перед моим голосом пала Бастилия! Ко мне, мой народ!

ЖАНДАРМ. Закончил петь романсы? Давай, собирайся, морда!

САНСОН. Как я и думал, никто не пришел на помощь. Люди привыкли проклинать сегодня тех, кого славили вчера. Ведь за это время все вчерашние кумиры Республики: Бриссо, Мирабо, Лафайет, Верньо, Кондорсе... — список бесконечен — объявлены предателями. Впрочем, как и те, кто изобличил их в предательстве, — Шометт, Эбер и прочие. Народ привык к тому, что предают все! Так что теперь остался он один — Робеспьер. Один из всей троицы, которую я привык видеть у окна на улице Сент-Оноре.

Революционный Трибунал.

ФУКЬЕ-ТЕНВИЛЬ (заканчивая читать, монотонно). ...По обвинению в заговоре против Республики Революционный Трибунал...

ДАНТОН (прерывает его). Я основал этот Революционный Трибунал и прошу за это прощения у Бога и людей!

ФУКЬЕ-ТЕНВИЛЬ (заканчивает бесстрастно). ... Приговорил к смерти Жоржа Жака Дантона, Камиля Демулена...

ДАНТОН (хохочет, затем Сансону). Ну что, палач, ты тоже здесь? Сегодня у тебя будет самая крупная пожива — ты отрубишь голову Революции.

САНСОН. «Как будто раньше не рубил», — так я мог ему ответить, но... (Махнул рукой.)

Тюрьма Консьержери. Демулен пишет письмо.

ДЕМУЛЕН. «Если бы так жестоко поступали со мной враги... но мои товарищи... но Робеспьер... и, наконец, сама Республика! И это после всего, что я для нее сделал!.. Вот почему я ослаб и залился слезами. Но и в бесконечной скорби руки мои обнимают тебя, и голова моя, отделенная от туловища, покоится на твоей груди... я умираю. И люблю...» Бедная... Бедное наше дитя... (Плачет.)

ГОЛОС РЕЖИССЕРА М. Точно так плакал Бухарин. У него тоже остались и красавица жена, и крошечная дочь!

Тюрьма Консьержери. Комната смертников. Дантон и Демулен. Входят Сансон с ножницами в руках и жандармы.

САНСОН. Гражданин Демулен, пожалуйте первым. (Поднимает ножницы.)

ДЕМУЛЕН. Нет! Тысячу раз — нет! Республиканец Демулен не умрет на революционной гильотине. (Вырывает ножницы у Сансона. Жандармы бросаются на Демулена.)

ДАНТОН (повелительно). Оставь их, Камиль. Это всего лишь слуги, исполняющие свой долг. Исполни свой долг и ты... (Демулен останавливается и молча дает Сансону срезать свои длинные волосы.) Мы хорошо потрудились для Революции, Камиль. Так что можем спокойно идти спать. (Равнодушно.) Делай свое дело, палач! (Садится на стул.)

САНСОН (стрижет Дантона). Никогда не стриг такие волосы. Очень жесткие и очень курчавые.

ДАНТОН. Как щетина диковинного зверя. (Смеется.)

Телега едет по Парижу. В телеге — Сансон, Демулен и Дантон.

ДАНТОН (Демулену). Это дурачье сейчас будет кричать: «Да здравствует Республика!» А сегодня у этой Республики не станет головы!

ТОЛПА (орет). Да здравствует Республика! Смерть изменникам!

ДЕМУЛЕН (перекрикивая толпу). Народ, разве ты не узнаешь меня?! Это зовет тебя, Демулен! Ко мне, патриоты!

ТОЛПА. Ишь, как разоряется... Видать, не нравится гильотина?! (Хохот.)

ДЕМУЛЕН (кричит). Мой народ! Допустишь ли ты, чтоб умертвили твоих защитников! Чтобы погиб отец Республики, великий Дантон! Глядите — он здесь!

ТОЛПА. Как не увидеть — вон какую морду жирную наел!..

ДАНТОН. Замолчи, Камиль! Неужели ты надеешься разбудить эту покорную сволочь?!

ТОЛПА. Все важничали! Наконец-то, галльский петух клюнул тебя, Дантон, в жирную задницу!

ЖАКО (паясничая). Ой, наша Республика в опасности! Ой, станем сиротами без них! (Хохот толпы.)

САНСОН. Проезжая мимо кофейной, я увидел живописца Давида — он, как всегда, рисовал нашу процессию.

ДАНТОН. Ты на своем месте, стервятник! Не забудь показать рисунок своему господину! Пусть увидит, как умирают вожди свободы!

САНСОН. Наконец, подъехали к дому Робеспьера.

Окно, где троица обычно стояла, закрыто.

ДЕМУЛЕН. Гляди, даже ставни закрыл! Предатель!

ДАНТОН (все тем же громовым голосом). Ты прячешься за ставнями! Блядий сын! Напрасно! Скоро, очень скоро ты пойдешь за мной, Робеспьер! И тень Дантона встретит тебя на гильотине!

Эшафот. Сансон стоит у веревки.

САНСОН. Я боялся, что Демулен что-нибудь выкинет. (Кричит.) Жако, готовы?

ГОЛОС ЖАКО (веселый). Все в порядке, отдыхает на доске.

ГОЛОС ДЕМУЛЕНА. Люсиль... Люсиль!.. Прощай!

САНСОН. Поехали! (Дергает за веревку. Грохот гильотины. Рев толпы.)

На эшафот поднимается Дантон со связанными руками.

САНСОН. Отвернитесь, пожалуйста, гражданин, пока смоют кровь с доски...

ДАНТОН (с презрением). Велика важность — кровь на твоей машинке! Не забудь главное — показать мою голову народу! Она стоит того. (Жако уводит его к доске.)

САНСОН. Поехали! (Дергает за веревку. Грохот гильотины.)

САНСОН. С красавицей Люсиль я встретился очень скоро — в той же «комнатке». Её приговорили к смерти по обвинению в заговоре...

Тюрьма Консьержери. Камера смертников. Сансон и Люсиль.

САНСОН (стрижет ей волосы.) Вам передали его письмо?

ЛЮСИЛЬ. Нет... Но оно мне и не нужно... Я ведь скоро его увижу... Какой вы глупый — вы тоже меня жалеете? А сегодня один из самых счастливых дней! Неужели вы не понимаете, куда меня сейчас повезете? К нему!

Трибунал.

САНСОН. Вчера вынесли из Трибунала кресло для обвиняемого. Вместо него установили огромный помост со скамьями. Обвиняемых размещают партиями по несколько десятков. Казни идут потоком. Как правило, приговаривают

за участие в заговорах. Фукье-Тенвиль научился объединять в этих заговорах людей, зачастую никогда не видевших друг друга... Обвинитель, присяжные, судьи, измученные постоянным недосыпанием, работают, не покладая рук, взбадривают себя вином и патриотическими речами. Сегодня утром — двадцать четыре осужденных за заговоры! Один из них — знаменитый Лавуазье, ученый... Я пришел за приговором, когда он еще выступал с последним словом...

ЛАВУАЗЬЕ. Граждане судьи, я прошу отсрочку от казни. Вы приговорили меня в несколько неудачное время. (Смех толпы на галереях.) Я нахожусь сейчас на самом пороге открытия, важного для нации. (Хохот.) Отсрочка требуется небольшая — всего лишь неделя... Обещаю успеть!

ФУКЬЕ-ТЕНВИЛЬ. Революция не нуждается в твоей науке, и народу нет никакого дела до твоих открытий, гражданин.

ЛАВУАЗЬЕ. Вы все помните, с каким восторгом я принял Революцию, её великие лозунги: «Свобода! Равенство! Братство! Или смерть!»... И сейчас я думаю: что вы оставили от них? Свободу? Но ее давно нет, есть страх. Равенство? Лишь во всеобщей нищете. Братство? Оно теперь — лишь насмешка... Из всех великих лозунгов вы оставили один — смерть!

САНСОН. Я много думал над словами Лавуазье, когда вез его на гильотину...

Да, погибшие мечты! Но одна мечта все-таки стала реальностью! Моя! С раннего детства я был убежден в правах, которые дает мне мое звание, в своем значении для общества! И вот пришло мое время. Теперь я воистину окружен почетом, и все знаменитые депутаты считают за честь дружить со мной. Дело идет к тому, чтобы запретить называть нас «палачами» и поискать нам другое, славное прозвище, достойное роли, которую мы играем в жизни Республики! Живописец Давид предложил назвать нас «народными мстителями». Он же показал рисунок моего будущего одеяния, напоминающего облачения римских ликторов. Можно сказать, я вкусил славу! Проезжая по улицам в своем страшном экипаже, я слышу только одобрительные клики народа!.. Одно плохо — все чаще вижу кровь... на лицах и на столе, когда ем... И с моими помощниками что-то происходит. Только выпив изрядную порцию рома, они приходят в себя после бесконечных казней...

ФУКЬЕ-ТЕНВИЛЬ. Сегодня урожай. Двадцать пять врагов Республики! (Протягивает протокол.)

САНСОН. Это судьи! Трибунал во имя Революции осудил тех, кто раньше судил во имя Революции!.. Я повезу на гильотину тех самых судей, чьи декреты исполнял все это время. Двадцать пять членов парижского и провинциальных судов пойдут на плаху с президентами во главе!..

Трибунал.

САНСОН. Утром меня опять позвали в Трибунал.

ФУКЬЕ-ТЕНВИЛЬ. Мужайся, Сансон! Сегодня у тебя небывалая работа!

САНСОН. ... Это был самый страшный день в моей жизни: гильотина пожрала сто пятьдесят четыре человека! Силы мои истощились, я едва не упал в обморок... Мне показали карикатуру, которую враги Республики распространяют в городе: на эшафоте среди поля, усеянного обезглавленными трупами, я гильотинирую... самого себя! Я устал смертельно, даже захворал... Завтра на эшафоте впервые будет распоряжаться мой сын!.. Боже мой! Только что узнал: мой веселый помощник Жако... повесился!

Окрестности Парижа.

САНСОН. Сегодня я по случаю болезни отдыхал — гулял с племянницей за городом и столкнулся *с ним*...

Девочка собирает цветы. Появляется Робеспьер — в голубом фраке, волосы сильно напудрены. Обязательную шляпу он держит на конце маленькой трости.

ПЛЕМЯННИЦА. Дядя, хочу розу, а она колется. (Хнычет.)

РОБЕСПЬЕР. Это дикая роза, милая крошка. Позволь тебе помочь. (Срывает розу.) Мой маленький ангел, как я тебе завидую. Ты будешь жить в великом, светлом будущем. В новом справедливом обществе. (Отдает розу девочке.)

САНСОН. Спасибо, гражданин, вы очень добры к девочке.

РОБЕСПЬЕР (обернувшись, резко). Вы?! (Быстро удаляется.)

САНСОН. Никогда не видел, чтобы так менялось человеческое лицо! Он будто наступил на змею! Лоб покрылся испариной... Нет, это не отвращение к гильотине, которая верно служит тебе, Робеспьер! Это страх... Страх встречи с моей гильотиной... Значит, и он боится!

ЗАНАВЕС ПАДАЕТ

САНСОН. Только что закончились два величайших дня. Этот месяц Термидор войдет в историю. Вчера утром прибежал мой сын. Он был в Трибунале, когда Фукье-Тенвиль готовился отправить в мою телегу очередную партию осужденных, но... Вошли посланцы Конвента и объявили об аресте... самого Фукье-Тенвиля! Я бросился туда... Недаром наш Конвент заседал в бывшем придворном театре королей. Здесь играли последний акт нашей горькой революции! На моих глазах исполнили то, что прокричал из мой телеги несчастный Верньо: Революция, как бог Сатурн, сожрала своих детей... Все, как предрекал Казот.

Конвент.

РЕЖИССЕР М. Робеспьер — несчастный, уничтоженный, старается перекричать вопли восставшего Конвента... Но не дают! Не дают!

ЧЛЕНЫ КОНВЕНТА. Долой тирана! Гнать с трибуны нового Кромвеля! (Хором.) Смерть тиранам! Смерть тиранам!

РОБЕСПЬЕР. Разбойники, вы торжествуете! Негодяи!

САНСОН. «Разбойники? Негодяи?» Что ж, он прав: всех честных республиканцев он давно отправил ко мне на гильотину. Остались негодяи... И негодяи восстали против кровавых фанатиков.

РОБЕСПЬЕР. Я должен сказать... Дайте мне говорить!

ЧЛЕНЫ КОНВЕНТА (кричат и скандируют). Долой тирана!

РОБЕСПЬЕР. К вам, добродетельные граждане, а не к этим разбойникам взываю я... Я... я... (Ему плохо, хочет сесть на скамью.)

ГОЛОС. Не смей сюда садиться! Это место Верньо, которого ты убил...

Робеспьер в ужасе вскакивает. Пытается сесть рядом.

ДРУГОЙ ГОЛОС. И сюда нельзя! Здесь сидел Демулен, которого ты обезглавил!

РОБЕСПЬЕР (хрипит). Это заговор... против Рес... Рес... (Он сорвал голос.)

ТОРЖЕСТВУЮЩИЙ КРИК. Кровь Дантона душит тебя, несчастный!

ДЕПУТАТ ТАЛЬЕН. Я предлагаю арестовать тирана и его клевретов. (Восторженный рев Конвента. Наконец, крики затихают.) Предлагаю проголосовать за арест Максимилиана и Огюста Робеспьеров и всей их клики — Кутона, Сен-Жюста, Фукье-Тенвиля... Принято единогласно!

ЧЛЕНЫ КОНВЕНТА (неистово кричат). Да здравствует республика!

Тюрьма Консьержери.

САНСОН. Десятого термидора я приехал в Консьержери. Туда после многих приключений привезли Робеспьера. Его челюсть была раздроблена пулей — в здании Коммуны в него

выстрелил жандарм... Его поместили в камеру рядом с той, где свои последние дни провела Мария-Антуанетта. Когда я пришел, врач уже вынул пулю. Вид у Робеспьера был ужасный: фрак разорван, рубашка запачкана кровью, чулки спустились с ног...

Робеспьер лежит на койке. Рядом, усмехаясь, стоит Тальен. Входит Сансон.

ДЕПУТАТ ТАЛЬЕН. Полюбуйся, вот он, наш Цезарь! Хорош? Ваше республиканское величество, вы страдаете? А как страдали великие революционеры, которых ты отправил... (кивает на Сансона) к нему! (Робеспьер молчит.) Подготовь его к встрече с его любимой гильотиной. (Уходит.)

САНСОН. Я должен вас постричь, гражданин. (Робеспьер молча пытается приподняться.) Я, кажется, понял... Вы хотите подтянуть чулок? (Робеспьер кивает. Сансон подтягивает его спустившийся чулок.)

РОБЕСПЬЕР (тихо). Благодарю вас, сударь.

САНСОН. Я подумал, что он сошел с ума. Мы уже давно не обращаемся друг к другу на «вы» и не произносим слово «сударь», напоминающее о временах королей...

РОБЕСПЬЕР (повторяет громче). Благодарю вас, *сударь*.

САНСОН. Нет, он был в здравом уме. Он и вправду не любил длинных речей. И двумя словами сказал мне: Революции больше нет, возвращаются старые времена... То, чего так боялись они все, убивая друг друга.

Утро. Двор Консьержери.

САНСОН. Рассадкой в мою телегу руководил новый вождь Конвента — депутат Тальен...

ДЕПУТАТ ТАЛЬЕН. Поторапливайтесь, граждане! Тирана Максимилиана будет придерживать в телеге его братец Огюст. Сен-Жюст — во второй ряд, и с ним гражданин Фукье-Тенвиль... Командуй остальными, Сансон... (Все со связанными руками рассаживаются в телегах.)

САНСОН. Сколько раз я замечал, как горе одинаково меняет людей. Все эти вчера еще могучие люди тотчас превратились в маленьких детей с беспомощными глазами.

ДЕПУТАТ ТАЛЬЕН. Уселись, пособники тирана? Ну, трогай!

САНСОН. И Робеспьер смог увидеть и услышать все, что слышали его жертвы...

Телега едет по городу. Вопли и крики улицы, заполненной народом.

ТОЛПА. Да здравствует Республика! Смерть кровопийцам! Отрежь для нас головы этих негодяев, Шарло! Убийцы! Палачи великого Дантона! Смерть им! Да здравствует Республика!

РОБЕСПЬЕР (шепчет). Да здравствует Республика!

Осужденные в телеге поют «Марсельезу». И улица поет «Марсельезу».

САНСОН. Мы ехали мимо его дома на Сент-Оноре... (Робеспьер волнуется, пытается приподняться, но тщетно.) Даже лежа он увидел то, что видели его жертвы, — свои окна. Только снизу, из моей телеги!.. Через час я укладывал в дурно сколоченный гроб его обезглавленное туловище. И между ног в спущенных чулках поместил его голову с рыжеватыми волосами. На волосах еще осталась пудра, в глазу застрял кусочек стекла от разбитых очков...

Круг замкнулся. Вся история Революции уместилась в моей грязной телеге. Но покоя нет... Страх — невыносимый, непередаваемый — не покидает меня! И все чаще мне снится та зловещая рука, которую среди волн видят моряки перед кораблекрушением... Господи, спаси! Но, успокаивая себя, я говорю: «Грядущие кровавые сцены меня уже не коснутся, у них будут другие участники. Так что ваша очередь, господа...»

Квартира режиссера М.

РЕЖИССЕР М. «Меня... били — больного шестидесятишестилетнего старика. Клали на пол лицом вниз, резиновым жгутом били по пяткам и по спине; когда сидел на стуле, той же резиной били по ногам (сверху, с большой силой) и по местам от колен до верхних частей ног. И в следующие дни... по этим красно-сине-желтым кровоподтекам снова били этим жгутом, и боль была такая, что, казалось, на больные чувствительные места ног лили крутой кипяток (я кричал и плакал от боли) ...» (Останавливается.) Смотрите, они пришли ко мне...

Входят Людовик Шестнадцатый, Мария-Антуанетта, Камиль Демулен, Максимилиан Робеспьер, Жорж Дантон.

РЕЖИССЕР М. (кричит). Почему в камеру пускают посторонних?! Я хочу открыться вам... Нас обманули. Мы не живем... Людовик Шестнадцатый — это Николай Второй... Мария-Антуанетта — наша царица... Бухарин — Камиль Демулен... Нам зачем-то показывают одно и тоже представление! Кромвель — наш Усатый... Но для чего? Для чего?! Для чего нам показывают один и тот же спектакль?!

ГОЛОС МАЛЯРА. А я за тобой... Когда расстреливаешь — близко стоишь. Оттого и кровь брызжет на гимнастерку — стирать приходится... Но надо совершенствовать работу. И я придумал, едрена мать. Когда курок спускаешь, надо легонько дать осужденному пинок под зад! И гимнастерка чистая!.. Вставай, сволочь, на «пинок под зад»! Палач пришел!

ЖЕНА (кричит по телефону). Его арестовали в Ленинграде! Его — символ нового искусства... Символ Революции в Театре... И никто ничего! Я выйду на улицу! Я встану возле театра. Я хочу посмотреть в глаза его ученикам! (Слышен звон разбитого стекла.) Боже мой! (Бросается прочь из комнаты.)

ГОЛОС МАЛЯРА (приближается). Не надо смотреть в чужие глаза, бабуля... Надо свои беречь... Бабуля! Где ты? Раз, два, три, четыре, пять — иду искать! Бабуля... Не надо прятаться! Раз, два, три, четыре, пять... А вот и встретились!

ЖЕНА. Оставьте меня!

МАЛЯР. А мы милашку... ножичком! (Женский истошный крик.) Это до печенки твоей не добрался... А мы любимую еще разок! (Женский вопль.) Плохо! Погромче бы надо, бабуля... чтоб соседи дрожали. Я, кума, веселый... (Дикий нечеловеческий женский вопль... И обрывается.)

Свет. На полу лежат Пьеро и Коломбина. Выходит Человек в парике.

На этот раз он — Моцарт.

МОЦАРТ (к лежащим).

«Представь себе... кого бы?

Ну, хоть меня — немного помоложе;

Влюбленного — не слишком, а слегка —

С красоткой (поднимает Коломбину), или с другом — хоть с тобой...

(Поднимает Пьеро, усаживает обоих в кресла.)

Я весел... Вдруг: виденье гробовое,

Незапный //у Пушкина именно так — незапный// мрак иль что-нибудь такое...

Ну, слушай же». (Садится за клавесин и играет «Реквием».)

КОНЕЦ

Наставление Режиссера М. (необязательное).

Пьеса поставлена мною накануне ареста. Все действие происходило в моей квартире. Все главные женские роли, как и прежде в моем театре, сыграла одна актриса — моя жена

Зинаида Р. «Рев толпы» в пьесе — это всего два вечных тысячелетних народных крика: «Распни!» и «Да здравствует!» «Распни» — в Революцию стало веселой песенкой «Са ира — это пойдет! Аристократов на фонарь». В моем спектакле их выкрикивал человек из народа — Маляр, он же помощник палача весельчак Жако.

Я, Режиссер М., сыграл революционного палача Сансона. Но порой мне приходилось становиться Режиссером М., руководившим очень трудным зрелищем. Ибо всю вторую часть пьесы — Революцию — следовало играть в бешеном темпе. Чтобы все казни слились в одно бесконечное, монотонное революционное убийство — под яростные речи, вопли ораторов.

И еще. Никогда не забывайте: воображение реальнее реальности. «Милый друг, иль ты не видишь, что все видимое нами — только отблеск, только тени от незримого очами?[3]*»*

[3] Из стихотворения В. С. Соловьева.

Театр императрицы. Взгляд на историю из домика на Арбате

ПЕРВЫЙ АКТ

АВТОР. Они прячутся в кривых московских переулках. И там, величественные и жалкие, греют на солнце свои колонны — облупившиеся колонны московских дворцов восемнадцатого века. В дни молодости моей довелось мне жить в таком доме. И в зимние вечера, когда так чудно падает снег, я любил сидеть у себя... Осторожно ставил я на стол *тот* шандал — бронзовый шандал со свечой, загороженный маленьким белым экраном. Зажигал свечу, и проступало изображение на экране — у камина сидела *она*... В эту женщину были влюблены самые блестящие люди века. И, читая полуистлевшие письма истлевших ее любовников, я шептал их безумные слова: «Ваши глаза — центр мироздания...», «Ваши губы — моя религия...». И московский домик пропадал, тонул в снежной метели. И, как мираж, сон наяву вплывал в убогую мою комнату великолепный мраморный *дворец* в далекой Италии. Дворец Чесменского героя графа Алексея Орлова, где все случилось.

ГОЛОС АЛЕКСЕЯ ОРЛОВА. Рибаса и Христенека! Немедля!

АВТОР. Парочка, бегущая сейчас в кабинет графа, — его доверенные адъютанты, серб Христенек и испанец Рибас. Оба взяты Орловым на русскую службу. «Продувные бестии» — так нежно называет эту сладкую парочку граф.

ХРИСТЕНЕК. Стряслось что-нибудь?

РИБАС. Его сиятельство получили письмо от неизвестной дамы.

ХРИСТЕНЕК. Неужто есть красавица в Италии, которую граф не...

РИБАС (перебивает.) Письмо написано по-французски. Этого языка Его сиятельство знать не изволит. Версальский двор — главный враг России, а граф — большой патриот.

ХРИСТЕНЕК. Как же тогда он в Петербурге разговаривает? Я слышал, в приличном русском обществе по-русски не говорят, все больше по-французски.

РИБАС. По-китайски будет разговаривать, и то поймут. В России начальство на любом языке понимают.

Орлов нетерпеливо меряет шагами комнату, когда влетает наша парочка. Он показывает на бумаги на столе.

АЛЕКСЕЙ ОРЛОВ (Христенеку). Переводи!

ХРИСТЕНЕК. Но это... (Потрясен.) Завещание покойной императрицы Елизаветы!

АЛЕКСЕЙ ОРЛОВ. Завещание потом. Переводи письмо!

Рибас молча забирает письмо у Христенека.

РИБАС. «Милостивый государь граф Алексей Григорьевич! Принцесса Елизавета Вторая Всероссийская, законная дочь блаженной памяти императрицы Елизаветы Петровны, желает знать, чью сторону примете вы при нынешних обстоятельствах. Духовное завещание матери нашей, *составленное в нашу пользу,* находится нынче в наших руках»... (Останавливается и смотрит на графа.) Далее текст завещания Императрицы Елизаветы, Ваше Сиятельство.

АЛЕКСЕЙ ОРЛОВ (нетерпеливо). Пропусти! Читай дальше!

РИБАС. «Я не могла прежде обнародовать свои права, потому что находилась в Сибири, где была отравлена ядом по приказу той, которая смеет ныне именовать себя русской императрицей. Но теперь, когда весь русский народ готов поддержать мои права законной наследницы престола, долг, честь и ваша слава обязывают вас стать в ряды наших приверженцев». Подписано: «Елизавета Вторая Всероссийская».

Орлов ходит по залу.

АЛЕКСЕЙ ОРЛОВ. О воровском послании никому ни слова! Сначала все узнаем про злодейку. Впрочем... (Останавливается, пораженный внезапной мыслью.) А если... Если никакой злодейки нет?! Если от имени злодейки придумали писать враги из Петербурга? Мою верность государыне проверить решили?

РИБАС. Злодейка есть, Ваше Сиятельство. Ее видел майор Тучков. Месяца два назад был он проездом в Венеции...

АЛЕКСЕЙ ОРЛОВ. Значит, о ней известно?! И мне ничего не сказали?

ХРИСТЕНЕК. Думали, Ваше Сиятельство... знает. В газетах который месяц только о ней и пишут...

АЛЕКСЕЙ ОРЛОВ. Слухи, газетенки — ваша работа. Моя — флот! Зачем кормлю вас, бездельники? Тучков где?

ХРИСТЕНЕК. В карауле.

ОРЛОВ. Сюда! Немедля!

Христенек убегает.

АЛЕКСЕЙ ОРЛОВ (нарочито громко). Какова разбойница! Ко мне писать посмела! Чувствую, получим Пугачева в юбке. (Рибасу.) А пока напишем матушке. Пиши. (Диктует, расхаживая по комнате.) «Ваше Императорское Величество, мать всей России! С благополучным миром с турками имею счастье поздравить. В прошлом наимилостивейшем письме изволили Вы предполагать, как откликнутся чужестранные министры на наш мир с турками. И просили проверить Ваши мудрые суждения. Спешу сообщить их мнения...» (Останавливается, усмехается.) Возьмешь прошлое письмо государыни и все ее предположения дословно сюда перепишешь. Ибо, что матушка предполагает, то и правда.

(Продолжает диктовать.) «Спешу донести, что получил я сегодня воровское письмо от неизвестной женщины. Письмо прилагаю. Я не знаю, есть ли такая разбойница или нет. Но коли есть, то навязал бы ей камень на шею, да в воду... Я на ее письмо ничего отвечать не буду. Но вот мое предложение: *если вправду окажется, что есть такая разбойница, постараюсь заманить ее на мои корабли и отошлю прямо к Вам.* Повергаю, матушка, себя к священным Вашим стопам и пребываю навсегда с искренней моей рабской преданностью...».

Христенек вводит Тучкова.

АЛЕКСЕЙ ОРЛОВ. Ну что, Тучков, видел стерву?

ТУЧКОВ. Точно так, Ваше Сиятельство. В Венеции был проездом и увидел.

АЛЕКСЕЙ ОРЛОВ. И как же ты в обществе разбойницы очутился?

ТУЧКОВ. Познакомился я с двумя поляками: Черномский и Доманский их фамилии. Позвали они меня в карты играть...

АЛЕКСЕЙ ОРЛОВ (усмехаясь). Все проиграл?

ТУЧКОВ (вздохнул). Играли мы в зале, когда она вошла. За ней гофмаршал шествовал, потому что она еще и герцогиня. По происхождению именует себя принцессой Всероссийской, а по жениху — замуж она готовится — герцогиня. Герцогом Лимбургским ее жениха кличут. С ней был также польский князь Карл Радзивилл. Оказывал ей знаки внимания, как царствующей особе... Свита у нее — человек сто. Там маркиз французский, виконт голландский, остальные — поляки. Все с усищами, саблями гремят. Скоро, говорят, будем с нашей принцессой в Москве, как с царевичем Дмитрием. И другие пакостные слова — повторять не хочу.

АЛЕКСЕЙ ОРЛОВ. И не надо их повторять. Ты про дело рассказывай.

ТУЧКОВ. Поляки кричат: «Целуй ручку у своей законной повелительницы!», а я только плюнул... Тьфу — вот вам мой поцелуй.

АЛЕКСЕЙ ОРЛОВ (усмехнувшись). И все?

ТУЧКОВ. И все, Ваше Сиятельство. Спасибо — ноги унес, зарубить хотели.

АЛЕКСЕЙ ОРЛОВ (мрачно). Ну что ж, ответил достойно, это хорошо. Узнал мало — вот что плохо. Какова она с лица?

ТУЧКОВ. Врать не буду... Красавица. Волосы — водопад, глазища горят...

АЛЕКСЕЙ ОРЛОВ (усмехнулся). Понравилась?

ТУЧКОВ (засмеявшись). Только в оба гляди, а то обольстит. Одно плохо — худа. Желанной пышности никакой...

ОРЛОВ. Ступай, надоел! (Майор уходит.) Итак, продувные мои бестии, даю вам два дня. Через два дня я должен услышать от вас, кто она на самом деле! И попробуйте не исполнить задание! (Уходит.)

ХРИСТЕНЕК. Странная история, Рибас, не правда ли? Его сиятельство ничего не слышал о женщине, о которой полгода трубят все газеты. А если все-таки слышал, тогда? Тогда он не мог не полагать, что к нему она обязательно обратится. Он самый могущественный и самый опальный. В его распоряжении — флот и деньги немыслимые. При этом ему запрещено то, что дозволено всем — возвращаться на родину. И вот что я думаю: не взыграло ли ретивое в нашем господине? И оттого он встретиться с разбойницей придумал. Одну императрицу на трон уже посадил, так что... Боюсь, затевается большая игра!

РИБАС. Не нашего ума это дело.

ХРИСТЕНЕК. Насчет ума не знаю, а вот шея... Большие возможности открываются схлопотать петлю от Государыни. Ох, Рибас, опасная у нас служба!

РИБАС (усмехаясь). Но доходная.

ХРИСТЕНЕК. Это точно. Во всей Европе только русские богачи такие деньги платят. Самые богатые вельможи самого бедного народа.

Спустя два дня. Дворец графа Алексея Орлова в Пизе. Орлов, Христенек и Рибас.

АЛЕКСЕЙ ОРЛОВ (Христенеку). Докладывай.

ХРИСТЕНЕК. Женщина она отважная, и великая мотовка. Как сказал один из ее кредиторов: если хочешь узнать, где она сейчас, выведай, где в Европе тратится больше всего денег. И такая же великая распутница. Любовников у нее! Из знаменитых её имели гетман Огинский, принц Лозен, кардинал де Роан... В Германии — князь Лимбург. Этот и вправду решил жениться, но она его покинула, отправилась в Венецию. В Венеции вокруг нее — все знаменитые мятежные польские фамилии. Главный — князь Радзивилл. Из Венеции вместе с князем собиралась к турецкому султану. Не вышло! Государыня-матушка мир заключила, и доехала блудница только до Рагузы, откуда перебралась в Италию. Сейчас она в Риме. (Замолчал.)

АЛЕКСЕЙ ОРЛОВ. Рибас!

РИБАС. Ее жених князь Лимбург-Штирум — князь Священной Римской империи, владелец Лимбурга и Штирума, совладелец графства Оберштейн, князь Фризии и Вагрии, наследник графства Пинненберг. Это маленькие земли, разбросанные по всей Германии. Но, тем не менее, он князь Римской империи, у него свой двор, послы, маленькое войско, он чеканит монету. И главный его доход — ордена, каковыми он торгует.

АЛЕКСЕЙ ОРЛОВ. И это все?

РИБАС. Все, ваше сиятельство.

АЛЕКСЕЙ ОРЛОВ. А где же главное — кто *она*?

РИБАС. Сожалею, Ваше Сиятельство, здесь одни домыслы, никто толком ничего о ней не знает.

АЛЕКСЕЙ ОРЛОВ. Плохо, скверно! Седлай коня, Рибас! Отправишься сегодня же к этому князю... к Лимбургу. Надеюсь, сиятельный жених знает, откуда родом его невеста! И чтоб был он поразговорчивей, накупишь у него орденов, и подороже. Они в Европе гордые, пока русских денег не почуют. Но будь очень осторожен... Ни слова обо мне!

РИБАС. Я всегда очень осторожен, Ваше Сиятельство, коли в деле замешана женщина. Женщина — сосуд коварства. Отец учил меня: «Женишься — бей жену». А я, дурак,

удивлялся: «За что ж ее бить, коли ничего плохого о ней не знаю?» — «Ничего, — отвечал отец, — *она* знает!»

АЛЕКСЕЙ ОРЛОВ. Ох, Рибас, ох, хитрый испанец! Ну а ты, Христенек, отправишься в Рим. Готовить ее приезд... ко мне! (Бросает им два кошеля с деньгами.) В путь, дорогие бестии!

АВТОР. Сумрак петербургского рассвета. В Зимнем дворце, в своих покоях проснулась немолодая женщина, урожденная София Августа Фредерика Ангальт-Цербстская. Ей сорок пять. Двенадцать лет назад женщина, поднявшаяся сейчас из постели, устроила дворцовый переворот. И нынче правит Россией под именем императрицы Екатерины Второй. День императрицы начинается всегда в одно и то же время — в шесть утра.

Императрица встает с постели. Звонит безуспешно в колокольчик.

ЕКАТЕРИНА. Катерина Ивановна! Катерина Ивановна! Каждый божий день у нас одно и то же.

Некрасивая женщина входит в спальню.

АВТОР. Марья Саввишна Перекусихина любимая камерфрау императрицы.

ЕКАТЕРИНА (раздраженно). Ну, где же Катерина Ивановна?

ПЕРЕКУСИХИНА. Чего это ты с утра развоевалась, матушка? Придет, куды она денется.

С золоченым тазом и золоченой чашей для умывания входит заспанная калмычка Катерина Ивановна. Екатерина сердито берет у нее из рук чашку и начинает мыться.

КАТЕРИНА ИВАНОВНА (вздыхает). Заспалась, матушка, что ж тут поделаешь.

ЕКАТЕРИНА. Выйдешь замуж — вспомнишь меня. Муж на меня походить не будет, муж покажет тебе плеткой, как просыпать и запаздывать... А теперь — с Богом, ступайте обе.

Екатерина быстро выпивает чашечку кофе. Садится к столу, пишет.

ЕКАТЕРИНА. «Дорогой сын. С сего дня начинаю писать мемуары для тебя. Чтоб ты понял главное — Судьба не слепа. В ней многое решает талант, но не меньше — характер. Характер — это постоянство полезных привычек. Я всегда встаю в шесть утра. Чтобы ни происходило в Империи, до девяти утра — мое личное время. В это время я пишу письма или сочиняю... Обычно дамы сочиняют стихи, я — пьесы. Ибо они более всего соответствуют истинной жизни. Мир очень похож на театр, где мы до смерти разыгрываем пьесу, уготованную нам Господом. Однако Всемогущий позволяет нам ее исправлять — в зависимости от возможностей выработанного нами характера...» (Останавливается.) Ну, что такое?! (Звонит в колокольчик.)

Возвращается Перекусихина.

ЕКАТЕРИНА. Еще вчера просила принести мою табакерку и положить в нее любимого табаку!

ПЕРЕКУСИХИНА. Ох, и разворчалась ты сегодня. Ну, не принесли — значит, принесут.

ЕКАТЕРИНА (покорно улыбается, с нежностью смотрит на Марью Саввишну). Ладно, иди. (Продолжает писать.) «Я с удовольствием дозволяю ей так разговаривать, ибо чувствую себя с ней снова маленькой девочкой, хотя она младше меня. Никого у меня нет ближе этой полуграмотной женщины... Когда я болею, она ухаживает за мной. А когда она болеет, я не отхожу от нее. Недавно мы заболели обе. Но она лежала в беспамятстве. Я в горячке плелась к ее постели... И выходила ее! Ибо, коли она помрет, — у меня никого не будет!..»

ПЕРЕКУСИХИНА (входя). Ну, вот, матушка, принесла тебе табакерку. Зачем было ворчать! (Уходит.)

ЕКАТЕРИНА. «Я приучаюсь разговаривать вслух... Раньше полагала, что это от одиночества. Но теперь я думаю, это потому, что я обожаю писать пьесы... Сплетничают, будто писать пьесы мне помогает литератор Новиков. Какая глупость! Он мрачен и слезлив, как все наши литераторы. А я люблю все светлое, радостное. Я даже к «Ромео и Джульетте» счастливый финал написала, да жаль — Дидро отговорил... Вся моя жизнь — какая пьеса! И какие действующие лица... Четверо братьев Орловых — удальцы-кутилы, любимцы гвардии... В постель взяла Григория, а с ним в союзники — всех братьев, и значит — всю гвардию... Григорий самый красивый, но Алексей... Алексей самый умный, самый дерзкий... и самый страстный. Кто-то сказал о нем: «Я не поручил бы ему ни жены, ни дочери, но я мог бы свершить с ним великие дела». Для сюжета моей пьесы именно такой разбойник был необходим. Я жила тогда рядом с погибелью. Муженек приготовился упечь меня в монастырь да жениться на полюбовнице... Но и я не дремала. В заговоре против моего олуха участвовало множество людей... Это был очень русский заговор. Они говорили, говорили, говорили и ничего не делали!.. Сюжет пьесы безнадежно застыл. Как вдруг... *Кто-то* распустил слух, что один из заговорщиков арестован, и его уже начали пытать. И пришлось им выступить немедленно... Я жила в Петергофе. Олух мой был в Ораниенбауме с полюбовницей... Помню, как засветло разбудил меня Алексей Орлов. Ох, и умен был... Корчась от смеха, сказал: «Заспались, Катерина? Не ждали? Я тоже не ждал. Все боялся, как к тебе через парк пройду, наверняка караулы схватят... Гляжу: парк-то не охраняется. *Кто-то* снял караулы. К твоему Монплезиру подошел, остановился у потайной двери. Думал — заперта. Толкнул, а потаенная дверь и распахнулась! Оказалась, и здесь *кто-то* постарался. И тогда сказал себе: «*Она*! Она слух об арестованном пустила, чтоб нас, дураков, на дело поднять. Ай да Она! Как же умна!..»»

Я могла ответить богатырю: «Это всего лишь удачная пьеса! С отлично закрученным сюжетом». Но не ответила. Только улыбнулась и сказала: «Я ничего этого не слышала, Алексей Григорьевич!» И умный тотчас понял, поклонился в ноги: «Карета ждет вас, Ваше Величество. Время царствовать!» Я поцеловала его за отличную реплику... И после поцелуя он... он... *отлично закончил сцену*! (Смеется.) Это вычеркнем... А потом со ступеней Казанской Божьей Матери провозгласили: «Матушка самодержица — императрица Екатерина Алексеевна!» И рев восторга тысяч глоток. Финал первого акта — любимый, счастливый... А далее, дорогой сын, акт второй. Флот был в упущении, армия в расстройстве, 17 миллионов государственного долга и 200 тысяч крестьян — в открытом бунте. Но главное бедствие — шатание в умах. На русской земле находились целых три государя: твоя мать, ее олух-муж и несчастный Иоанн Антонович, младенцем провозглашенный императором и заточенный в каземат императрицей Елизаветой... Я люблю мою Россию. Я всем сердцем приняла свою новую веру. Я ненавижу в себе все немецкое. Даже своему единственному брату запретила навещать меня: «В России и без тебя много немцев». Потому что давно не чувствую себя немкой. Но пока эти двое *жили*, я по-прежнему оставалась немкой, захватившей трон... Для начала я отправила моего олуха под арест на прелестную виллу в Ропше. И, как положено свергнутым тиранам, самодур вмиг превратился в заискивающего мальчика. Но Орловы спешили... Уже вскоре Алексей привез мне нечистую бумагу, всю дышащую безумством и кровью. Оказалось, Алексей со товарищи... задушили моего олуха! (Почти кричит.) Без моего дозволения! Запомни это! Второго императора Иоанна Антоновича все сумасшедшим считали. Я навестила его в камере — решила облегчить участь несчастного. Но он тотчас закричал: «На колени, самозванка, перед императором!» Оказался такой же сумасшедший, как принц Гамлет... И в мое отсутствие освободить его пытались... Пришлось охране убить его. Но и в этой крови (кричит) я опять неповинна! Не-по-вин-на!.. (Некоторое время молчит.) Урок из сказанного один: правителю нужна решительность... Чтобы свершить то, чего так не хочешь свершить, но *нужно*! Решительность — главная черта счастливого человека. (Расхаживает по кабинету.) В первое время после переворота Орловы решили, что править будут они. И действие пьесы опять осложнилось. Мой безумец Григорий надумал непременно на мне жениться. Точнее, умный Алексей за него решил! Именно тогда они вспомнили про любовь покойной императрицы Елизаветы... Недаром ее мать, жена великого Петра, была вчерашняя кухарка! Как и положено дочери кухарки, императрица Елизавета имела народный вкус. Ее многолетним любовником был простой певчий казак Алешка Розум. Уже императрицей она добыла ему титул, и появился граф Священной Римской империи Алексей Разумовский... Разумовский к титулу относился с юмором и в государственные дела не лез. Мы называли его ночным императором. Правда, пьяный, он вспоминал казацкое прошлое и лихо лупил «свое сокровище». Протрезвев, ползал на коленях перед её закрытой спальней. И «сокровище» открывала... Была Елизавета очень богобоязненна. И когда забеременела, греха своего испугалась. Тайно обвенчалась с Разумовским. И родила. Я видела эту девочку в ее комнатах. Правда, потом девочка исчезла... Орловы, как и весь двор, знали об этом. И Алексей задумал длинную пьесу. Сначала объявить об этом тайном браке, сделать Разумовского Императорским Высочеством и таким прецедентом дорогу к нашему с Гришкой браку проложить... Что ж, я направила Алексея к старику Разумовскому. И старик сыграл им сцену — такую даже мне не сочинить... Встретил он их в кресле у горящего камина. Сидел, сгорбившись, смотрел в огонь. На коленях — Евангелие. Алексей торжественно развернул лист, украшенный гербами: «Мы привезли проект указа, объявляющего вас Императорским Высочеством... В ответ надеемся получить от вас бумагу, удостоверяющую тайное событие». Разумовский молча поднялся с кресла...»

Екатерина перестает писать и сама поднимается с кресла.

ЕКАТЕРИНА. Все так же, не произнося ни слова, подошел к комоду, на котором стоял ларец черного дерева. Отпер. Вынул бумагу, обвитую розовым атласом. И долго смотрел на нее, не прерывая молчания. Потом поцеловал бумагу, перекрестился. И бросил в горящий камин. Сказал: «Я был верным рабом Ее Величества покойной императрицы Елизаветы Петровны. Ничем более. И желаю быть покорным слугой императрицы Екатерины Алексеевны». Угадал мое желание. Простой казак, да мудрец... Пьесу об Орловых я дописала через одиннадцать лет. Сначала Алексея отослала из Петербурга: «Войну с турками начинаю. Тебе флот поручаю — весь флот в архипелаге под твое начало». Не ошиблась: Алексей, который моря-то прежде не видел, шлюпкой управлять не умел, загнал турецкий флот в Чесменскую бухту и сжег все турецкие корабли... А потом душу мою — Григория — к нему отослала мир заключить с турками. К тому времени ангел мой Григорий изменял мне, когда хотел, и спал со мной, когда хотел... Сказала Григорию: «Посылаю тебя, ангела мира, к страшным бородатым туркам». Хотя надо было сказать *«отсылаю»*. Как мне донесли, умный Алексей, увидев брата, расхохотался: «Неужто не понял? Она нас *обоих* из Петербурга выслала!» (Величественно.) Я многим обязана семье Орловых. За то осыпала их богатством и почестями. И всегда буду им покровительствовать. Но мое решение неизменно. Я любила Гришку одиннадцать лет! И все терпела! И захотела жить, как *мне* вздумается. Но при этом только Бог знает, как я страдала... Я лежала на кровати и в голос ревела. Все министерства тогда не работали. Когда узнала, что Григорий скачет в столицу, выставила караулы. Караулы любви. Чтобы не пускали сердце мое Гришеньку в Петербург... Как боялась, что ворвется во дворец и... Как желала — не ворвался. Подчинился. Я ему хорошего отступного предложила — большие деньги и много земли. Взял... Взял! Теперь у меня другой Григорий — Потемкин. Так что в минуты страсти ошибкой в имени его не обижу. Благо, это имя нежно выговаривала целых одиннадцать лет... Большой забавник мой новый Григорий. Это ведь Орловы его во дворец ввели. И как же он их ненавидит! А они его! В России так принято. Как сказал один неглупый человек: «Нам, русским, хлеба не надо, мы друг дружку едим и тем сыты бываем»... Так что невозможно было двум львам, Григорию Александровичу Потемкину и Алексею Григорьевичу Орлову, в одной клетке находиться. Пришлось объявить Орлову: «Вы являетесь начальствующим над всем нашим флотом в Средиземном море. Надеюсь, что пребывание ваше в Италии будет для вас *и далее* приятным...» Он понял мой приказ: в Петербург ни ногой! Еще один счастливый конец пьесы... (Читает написанное.) Вспоминать было приятно... Однако читать все это ни сыну, ни кому-нибудь еще... В камин! Государь должен писать мемуары, о которых мой старенький учитель истории когда-то говорил: «*Врет*, как очевидец!» (Смеется, звонит в колокольчик.) Марья Саввишна!

Входит Перекусихина.

ПЕРЕКУСИХИНА. Чем еще тебе не угодили, матушка?
ЕКАТЕРИНА. Перья закончились.
ПЕРЕКУСИХИНА. Уж больно ты у нас писуча, голубка. (Уходит, ворча.) Сколько перьев тебе ни заготовь — ох-хо-хо!
ЕКАТЕРИНА. Теперь приступим к любимому занятию. Обожаю письма... (Напевая мелодию французской песенки, садится писать.) Начнем с главного сплетника Европы, с дорогого барона Гримма. Я пишу ему, а он тотчас разносит мои мысли в письмах к другим монархам... Итак, дама должна жаловаться, это женственно... (Пишет.) «Ах, мой друг, какие пережила я страшные годы! Франция толкнула Турцию на войну... Я одерживала победу за победой, но Версаль заставлял султана продолжать кровопролитие... Польша бунтовала. Шляхта! Они не захотели иметь королем друга нашего Станислава Августа Понятовского...» (Перестает писать.) Как же я его когда-то любила... Такого глупца! Баба! (Продолжает писать.) «И чего добились бунтом? Пруссия и австрийский двор предложили мне поделить польские земли,

пока шляхта убивает друг дружку. Пришлось... Иначе раздел случился бы без меня. А тут подоспел Пугачев — полдержавы было охвачено бунтом... Ждали прихода кровавых мужиков в Москву. Благодарение Богу — со всем совладала. Конец у пьесы мой любимый — победный! Мир с турками заключен. Маркиз Пугачев ждет казни! Надеюсь, вы согласитесь: финал, достойный Северной Семирамиды!».

Входит Перекусихина с перьями.

ЕКАТЕРИНА. Спасибо, ты очень любезна, душа моя... (Та уходит.) Ну а теперь прочтем почту... Письмо от милого сердцу Потемкина свет Григория — кажется, так по-русски. (Читает нежно, с улыбкой и по привычке делает на любовном письме пометы, как на государственной бумаге.) «Дозволь, матушка-голубушка, сказать то, о чем думаю...»

Дозволяю. «Не дивись, что беспокоюсь в деле любви нашей...» (Деловито.) Будь спокоен. «Сверх бессчетных благодеяний поместила ты меня у себя в сердце. И хочу я быть тут всегда один...» Есть и будешь. «Всегда помни: я дело рук твоих. Аминь».

Всегда помню. Аминь... Невозможный человек. Но как он мне нужен! Ни муженек, ни Елизавета не подготовили мне министров. Они обходились надутыми посредственностями. Я призвала к управлению целую когорту блестящих людей. Панин, Орлов... Теперь Потемкин.

Входит Перекусихина.

ПЕРЕКУСИХИНА. Приехал граф Панин.

ЕКАТЕРИНА. Легок на помине. Проси... Ох уж эти «блестящие люди»! Все эти Панины, Орловы... У них всегда будут свои цели. И опасная детская страсть высказывать собственное мнение. Вещь полезная в дни трудностей, но совершенно излишняя в дни благоденствия. Для укрепления державы куда нужнее нынче люди *исполнительные*. А из блестящих мне с головой хватает Григория Александровича Потемкина. Так что блестящего графа Панина я держу для одного — участия в придворной борьбе. Пока они все борются друг с другом, я спокойна. «Человек блестящий», граф Панин — любитель реформ. А Запад борется с «человеком исполнительным» — генерал-прокурором князем Вяземским, ненавистником реформ и Запада. Эти умники становятся забавными детьми, когда воюют друг с другом...

Екатерина переходит в парадную уборную. Здесь завершает туалет. Она одета в простое широкое «молдавское» платье. Парикмахер заканчивает прическу императрицы. За ушами — букли, волосы забраны кверху, чтобы открыть широкий лоб. Никаких драгоценностей. Сейчас Екатерина — правительница.

В уборной появляется граф Панин.

ЕКАТЕРИНА (насмешливо). Уж не стряслось ли что-нибудь, Никита Иванович? Ты сегодня непривычно рано.

ПАНИН. Пришло письмо, Ваше Величество, от графа Алексея Григорьевича из Италии.

ЕКАТЕРИНА. Разбор иностранной почты у нас в два часа, не стоит ломать распорядок. Я жду вас, граф, в два в кабинете.

ПАНИН. Как будет угодно Вашему Величеству. (Уходит.)

ПЕРЕКУСИХИНА. Князь Вяземский!

ЕКАТЕРИНА. Проси... Доброе утро, Александр Алексеевич!

В уборной появляется человек средних лет, приятный, спокойный, предупредительный, — генерал-прокурор князь Вяземский.

ВЯЗЕМСКИЙ. Граф Панин приехал... Не в его обычае так рано.

ЕКАТЕРИНА. Уж точно, не в обычае. Я на днях шутила — угадывала, кто от чего помрет. Про него сказала: «Этот помрет от одной из двух причин — коли ему придется поспешить или рано встать». И, тем не менее, сегодня встал. И по-

спешил. Видно, в чем-то сильно провинился его вечный враг Алексей Григорьевич Орлов. Он просто помирает от нетерпения прочесть его письмо...

Вяземский приятно смеется.

АВТОР. Два часа дня. В кабинете императрицы Панин и Вяземский.

ЕКАТЕРИНА. Я недавно написала письмо графу Алексею Григорьевичу Орлову. Никита Иванович, вы, кажется, сказали, что получен ответ от графа.

ПАНИН. Именно так, Ваше Величество. (Мягко кладет перед ней пакет.)

ЕКАТЕРИНА. Будьте добры, мой «снаряд». (Вяземский с поклоном подает очки.) Ну, и что же пишет граф? (Ласково улыбается.)

ПАНИН (без выражения). В начале письма граф обстоятельно рассказывает, как откликнулись европейские государи на наш мир с Турцией. И, надо сказать, державы совершенно повторяют все высказывания Вашего Величества. В дальнейшем граф Орлов пишет...

Панин замолкает, потому что Екатерина начинает читать письмо сама.

Лицо ее багровеет, она вскакивает со стула и быстро шагает по кабинету. Екатерина мечется по кабинету, залпом пьет воду из стакана.

ЕКАТЕРИНА. Нет покоя... Только разделалась с одним Пугачевым, нам подсовывают другого — в юбке! И когда же это кончится?!

ПАНИН (мягко). Ваше Величество, в свое время я докладывал об этой самозванке... Но в милосердии своем вы просили не замечать бродяжку.

ЕКАТЕРИНА (уже взяла себя в руки и говорит как обычно, доброжелательно и спокойно). Тогда мы могли и не заметить авантюристку... О ней писали только иностранные газеты. (Глядит на князя Вяземского.)

ВЯЗЕМСКИЙ. Которых, слава Богу, у нас в России никто не читает...

ЕКАТЕРИНА. Именно. Но теперь мерзавка, всклепавшая на себя чужое имя, дерзнула обращаться к российскому флоту. Я не желаю, чтобы, за границей объявился новый Пугачев! (Глядит снова на Вяземского.)

ВЯЗЕМСКИЙ. К радости врагов наших!

ЕКАТЕРИНА. Именно.

ПАНИН. И вот здесь, Ваше Величество... (Торжествующе медлит.) Мне кажутся очень сомнительными меры, которые предлагает граф Алексей Григорьевич. Особенно тревожит меня план графа войти в сношение с авантюристкой.

ЕКАТЕРИНА (разгуливает по кабинету, шепчет). Ах, Алексей! Ах, каналья...

Панин, усмехаясь, выжидающе смотрит на императрицу. Екатерина вновь берет себя в руки, милостиво улыбается.

ЕКАТЕРИНА. Граф Алексей Григорьевич служит нам, как умеет. (Глядит на Вяземского.)

ВЯЗЕМСКИЙ. И рвение графа, как всегда, похвально.

ЕКАТЕРИНА. Именно. Но я согласна: надо предложить графу иные меры. Нужно узнать, где находится сейчас разбойница.

ПАНИН. По нашим сведениям — в Рагузе.

ЕКАТЕРИНА. Хорошая новость. Рагузская республика страшится нашего флота. И посему напишите графу Орлову: «Ни в коем случае не входить в сношения с этой женщиной. Но немедля потребовать у сената Рагузского ее выдачи. Если не последует согласия, бомбардировать Рагузу!» (Глядит на Вяземского.)

ВЯЗЕМСКИЙ. Без пощады!

ЕКАТЕРИНА. Именно... Но, конечно же, стараясь, чтобы мирное население не пострадало. После чего, захватив са-

мозванку, посадить на корабль и без промедления отправить в Кронштадт. (Глядит на Вяземского.) Твое мнение, князь?

ВЯЗЕМСКИЙ. Как точно выразились Ваше Величество: «В сношения не входить... захватить... и отправить!»

ЕКАТЕРИНА. Коли всем все ясно, прощайте, граф.

//Екатерина почти каждую реплику начинает со слова «именно». Так задумано?//

Панин откланивается и уходит.

Екатерина в кабинете с князем Вяземским.

ЕКАТЕРИНА. И что ты по правде думаешь об этом деле, Александр Алексеевич?

ВЯЗЕМСКИЙ. Думаю, кому следствие поручить, когда захватим разбойницу.

ЕКАТЕРИНА (усмехаясь). Не слишком ли вперед забегаешь, князь? (Некоторое время молчит.) Ты веришь графу Алексею Григорьевичу?

ВЯЗЕМСКИЙ. Уму его верю, матушка государыня. Граф Орлов свою выгоду всегда поймет... Думаю, *не сразу, но поймет.* Привезет он тебе авантюристку...

Замок Нейсес, 1774 год, октябрь.

В парадной зале у камина сидят князь Лимбург и Рибас.

РИБАС. Меня зовут Иосиф де Рибас.

ЛИМБУРГ. Мои слуги сообщили, что вы осмелились собирать сведения о моей невесте.

РИБАС. Совершенно верно, Ваше Сиятельство.

ЛИМБУРГ. Зачем вам понадобились эти сведения?

РИБАС. Исключительно чтобы привлечь к себе ваше милостивое внимание. Это был единственный способ появиться перед очами вашей светлости... Я испанский дворянин, но нахожусь на русской службе.

ЛИМБУРГ (вскрикивает в волнении). Значит, все это правда?! У нее есть своя партия в России?

РИБАС. У нее нет никакой партии в России. Просто очень могущественные люди послали меня к вам узнать обстоятельства жизни этой женщины. Я неделю собирал о ней сведения, но всего лишь два дня назад болваны, которых вы именуете своими слугами, это заметили. Итак, меня прислали к вам с вопросом: желало бы Ваше Сиятельство, чтобы ваша невеста вернулась из своих рискованных путешествий в ваш великолепный замок?

ЛИМБУРГ (яростно). Я желаю лишь одного: забыть ее! Я хочу, чтобы все минуло... Но как заставить её вернуться?

РИБАС. Могущественные люди, пославшие меня, князь, предлагают обмен: Ваше Высочество расскажет все, что знает о ней, а мы сделаем все, чтобы она к вам вернулась в добром здравии.

ЛИМБУРГ. Ваши доказательства?

РИБАС (почтительно, глядя на князя чистыми добрыми глазами). Никаких, кроме логики: и мы, и вы заинтересованы в том, чтобы она прекратила опасные свои приключения. Наши интересы совпадают.

ЛИМБУРГ. Хорошо! Но Бог покарает вас, если вы солгали. (Молчит. Потом начинает торжественно — ему доставляет неизъяснимое, почти болезненное удовольствие рассказывать о ней.) Весной прошлого года я впервые увидел ее во Франкфурте. Она сидела без гроша в гостинице, куда к ней приехал мой гофмаршал граф Рошфор. Он встретил ее в Париже, влюбился и предложил ей руку и сердце. Я люблю графа. И, зная его доверчивость, поспешил отправить своих людей собрать сведения о его невесте. Я узнал, что ее свита — барон, маркиз — ее бывшие любовники, что в Париже в ее постели был гетман Огинский, один из вождей восставших против польского короля, ставленника вашей императрицы...

РИБАС. Верного союзника нашей великой императрицы.

ЛИМБУРГ. И я отправился во Франкфурт разоблачить ее перед Рошфором... Но, когда ее увидел... Когда она взглянула на меня своими невозможными лазоревыми глазами... я погиб! Она начала рассказывать о себе. Рассказала, что воспитывалась в Киле — в столице Голштинии, на родине вашего императора Петра Третьего...

РИБАС (печально). В Бозе почившего...

ЛИМБУРГ. Я слышал, что он умер от геморроидальной колики... Довольно редкая смерть. (Усмехается.)

РИБАС. Это в Европе — редкая, а у нас в России суровый климат.

ЛИМБУРГ. От своих воспитателей она узнала, что происходит из древнего рода князей Володимирских. Ее родовые поместья по неизвестным ей причинам конфискованы, но в будущем должны быть ей возвращены. Потом, в силу каких-то тайных обстоятельств, она была схвачена и увезена в Сибирь. И даже отравлена там... Когда она это рассказывала, ее глаза наполнились слезами.

РИБАС (восхищенно). Слезами?

ЛИМБУРГ. Она рыдала! Клянусь, рассказывая, она видела свое прошлое... Я чувствительный, я рыдал вместе с ней... Нянька тогда спасла ее. Они бежали за границу. В Багдаде нашли приют у купца Гамета, которому было ведомо ее истинное происхождение. У него в доме она познакомилась с персидским князем Али, одним из богатейших людей. Он умолил ее разрешить ему считаться ее покровителем, пока она не получит предназначенные ей от рождения княжества Володимирское и Азовское. Он дал ей свое имя — Али-Эмете. И отправился с нею в Лондон. Но в его стране начались волнения, и он вынужден был вернуться в Персию. Он оставил ей огромные деньги, и она жила согласно своему истинному происхождению. Сейчас деньги кончились, однако скоро он должен вернуться и оплатить её воистину огромные долги... Я слушал ее фантастическую галиматью, понимал, что это галиматья, но... Но видел только ее глаза! И верил! Что делать? (Несчастно.) Ум всегда в дураках у сердца... Ваши могущественные люди думают, что все это ложь?

РИБАС. Ни Володимирского княжества, ни Азовского не существует. Это такой же вымысел, как вся ее биография.

ЛИМБУРГ. Но если все вымысел, почему так волнуются ваши могущественные люди? Почему они вас прислали?

РИБАС. Ваше высочество... Прежде чем ответить, я хотел бы дослушать до конца... Да, чтоб не забыть — я в совершеннейшем восторге от ваших орденов. Как старый солдат, я мечтал бы получить такой орден из ваших рук. Причем, высший орден. И для меня будет истинной честью заплатить за него... (после паузы) сколько бы он ни стоил!

ЛИМБУРГ (усмехаясь). Вы умный человек, господин Рибас. Вы явно заслужили наш орден... В общем, я отнял невесту у моего несчастного гофмаршала. Заплатил ее долги и привез в этот замок. Не скрою, тогда наступила самая прекрасная пора в моей жизни. Она называла меня «мой Телемак», а я ее — «моя Калипсо»... Как вы знаете, Калипсо — это нимфа, державшая в плену Одиссея, а прекрасный Телемак — сын Одиссея. Если учесть, что Телемак — двадцатилетний юноша, а мне далеко за сорок... думаю, она издевалась надо мной. Но я терпел. И... помолодел! Клянусь, с нею я стал Телемаком... Все это время я пытался узнать о ней правду — ту самую правду, которую хотят узнать ваши могущественные люди... Но когда я попытался через своих людей собирать о ней сведения, она откуда-то тотчас узнала! Пришла в бешенство: «Вы хотите знать все обо мне? Ну что ж, слушайте...» И что она мне рассказала?

РИБАС. Что?!

ЛИМБУРГ. До сих пор слышу ее яростный голос: «Я дитя любви очень знатной особы, которая поручила воспитать меня некоей женщине. Но однажды перестали приходить деньги на мое содержание, и тварь продала меня богатому старику. О, как же безумно он меня любил! О, как же безумно я его обирала...» — «И вас не мучила совесть, Алин?» — «Куртизанки, как солдаты: им платят за зло, которое они причиняют».— «О небо! Алин! Вы могли... без любви?» — «Капризничать, герцог, нам не подобает, как не подобает матросу бояться морской болезни. Пусть испанцы скупы, пусть итальянцы плохие любовники — легко загораются и так же быстро гаснут, но я не должна была никому отказывать, — она посмотрела на мое страдающее лицо и расхохоталась. — Мой Телемак, как ты плохо образован. То, что я сейчас рассказывала, дословно написано в книге любимого Аретино. Жаль, что он умер двести лет назад. Говорят, был превосходный любовник и в шестьдесят прибегал к услугам дам не менее сотни раз в месяц... Однако, Телемак, постарайтесь стать хоть чуточку мудрее. К сожалению, в жизни наступает возраст, когда надо хотя бы производить впечатление умного, если не хочешь быть смешным. Поверить, что наследница Володимирских князей была дешевой куртизанкой!»... И, хотя она расхохоталась, в ее рассказе я чувствовал какую-то страшную истину. При этом она явно получила очень дорогое воспитание, владеет несколькими языками, прекрасно рисует, знает архитектуру, играет на многих инструментах. Нет, я никогда не мог понять, когда она выдумывала, а когда говорила правду... Хотя, полагаю, всегда было и то, и другое! Тогда все и случилось. Она сказала, что наступило время, когда она обязана выйти замуж: род великих князей Володимирских не должен прекратиться... Она получила письмо из России и вынуждена покинуть меня. Я понимал, ради чего она все это говорит. Но я не мог жить без нее. И сказал то, что она хотела: «Я сойду с ума без вас. Вы не должны уезжать. Я свободен. И... я прошу вашей руки, Алин!» Она засмеялась. Сказала, что представляет, какой ропот поднимется среди моих родственников: «Князь Лимбург женился на русской принцессе, а у нее ни земель, ни бумаг о происхождении». Вы, немцы, бумажный народ, мой друг... У вас человек без бумаги — ничто!» Я ответил: «Я отрекусь от титула, но женюсь. Я не могу без вас, Алин».— «Нет, нет и нет! Я никогда не посмею причинить вам боль. — Она плакала. — Я люблю вас... — Она рыдала, и, как всегда, я вместе с ней! Потом сказала сквозь слезы: — Мне пришло сейчас в голову... соберите, мой друг, деньги и выкупите графство Оберштейн. А потом... объявите, что это я дала вам деньги, что они присланы мне из Персии. И тогда ваши владетельные родственники начнут уважать меня... и вас! Тем более что мне действительно скоро пришлют деньги из Персии...» И я уже кричал: «Великолепная мысль! Они умрут от зависти... Но я не только выкуплю Оберштейн, я подарю его вам, чтобы у вас, моя Калипсо, были свои земли! Чтобы вы, как равная, могли вступить в брак с владетельным немецким государем!» Я написал всем немецким князьям о своей помолвке, о том, что княжна, наследница русских князей, несметно богата и выкупила для меня графство Оберштейн... Да, я не заметил, как я, ревностный католик, ни разу в жизни не солгавший, через месяц жизни с нею сделался отъявленным лгуном! Я заложил свои земли в Штируме, купил ей графство Оберштейн. Она стала владетельницей, а я начал готовиться к помолвке... Она прелестно рисовала. Нарисовала себя, сидящую у камина, перед ней в тазу плавали кораблики с зажженными свечами... Это старинное гадание. Мне так понравился ее рисунок, что я приказал сделать шандал с экраном. Стоит его зажечь — на экране проступает вся картина. В тот день, когда я подарил ей этот шандал, она мне сказала: «Я хочу, чтобы вы пожили немного у себя в замке, а я одна поживу в Оберштейне. Я хочу, чтобы вы проверили, мой Телемак, действительно ли хотите взять меня в жены...» И очень скоро я узнал от своих слуг истинную причину ее одиночества: в Оберштейне ее навещал некий незнакомец. Мои люди слышали польскую речь. Я понял: к ней вернулся любовник, гетман Огинский! И я со слугами решил выследить парочку... Была безлунная ночь. В темноте я увидел темный силуэт мужчины, подъехавшего к ее замку. Она ждала его у ворот. И я не выдержал: «Ни с места, сударь!» Незнакомец тотчас выхватил шпагу, но я выбил ее из его рук. Из темноты с обнаженными шпагами выехала его свита. И я услышал ее голос: «Позвольте, Ваше Высочество, познакомить вас с моим женихом герцогом Лимбургом. Я прошу прощения за то, что знакомство происходит при таких обстоятельствах. — И она торжественно представила незнакомца: — Его высочество князь Карл Радзивилл». Да, это был князь Радзивилл, вождь мятежных конфедератов, любимец шляхты, «родовитейший из родовитейших». «Теперь ваша очередь, князь Карл, — обратилась она к Радзивиллу, — представить меня моему жениху...» И князь Радзивилл объявил: «Ее императорское высочество

Елизавета Всероссийская, единственная законная наследница престола России!»

«Сколько раз я мечтала объявить вам все это сама... — клянусь, она плакала! — Сколько раз я проклинала судьбу и происки врагов, заставлявшие меня скрывать от вас... от жениха, данного мне Богом, свое истинное имя. И рассказывать вам небылицы про княжество Володимирское... И вот, теперь, когда я готовилась торжественно открыть вам мою тайну, вы все испортили глупой ревностью...» Она была неузнаваема: ее лицо, ее жесты — сама величественность! «Я Елизавета — дочь Елизаветы... Я рождена от брака русской императрицы Елизаветы и графа Разумовского. Это был тайный брак, но брак законный, о чем существуют соответствующие бумаги... Теперь настало время заявить миру о моих правах!»

Я целовал ей руки, умолял простить. Мы прошли в замок. На огромном столе лежало множество бумаг... Она посмотрела на меня насмешливо: «Это те документы, за которыми вы безуспешно посылали ваших шпионов, — копия духовного завещания матери моей Елизаветы... Когда-то она передала его моим воспитателям, чтобы ни у кого не возникло сомнений в моих правах. Итак, сегодня я объявляю о начале борьбы за свои права. В Швеции нас готовится поддержать король Густав, мечтающий отомстить за Полтавскую битву. В Турции мир, на который рассчитывает Екатерина, не будет заключен. В Париже нас горячо поддерживает Версальский двор. В этом общем восстании против похитительницы престола, немецкой принцессы Екатерины, я отвожу особую роль Польше... И мы, Елизавета Вторая Всероссийская, торжественно клянемся, господа, восстановить Польшу в ее прежних границах! Мы клянемся свергнуть с польского престола раба Екатерины, ее бывшего любовника Станислава Августа Понятовского и поддержать избрание польским королем единственно достойного... — Князь Радзивилл низко поклонился. — Наши действия начнутся с совместной поездки с князем Карлом в Константинополь к султану. Мы принудим султана к прекращению всяческих мирных переговоров с узурпаторшей. Оттуда, из Константинополя, я обращусь к русскому войску и флоту: свергнуть немку и передать престол законной наследнице — мне, *последней из дома Романовых*. — Глаза ее горели. — Я обращусь к главе русской эскадры графу Алексею Орлову... Партия Орловых недавно пала в России, и, нет сомнения, граф возьмет мою сторону!..» Потом мы остались одни, и она сказала: «Как вы догадываетесь, мой друг, с нашим браком придется повременить... Покуда я не сяду на русский трон!» Ночью я потребовал: «Алин, поклянитесь мне... Этой клятвы будет достаточно... Все, что я слышал сегодня, — правда?» Она усмехнулась и торжественно сказала: «Клянусь!»

Я проводил ее в Венецию, откуда они с Радзивиллом должны были отправиться к султану... Предприятие лопнуло. Россия заключила мир с турками, и Радзивилл не осмелился ехать в Турцию. И Франция отвернулась и от Турции, и от польских дел. И от нее! Я получил строгий запрос от французского двора, где в самом холодном тоне просили сообщить сведения «о женщине, именующей себя моей невестой». Узнал я, что Радзивилл поссорился с Алин! И что она сейчас в Рагузе. Мои люди, которых я к ней отправил, рассказывают, что она сильно кашляет, врачи боятся, что дело дойдет до чахотки. Я написал ей письмо в Рагузу, она не ответила...

РИБАС (усмехаясь). Ее уже нет в Рагузе. Она в Риме. И, несмотря на ссору с Радзивиллом, с ней остается множество поляков. Ваша подруга продолжает свою очень опасную игру. (Помедлил.) Конечно, если у нее нет доказательств, что она действительно...

ЛИМБУРГ. А если есть? (Взволнованно.) Тогда ее поддержат в России?

РИБАС. Я такого не сказал. Просто могущественные люди, которые меня к вам прислали, интересуются вашим мнением на этот счет.

ЛИМБУРГ (вздыхая). Порой среди безумных, нелепых выдумок, которыми были полны ее рассказы, начинала проглядывать какая-то таинственная правда. Например, она сказала мне, что *до десяти лет* воспитывалась при русском

дворе. Я говорил с дипломатами, жившими в то время в Петербурге, и все они утверждали, что при дворе воспитывалась девочка, которую объявляли «близкой родственницей императрицы Елизаветы» и которая потом вдруг исчезла. Эту девочку поручили воспитывать Иоганне Шмидт, любимой наперснице императрицы. Имя этой Шмидт в последнее время очень часто мелькало в рассказах Алин... Нет, я не знаю, кто она. Но одно знаю: я хочу, чтобы она вернулась ко мне, несмотря ни на что!

РИБАС (с чувством). Я сделаю все, Ваше высочество, чтобы она вернулась к вам.

ЛИМБУРГ. Я был рад нашей беседе. Я не могу о ней не говорить! (Подходит к бюро, торопливо пишет.) Эти несколько строчек передадите ей... коли увидите.

Дворец в Пизе.

Граф Алексей Орлов. Христенек и Рибас докладывают.

ХРИСТЕНЕК. Она в Риме — без денег, в роскошном палаццо... Толпа кредиторов с утра окружает ее дом. Она не может выехать оттуда. Точнее, может, но только с пистолетом. При мне она его разрядила в воздух, расчищая путь своей карете. С ней — свита в полсотни поляков. Один из них подписывает за нее векселя, и вскоре его ждет тюрьма... Это ее тайный любовник, польский шляхтич Доманский.

ОРЛОВ (Рибасу). Отправишься в Рим. Договоришься с римскими банкирами, заплатишь им, чтобы впредь никто ничего ей не ссужал... (Христенеку.) После чего в ее доме появишься ты! Скажешь: «Командующий Российским флотом, его сиятельство граф Алексей Григорьевич Орлов велит вам кланяться, просит принять в дар три тысячи цехинов. Он ждет вас в гости к себе...»

ХРИСТЕНЕК (не выдерживает, перебивает). Но, Ваше Сиятельство, это целое состояние!

АЛЕКСЕЙ ОРЛОВ. Это для тебя. Судя по тому, что рассказывают, для нее это — «девкам на булавки»... Так

что предложи ей четыре... нет, пять тысяч от моего имени. И только посмейте оба вернуться без нее!

РИБАС. Что делать с запиской от жениха?

АЛЕКСЕЙ ОРЛОВ. Переведи...

Рибас (переводит). «Вы не только совершенно расстроили мое состояние — вы навлекли на меня презрение всей Европы. Но вы знаете мою вечную присказку: «Нельзя ненавидеть того, кого любишь». Коли вы не станете более поминать о Персии, русском престоле и прочих ваших выдумках, знайте, вас всегда ждут в Оберштейне».

АЛЕКСЕЙ ОРЛОВ. Пустое. Женщины любят тех, кто подчиняет их, а не тех, кто подчиняется им... Нет, нам не надо чтоб она к нему вернулась. Эту суматошную успокоит только камера в России.

Рибас и Христенек уходят. Граф остается один и садится писать письмо.

АЛЕКСЕЙ ОРЛОВ. Всемилостивейшая государыня! Получил я известие от посланного мною для разведывания офицера, что известная женщина больше не находится в Рагузе... И Радзивилл будто бы с ней рассорился и хочет возвратиться в свое отечество и замириться с польским королем...» (Бормочет.) Бальзам тебе на раны, матушка, смирился пред тобою проклятый поляк. (Продолжает писать.) «А об известной женщине офицер разведал, что разбойница в Риме. От меня нарочный послан в Рим — чтобы постарался познакомиться с нею и пообещал, что она во всем на меня может положиться и на всякую помощь может надеяться...» Вот это тебе не понравится, матушка. Что делать — после пряника нужен бабе хлыст. И наоборот. «Верю, Государыня, что это мое предприятие успех принесет великий...»

АВТОР. Все тот же дворец графа Орлова в Пизе... Принцесса летящей походкой стремительно идет сквозь анфиладу дворцовых комнат. И навстречу ей, будто из золотой рамы, из картины Чесменского боя, выдвигается красавец богатырь в белом камзоле, с голубой Андреевской лентой через плечо, в белом парике — граф Алексей Орлов.

Поздний вечер в покоях дворца. У камина — принцесса и Орлов.

АЛЕКСЕЙ ОРЛОВ. Пришелся ли дворец по сердцу Вашему высочеству?

ЕЛИЗАВЕТА. Я жила и во дворцах, и в убогих хижинах. И благодарю Господа за всякий кров над головой. Но я ценю, граф, ваши заботы обо мне и о моих людях. (Орлов молча, со странной улыбкой глядит на принцессу.) О чем вы думаете, граф?

АЛЕКСЕЙ ОРЛОВ. О вас, Ваше высочество... Об удивительной жизни, которую вы мне, рабу своему, сейчас поведали.

ЕЛИЗАВЕТА. И что вы думаете обо мне и о моей жизни?

АЛЕКСЕЙ ОРЛОВ. Гадаю: кто вы, Ваше высочество?

ЕЛИЗАВЕТА (мягко и нежно, очаровательно улыбаясь). Не верите, граф?

АЛЕКСЕЙ ОРЛОВ. Смею ли я, жалкий раб, верить или не верить? Сибирь... Персия... Санкт-Петербург... Багдад... История чудеснейшая.

ЕЛИЗАВЕТА (с улыбкой). Не более, чем ваша, граф. Вы и ваш брат, пребывавшие в обычном ничтожестве, в один день становитесь чуть ли не властелинами великой страны! Или отец мой, жалкий певчий, женится на дочери Петра-императора... А сама ваша нынешняя государыня? Дочь одного из множества князьков на прусской службе стала императрицей самой большой империи на свете, убив... (Торопливо умолкает.) Нет, нам всем надо привыкнуть — мы живем в веке чудес.

АЛЕКСЕЙ ОРЛОВ. Вы хотели сказать, Ваше высочество: убив мужа своего? (Бешеные глаза смотрят на нее в упор.) Не она, милая, — это я убил его. (Шепчет, протягивая к ней руку.) Вот этой рукой задушил... (Приближает к ней лицо, поднимает ее, как пушинку. Она задыхается в его стальных руках.) Не знаю, кто ты... Но люба ты мне...

Принцесса покорно закрывает глаза.

Ночь. В покоях дворца горят свечи. Огромная кровать под балдахином. Лицо со шрамом склоняется над принцессой.

АЛЕКСЕЙ ОРЛОВ. Давно с тобой встречи ждал... Знал — меня не минуешь... А как письмо от тебя получил, понял: пришло мое время. Один раз на престол возвел. И в другой раз осечки не будет... Грех не рискнуть, ежели ты Елизаветина дочь.

ЕЛИЗАВЕТА (с усмешкой). А если нет?

АЛЕКСЕЙ ОРЛОВ. А ежели нет... (Некоторое время молчит.) Погублю...

Молчат оба.

ЕЛИЗАВЕТА (глухо). Ну, что ж, спасибо за правду. Как губить будешь?

АЛЕКСЕЙ ОРЛОВ. Но увидел тебя, проклятую, и понял: не погубить мне тебя, потому что ты погубила меня. Держишься как государыня. Обликом ты государыня. Величавость в тебе, храбрость: не побоялась в Пизу приехать.

ЕЛИЗАВЕТА (смеется). Это безопасно, граф. Да вы и сами знаете: Пизой владеет брат австрийской императрицы. Он родственник жениха моего, князя Лимбурга. Не посмеете вы тут ничего предпринять. И слуг моих во дворце шестьдесят человек.

АЛЕКСЕЙ ОРЛОВ. Пятьдесят шесть — так точнее. Да, отважна ты. И хитра... Рискну с тобой! Но учти: сначала женюсь на тебе. И не как мой братец, который на императрице надумал жениться, когда она повелительницей стала да в три шеи прогнала его. Сейчас женюсь, когда ты — ничто. Ну... пойдешь за меня?

ЕЛИЗАВЕТА (с усмешкой). Не много ли для первой ночи, граф? Вы запамятовали — у меня есть жених...

АЛЕКСЕЙ ОРЛОВ (снова приближая к ней страшные горящие глаза). Пойдешь за меня?

ЕЛИЗАВЕТА (в бессилии). Пойду. Сам знаешь.

Ночь заканчивается. В тусклом свете выступают из темноты статуи и картины.

Она гладит его по волосам, целует.

АЛЕКСЕЙ ОРЛОВ. Кто ты? Кто ты? Кто ты? Если любишь меня больше, чем тайну свою...

ЕЛИЗАВЕТА. Я Елизавета. Дочь Елизаветы. И запомните это, Ваше сиятельство, если видеть меня еще желаете.

АЛЕКСЕЙ ОРЛОВ (медленно). Желал бы в это поверить... Я слыхал, что немец-учитель вывез ее из России вместе с племянниками отца ее Разумовского. (Шепотом.) Не знаешь, случаем, имени этого учителя? (Принцесса смеется.) Имя, имя, этого учителя, Ваше высочество?

ЕЛИЗАВЕТА. Придет время — скажу.

АЛЕКСЕЙ ОРЛОВ. Я даже человека своего в Пруссию к этому учителю послал. Да помер, оказалось, учитель... Я верю тебе, верю, но... (Смеется.) Хотя бы одно имя из твоего детства... И больше ни о чем не спрошу.

Принцесса усмехается, думает.

ЕЛИЗАВЕТА. Иоганна Шмидт, любимая наперсница матери Императрицы...

АЛЕКСЕЙ ОРЛОВ (шепчет в изумлении). Действительно!

ЕЛИЗАВЕТА. Могу еще имя... я помню его с детства. Княгиня Лопухина. Моя мать Елизавета ненавидела ее за красоту. Красавицу обвинила в заговоре. Ей вырезали язык на плахе и били плетьми. Палач показывал гогочущей толпе ее обнаженное тело. И, протягивая вырезанный язык, кричал: «Кому языки? Языки нынче дешевые!» Когда я вспо-

минаю это унижение красавицы... (Останавливается. Далее с усмешкой.) Кстати, с ней на плахе стояла другая женщина: уж не помню ее имени... Тоже знатная и осужденная на те же муки... Но та успела сунуть палачу свой нательный крест, осыпанный бриллиантами. И палач сек ее лишь для вида и даже язык ей оставил... Ах, граф, какая у вас удивительная страна, взятки берут даже на плахе!

АЛЕКСЕЙ ОРЛОВ (шепотом). Не поняла ты... Чтобы понять это, надо у нас родиться. Когда она нательный крест палачу отдала, она как бы братом его сделала...

ЕЛИЗАВЕТА. Какие нежные брат и сестра — палач и жертва...

АЛЕКСЕЙ ОРЛОВ. Опять не понимаешь... Простила она его. Простить на плахе — ох, как это по-нашему! (Усмехается.)

ЕЛИЗАВЕТА. Ну, что ж, за это объяснение, граф, мой подарок — еще одно имя. Я вам прежде сказать обещала — имя учителя, вывезшего из России дочь Елизаветы. Меня вывезшего... Карл Дитцель!

АЛЕКСЕЙ ОРЛОВ (задохнувшись). Вправду, Дитцель!

ЕЛИЗАВЕТА (смеется). Обещала только одно имя, а наговорила...

АЛЕКСЕЙ ОРЛОВ (торопливо). Но подожди... Я слыхал, что дочь императрицы, которую этот Дитцель вывез за границу, звали Августа?

Принцесса молчит, с улыбкой смотрит на возбужденного графа.

АЛЕКСЕЙ ОРЛОВ. Дараган была фамилия племянников Разумовского. И Дитцель назвал ее за границей Августой Дарагановой. Да немцы в Тараканову переделали... Августа Тараканова... Но как Августа Тараканова в Елизавету-то превратилась?!

ЕЛИЗАВЕТА. А... может, для благозвучия? Елизавета дочь Елизаветы — такое народу нашему куда понятнее чужеземного имени Августа. (Расхохоталась.) Вы совсем извелись

вопросами. Вот что значит Фома неверующий. Чтобы вас не мучить, я так закончу наш разговор: скоро вы все поймете! Я обещаю рассказать вам все, граф, когда ваша эскадра выступит против узурпаторши. Так решили люди, поддерживающие меня... (Нежно касается его лица.)

АЛЕКСЕЙ ОРЛОВ. Мы повенчаемся в Ливорно. И так как ты внучка Петра, то венчать нас будет, как положено, православный священник... на российском корабле. Это будет началом восстания. Сразу после венчания объявлю флоту твою волю.

Орлов целует ее бесконечно, безумно. Принцесса что-то шепчет. Вдруг он, расхохотавшись, вытаскивает из-под ее подушки пистолет. Она тоже смеется. Он отшвыривает пистолет далеко в угол зала.

АЛЕКСЕЙ ОРЛОВ. Хоть теперь безоружная... На том спасибо. (Все еще смеясь, поворачивается к ней и натыкается грудью на сталь. Принцесса с улыбкой смотрит на него, приставив к его груди другой пистолет.) Стреляй (шепчет). Хочу вот так... с тобой помереть.

ЕЛИЗАВЕТА. Боже мой! Я люблю тебя! И все у нас будет...

Палуба адмиральского корабля графа Орлова.

Христенек, Рибас, Тучков. С бутылками шампанского окружают принцессу. Орлов обнимает ее за плечи. Рев матросских глоток: «Ура!».

АЛЕКСЕЙ ОРЛОВ (шепотом). По-царски встречают внучку Петра, основателя флота Российского. (Глаза его становятся совсем безумными.) Знала бы ты, что я сейчас чувствую... (Обращается к офицерам.) Наполнить кубки, господа! Граф Алексей Григорьевич любовь свою поминает.

ЕЛИЗАВЕТА. Что он сказал?

АЛЕКСЕЙ ОРЛОВ. Любовь! Любовь, будь она проклята! (Усмехается.) За священником иду, сударушка!

ЕЛИЗАВЕТА (нежно). Сударушка...

Смеясь и посылая ей воздушные поцелуи, продолжая глядеть на нее, будто не в силах оторваться, Орлов уходит. В это время Христенек вынимает из-за пазухи бумагу и с самой нежной улыбкой, обращаясь к принцессе, читает.

ХРИСТЕНЕК. «По именному указу Ее императорского величества Государыни Императрицы Екатерины Второй вы арестованы».

АВТОР. В конце зимы 1775 года императрица находилась в Москве во дворце в Коломенском. Шла подготовка к великим торжествам по случаю празднования Кючук-Кайнарджийского мира с Турцией.

В кабинете императрицы Рибас, Христенек, князь Вяземский. Последний читает письмо Орлова. Екатерина слушает, не забывая кормить прожорливых левреток.

Рибас и Христенек, вытянувшись, ожидают.

ВЯЗЕМСКИЙ. Февраля 14 дня 1775 года. Из Пизы. «Угодно было Вашему императорскому величеству повелеть доставить называемую принцессу Елизавету. И я со всею моею рабской преданностью употребил все возможные силы и старания. И счастливым теперь сделался, что смог злодейку захватить со всею ее свитою, прибывшею с нею на корабль... Собственного моего заключения об ней донести не могу, потому что *не смог узнать в точности, кто же она*. Свойства она имеет отважные и своею смелостью много хвалится, этим качеством мне и удалось завести ее, куда желал. Она ж ко мне была благосклонною, для чего и я старался казаться перед нею страстен. Наконец уверил ее, что женюсь на ней, чему она, обольстясь, поверила... Почитаю за обязанность все вам донести, как перед Богом. И мыслей моих не таить. Признаюсь, Всемилостивейшая Государыня, что теперь опасаюсь, чтоб не быть застреленным иль отравленным от сообщников злодейки. И посему прошу не ставить мне в вину, если для спасения моей жизни уеду отсюда в Россию — упасть к священным стопам Вашего императорского величества».

ЕКАТЕРИНА (глядит на обоих посланцев). Уж очень опаслив стал граф Алексей Григорьевич, совсем на себя не похож. И яда боится, и пули.

РИБАС (невозмутимо). Сильные волнения в Ливорно, Ваше императорское величество.

ЕКАТЕРИНА (Христенеку). А вы что нам скажете?

ХРИСТЕНЕК (Усмехается, старательно показывая, что Рибас лжет). Именно так! Граф до того опасался что... изволил напиться после ареста злодейки. Всю ночь мы не спали, прятались в дальних покоях. И со страхом слушали, как буйствовал Его сиятельство в своем кабинете...

ЕКАТЕРИНА (с усмешкой). Хотите сказать — переживал.

Через потайную дверь в стене в кабинете появляется Потемкин.

ПОТЕМКИН. Отпусти их, матушка, не мучай.

ЕКАТЕРИНА (улыбнувшись Потемкину, благосклонно обращается к посланцам).

Идите с Богом... Отдыхайте после дороги.

ПОТЕМКИН. Изменник Алешка. И весь их корень проклятый лгущий. Как понял, что с ней не получится, что самозванка она всего лишь, только тогда предать ее тебе решился. Но подло — любовью сначала натешился. Потом, как последнюю девку...

ЕКАТЕРИНА (ласково прерывает). Она и есть последняя девка, беспутная да наглая. Граф Алексей Григорьевич — человек, нам преданный... Позабыл ты первую мою просьбу: никогда ни в чем не стараться вредить Орловым. Они мне друзья, с ними не расстанусь. Умен будешь — нравоучение примешь.

ПОТЕМКИН. И ты позволишь ему то, ради чего он все спроворил? В Петербург пожаловать? С Гришкой соединиться и со всей проклятой семейкой?

ЕКАТЕРИНА. В скором времени, когда начнутся торжества по поводу мира с турками, буду ждать графа Орлова в нашей столице. Мы отметим по заслугам подвиги графа в войне. В день торжеств граф получит прозванье Чесменского. В Царском Селе в его честь мы воздвигнем памятник... Много ковал он нашу победу. Да к тому ж, не жалея своего честного имени, с врагом нашим, Пугачевым в юбке боролся... У тебя, конечно, нет возражений, Ваше сиятельство?

ПОТЕМКИН (яростно). Нет!

ЕКАТЕРИНА (усмехаясь благодетельно). Жаль только, что после торжеств драгоценное здоровье графа не позволит ему более находиться на нашей службе и оставаться в Санкт-Петербурге. Старушка Москва и отставка для графа целебнее будут. (Потемкин улыбается.) Помни, мой друг, главное правило: хвалить надо громко, а ругать тихо.

ПОТЕМКИН. А этот Христенек... всю правду мне вчера открыл. Человек он верный, матушка... Я так думаю.

ЕКАТЕРИНА. И я тоже думаю, дорогой друг. Думаю, что слуга, рассказавший правду про своего господина, именуется доносчиком, да к тому же еще дураком. Ибо все пытался сказать ту правду, которую его государыня слышать совсем не хотела... А доносчик- дурак именуется словом «опасный». Так что отправь его назад, к графу в Ливорно. Я постараюсь, чтобы граф о нем... позаботился. А вот второго... Как его зовут?

В комнате неслышно появляется князь Вяземский.

ВЯЗЕМСКИЙ. Рибас, Ваше величество.

ЕКАТЕРИНА (с ласковой улыбкой). Вот его я тебе рекомендую, голубчик.

Потемкин уходит.

ВЯЗЕМСКИЙ. Я отдал необходимые распоряжения, матушка. Кронштадт готов к встрече эскадры. Следствие по делу женщины предлагаю поручить князю Алексан-

дру Михайловичу Голицыну. Генерал-губернатор Санкт-Петербурга — человек, может, не блестящий, но честный.

ЕКАТЕРИНА. От блестящих мы с тобой, Александр Алексеевич, много натерпелись.

Объяснишь князю Голицыну, что имя графа Орлова часто будет мелькать в речах беспутной женщины. Так что с большим выбором пусть записывает.

ВЯЗЕМСКИЙ. Я *уже* объяснил, Ваше Величество. Имени графа в следственном деле вообще не будет.

ЕКАТЕРИНА. Ибо все, что делал граф, он делал... как бы точнее сказать...

ВЯЗЕМСКИЙ. По высочайшему повелению, и непосвященным поступки его понять трудно.

ЕКАТЕРИНА. Именно... И еще. Мы придаем этому делу особое значение, как и всему, что касается монаршей власти. Идея самодержавия Божьей милостью есть величайшая и главная идея нашего времени. Весь мир, все, что окружает нас сегодня, должно служить этой идее. И в том числе мы, монархи. Что такое золото, драгоценности монарха, блеск мундиров его гвардии, золотые ливреи слуг? Все это говорит людям: здесь, совсем рядом с вами — Олимп, обиталище богов. И люди должны что?

ВЯЗЕМСКИЙ. Радоваться, постоянно радоваться, Ваше Величество.

ЕКАТЕРИНА. Именно... Это очень оптимистичная, позитивная идея. Хотя я сама устаю от этого блеска, Мне в тягость убирать волосы, одеваться в присутствии множества посторонних мужчин, но зато...

ВЯЗЕМСКИЙ. Зато вы каждый день дарите нам прекраснейшую выставку Богоподобия.

Скажу откровенно: не имеете права, матушка, лишать подданных этой радости.

ЕКАТЕРИНА. Именно, мой друг. Вот почему всякое присвоение царского имени есть величайшее преступление против главной идеи времени... И мы с вами, князь, будем сами за этим делом внимательнейше надзирать.

АВТОР. Пожелтевшие листы следственного дела в Центральном архиве древних актов... Все ее бумаги, письма, которые возила с собой по свету эта женщина, ее речи во время допросов навсегда упокоились в этой безликой папке... И я касаюсь тех же страниц, которых касалась ее рука. Наши руки, тщетно тянущиеся друг к другу через столетия... Моя рука листает страницы следственного дела. И рука князя Голицына держит те же документы. Сын знаменитого петровского полководца отнюдь не прославился на военном поприще. Зато обладал редчайшей добродетелью времени — был честен и в дворцовых интригах участия не принимал. Екатерина назначила неудавшегося воина, но доброго и честного человека, петербургским генерал-губернатором.

Камера Петропавловской крепости.

Дородный Голицын тяжело садится на стул и внимательно глядит на принцессу. В углу — секретарь Ушаков (безмолвная канцелярская крыса) готовится записывать показания.

ГОЛИЦЫН. Обстоятельства жизни вашей, сударыня, нам хорошо известны. Всякое запирательство с вашей стороны приведет лишь к тому, что будут употреблены — горько об этом говорить — крайние меры для выяснения самых сокровенных ваших тайн. Вопросы будут предложены мною на французском языке, но если какой другой язык вам угоден... (Вопросительно смотрит на принцессу. Она молчит.) Итак... Вы называли себя всевозможными именами в разных странах Европы. Как вас зовут по истине?

ЕЛИЗАВЕТА. Путешествовать под разными именами, как известно Вашему сиятельству, в обычае людей знатных... Меня зовут Елизавета.

ГОЛИЦЫН. Кто ваши родители, Елизавета?

ЕЛИЗАВЕТА. Не ведаю.

ГОЛИЦЫН. Сколько вам лет, Елизавета?

ЕЛИЗАВЕТА. Двадцать три года.

ГОЛИЦЫН. Какой вы веры?

ЕЛИЗАВЕТА (с усмешкой). Православной.

ГОЛИЦЫН. Тогда кто вас крестил? И где вы провели свое детство?

ЕЛИЗАВЕТА. Кто крестил — не ведаю. Детство провела в Киле, у госпожи Перон... или Перен, сейчас не помню. Сия госпожа постоянно утешала меня скорым приездом моих родителей. Но в начале 1762 года...

ГОЛИЦЫН. Все ваши дальнейшие выдумки нам известны — и про Сибирь, и про Багдад, и про персиянина Али.

ЕЛИЗАВЕТА. Да, этот самый Али в первый раз сказал: «Ты дочь русской императрицы». То же повторяли все, окружавшие меня.

ГОЛИЦЫН. Наконец-то вы заговорили о деле. Можете ли вы назвать по именам людей, внушивших вам такую несуразную мысль?

ЕЛИЗАВЕТА. Кроме князя Али, в Персии не помню... Но в Париже множество французских дворян говорили мне, что на самом деле я великая княжна и дочь императрицы Елизаветы.

ГОЛИЦЫН. Кто говорил? Можете назвать?

ЕЛИЗАВЕТА. Легче назвать, кто не говорил. Перепишите имена всех французских дворян. Но я упорно отрицала.

ГОЛИЦЫН. Вы отрицали?

ЕЛИЗАВЕТА. Именно. В этот момент я получила большие деньги из Персии и купила в Европе земельную собственность — графство Оберштейн. При покупке графства я познакомилась с его прежним совладельцем Филиппом Фердинандом, князем Римской империи, герцогом Шлезвиг-Гольштейн-Лимбургом. И князь официально попросил моей руки. Мне он был любезен, и я дала согласие. Но для заключения брака мне нужны были документы... (Закашливается. Потом подносит платок к губам, вытирает рот, кладет платок на колени.)

ГОЛИЦЫН. Бог мой... у вас кровь! (Мягко.) Не торопитесь, сударыня, времени у нас предостаточно.

ЕЛИЗАВЕТА. Это у вас предостаточно. У меня, как вы сейчас поняли, его нет. (Усмехнувшись, прячет платок.)

С помощью документов я хотела разъяснить самой себе тайну моего рождения. Я даже решила поехать в Петербург и там представиться императрице. И снискать ее милостивое расположение, предоставив ей важные предложения — о выгоде торговли России с Персией. Я надеялась, что за эту услугу государыня поможет мне разыскать мои документы, и я получу принадлежащие мне фамилию и титул, достойные для вступления в брак с владетельным князем Римской империи...

ГОЛИЦЫН. Я не хочу слушать выдумки! Я хотел бы узнать...

ЕЛИЗАВЕТА (ласково, нежно глядя на князя). Умоляю вас, не прерывайте меня. Вы видите бедственное мое положение, мне нелегко говорить. Кашель душит меня... Так что позвольте мне продолжить, коли хотите узнать истину... В этот момент мой жених нуждался в деньгах. Я надеялась достать ему нужную сумму в Персии у моего опекуна Али. В Персии...

ГОЛИЦЫН. Нет! О Персии вы мне рассказывать не будете!

ЕЛИЗАВЕТА. Но почему?

ГОЛИЦЫН. Потому что лжете, заявляя, что жили и воспитывались там!

ЕЛИЗАВЕТА. Но это так.

ГОЛИЦЫН. Значит, вы должны понимать по-арабски и по-персидски. Вы можете написать несколько слов на этих языках?

ЕЛИЗАВЕТА. С удовольствием!

Голицын кладет перед Елизаветой лист бумаги.

Она усмехается и быстро что-то пишет на нем.

ГОЛИЦЫН (Ушакову). Зови!

В камере появляется средних лет господин со звездой на сюртуке.

Он важно подходит к столу.

ГОЛИЦЫН. Этот господин из Коллегии иностранных дел. Он в совершенстве владеет восточными языками. (Кладет перед ним бумагу, написанную принцессой. Говорит строго.) Соблаговолите нам ответить, сударь, это какой язык?

ГОСПОДИН ИЗ КОЛЛЕГИИ. Это никакой язык. Это сущая абракадабра.

Елизавета, усмехаясь, наблюдает за сценой.

ГОЛИЦЫН. Почему вы молчите, сударыня, что все это значит?

ЕЛИЗАВЕТА (спокойно). Это значит, что спрошенный вами господин не умеет читать ни по-персидски, ни по-арабски.

ГОЛИЦЫН (в бешенстве встает). Все! Довольно! (Ушакову.) На хлеб и на воду её! И почему у нее тонкое белье в постели? У нас здесь будуар или государева тюрьма?

Она закашливается. Добрый князь в испуге прерывает угрозы (вдруг и вправду помрет, тогда отвечай перед матушкой).

Походив по камере, успокаивается, продолжает допрос.

ГОЛИЦЫН. Попытаемся еще раз. Меня интересует, прежде всего, вот что... Бумаги, найденные у вас, — завещание в Бозе почившей Государыни императрицы Елизаветы Петровны... Оно поддельное. Однако составлено хорошо, со знанием подлинного. Это не ваши сказки про Персию. Откуда оно у вас? Прошу вас обстоятельно ответить.

ЕЛИЗАВЕТА. Нет ничего проще: сама не знаю.

ГОЛИЦЫН. То есть как?!

ЕЛИЗАВЕТА. То есть так. 8 июля 1774 года — на всю жизнь запомнила этот день — я получила анонимное письмо, при котором были приложены два запечатанных конверта. В письме было сказано, что я смогу спасти жизнь многих

людей, коли помогу заключить мир России с Турцией, для чего по приезде в Турцию к султану я обязана объявить себя дочерью императрицы Елизаветы, каковой в действительности и являюсь. В том же письме было сказано, что один из запечатанных конвертов я должна передать султану, а другой — отослать в Пизу графу Орлову. Не скрою — я прочла письмо, адресованное графу Орлову. И что же? Там от имени Елизаветы Всероссийской были воззвание к русскому флоту и к нему самому. Я сняла с этих бумаг копии и, запечатав конверт своею печатью, отправила графу.

ГОЛИЦЫН. Кто писал эти бумаги? Не торопитесь. Ваша судьба зависит от правдивого ответа.

ЕЛИЗАВЕТА (жестко). Не знаю.

ГОЛИЦЫН. Сударыня, но ведь вы думали над этим... Не могли не думать. Итак, ради вашей же пользы... В последний раз спрашиваю: кто передал вам письма?

ЕЛИЗАВЕТА. Не знаю. Конечно, получив эти бумаги, я стала соображать... Воспоминания детства, все слышанное от князя Али, слова князя Радзивилла, французских дворян... И вот тогда-то мне и пришло на ум... (В упор глядит на князя.) А не та ли я самая, в чью пользу составлено завещание императрицы Елизаветы?

ГОЛИЦЫН (сурово). С какой целью вы отослали графу Орлову эти бумаги?

ЕЛИЗАВЕТА. Они были адресованы ему, я не имела права их не отослать. И конечно, я сделала это с тайной надеждой узнать от графа что-нибудь о своих родителях. Ах, добрейший князь, эти бумаги привели меня в такое волнение! Они и стали причиной жестокой моей болезни, которая нынче, как вы видите, сильно развилась во мне... Именно в это время в Риме появился посланец графа Орлова, сообщивший, что зовет он меня в Пизу и хочет познакомиться со мной по получении от меня бумаг.

ГОЛИЦЫН. Граф уже все поведал нам. Так что подробности не излагайте.

ЕЛИЗАВЕТА (продолжает, будто не слыша его). Граф по приезде моем в Пизу снял для меня дом. И учтивейшим об-

разом предложил мне свои услуги. Я пробыла в Пизе девять дней, после чего он пригласил меня посмотреть маневры русского флота.

ГОЛИЦЫН. Обстоятельства насчет графа нам известны. Попрошу вас быть краткой, прежде чем мы перейдем к самому важному вопросу.

ЕЛИЗАВЕТА. На корабле граф от меня отлучился, и я услышала вдруг голос офицера, объявившего, что, по повелению Ее Величества, приказано арестовать меня. Это явилось полной для меня неожиданностью. Из всего сказанного, надеюсь, вы поймете, почему я столь изумлена, здесь очутившись. Ибо никаких злокозненных намерений к императрице не питала. Судите сами: если б питала, взошла бы я с такой доверчивостью на российский корабль?

ГОЛИЦЫН. Я выслушал с терпением вашу историю, сударыня. Но давайте от сказок, наконец-то, перейдем к делу. Вы должны мне ответить на вопрос, который в своем повествовании многажды старались миновать. По чьему наущению вы выдавали себя за дочь императрицы Елизаветы Петровны?

ЕЛИЗАВЕТА. Наоборот, князь, в своем рассказе я многократно подчеркивала: я никогда сама не выдавала себя за дочь императрицы Елизаветы Петровны. Никогда и ни в одном разговоре я этого не утверждала. Другие — да! И князь Али, и мой жених, и гетман Огинский, и князь Радзивилл!

ГОЛИЦЫН (насмешливо). А вы сами — ни разу?

ЕЛИЗАВЕТА (кокетливо, даже как-то легкомысленно). Ну, можно ли всерьез слушать глупцов? Да, иногда, шутя, чтобы отделаться от их назойливого любопытства, я говорила: «Да принимайте вы меня за кого угодно! Пусть я буду дочь шаха... султана... русской императрицы... Я ведь сама ничего не знаю о своем происхождении».

ГОЛИЦЫН (усмехается). Значит, шутили?

ЕЛИЗАВЕТА. Шутила. Я сказала вам все, что знаю, больше мне нечего добавить. В жизни своей мне пришлось много терпеть, но никогда не имела я недостатка в уповании на Бога. Совесть не упрекает меня ни в чем. Надеюсь на милость государыни, ибо всегда чувствовала влечение к вашей стране...

ГОЛИЦЫН (устало). Подпишите показания, сударыня.

Елизавета берет перо и подписывает твердо латинскими буквами: «Елизавета».

ГОЛИЦЫН. Здесь написано «Елизавета». Сударыня, так нельзя. Одним именем без фамилии подписываются царственные особы. Все прочие подписывают у нас фамилией.

ЕЛИЗАВЕТА. А что мне делать, коли не знаю своей фамилии?

ГОЛИЦЫН. Но, прочтя ваши показания... могут подумать, что вы настаиваете на лжи, которая уже привела вас в эти стены.

ЕЛИЗАВЕТА (сверкая глазами). Я привыкла говорить правду: я Елизавета. Более ничего прибавить не имею. (Снова закашливается, вытирает кровь с губ.) У вас доброе и правдивое сердце, князь, вы не можете не чувствовать, что я все время говорю правду. (Смотрит на него своими огромными глазами.) Люди чувствительные, подобные Вашему сиятельству, так легко принимают участие в других. Наверное, поэтому я испытываю к вам слепую доверчивость. Князь, я написала письмо государыне... И умоляю вас: вы передадите его! Обещайте! (Хватает его руку и целует.)

ГОЛИЦЫН (суетливо и растроганно). Ох, что вы, сударыня, ну конечно, передам... Это обязанность моя.

ЕЛИЗАВЕТА. Тогда я прочту письмо, чтоб вы знали, что передаете. (Не дожидаясь ответа князя, начинает читать наизусть письмо.) «Ваше Императорское Величество! Истории, которые писаны в моих показаниях, не смогут дать объяснение многим ложным подозрениям на мой счет. Поэтому я решаюсь умолять Ваше Императорское Величество выслушать меня лично. Я должна сообщить нечто очень важное. Ожидаю с нетерпением повеления Вашего Величества и уповаю на ваше милосердие. Имею честь быть с глубоким почтением Вашего Императорского Величества, покорнейшая...

(Медлит и почти с торжеством произносит подпись.) Елизавета».

ГОЛИЦЫН (старается говорить грозно). Вы сошли с ума. Так не пишут императрице. Я уже обращал ваше внимание на непозволительную дерзость вашей подписи под протоколом...

ЕЛИЗАВЕТА. А я вам объяснила... (Тон вдруг становится холодным и высокомерным.) Что другой подписи быть не может. Вы обязаны, князь, передать Ее Величеству мое письмо.

ГОЛИЦЫН. Это письмо может привести к крайним мерам и к самому суровому содержанию. Вы не представляете, что такое «суровое содержание». И чем оно станет для вас, изнеженной и очень больной женщины. Вы долго не протянете...

ЕЛИЗАВЕТА. Да-да. Я поняла, что вы добры ко мне. И вы хотели бы, чтобы я тут «протянула долго». А если я предпочитаю... (Усмехается. Продолжает твердо.) Князь, вы дали слово, и я уверена: вы его сдержите. Вы передадите мое письмо. Тем более что услуга, которую я смогу оказать при встрече вашей императрице, поверьте, будет исключительной!

Во дворце. В девять утра князь Александр Алексеевич Вяземский, как всегда, входит с докладом в кабинет императрицы.

ВЯЗЕМСКИЙ. Отчет князя Голицына.

ЕКАТЕРИНА. Дайте мне «снаряд»... (Надевает очки и читает отчет. Сначала с милостивой улыбкой: добрая государыня читает отчет доброго слуги. Но постепенно лицо ее мрачнеет. Наконец, отбросив бумаги, императрица приходит в бешенство. Она быстрыми шагами разгуливает по кабинету, пьет воду и бормочет.) Бестия!.. Каналья!.. Это не донесение, это любовное послание. Этот выживший из ума старец, по-моему, совсем потерял голову от развратной негодницы! Записывайте! (Диктует.) «Князь Александр Михайлович, пошлите сказать известной женщине, что, ежели желает она облегчить свою судьбу, пусть перестанет играть комедию. Дерзость её доходит до того, что она смеет подписываться Елизаветой и питать наглые надежды на встречу с нами. Велите к тому прибавить: мы никакого сомнения не имеем в том, что она авантюристка. И посоветуйте каналье, чтоб она тону-то поубавила и чистосердечно призналась, кто заставил ее играть опаснейшую роль. И откуда она родом? И давно ли эти плутни ею вымышлены?..» И намекните князю, что, если эти два вопроса в самом скорейшем времени не получат ответа... (Берет себя в руки и добавляет привычно благостно.) Пусть князь поосторожнее будет с этой канальей. Князь добр, а женщина бесстыжа и коварна.

ВЯЗЕМСКИЙ (с поклоном). Граф Алексей Орлов пересек границу России и сухопутным путем направляется в Москву. (Вопросительно смотрит на императрицу.)

ЕКАТЕРИНА. Ну что ж, граф доблестно вел себя в сражениях, он оказал нам неоценимые услуги в деле с этой бестией, и мы с нетерпением поджидаем графа в Москву на наши торжества по случаю заключения мира с турками. Заготовьте указы о присвоении графу титула Чесменского и о прочих его наградах.

ВЯЗЕМСКИЙ. Я был уверен в вашем милостивом отношении к заслугам графа и заранее заготовил указ. Остается только подписать...

ЕКАТЕРИНА. С вами приятно иметь дело, князь.

Камера в Петропавловской крепости. Голицын, Ушаков и Елизавета.

ГОЛИЦЫН. Ее величество справедливо возмущены дерзостным тоном вашего письма и предлагают вам впредь перестать играть комедию. И немедля ответить на следующий вопрос: кто надоумил вас присвоить царское имя?

ЕЛИЗАВЕТА (неторопливо). Князь, я уже объяснила: никто! Просто откуда-то возник слух...

ГОЛИЦЫН (пряча глаза). Ну что ж, видит Бог, государыня была к вам милостива, но всякому терпению есть конец. (Ушакову.) Зови коменданта!..

Входит комендант.

ГОЛИЦЫН. Отберите у нее все, кроме постели, самого нужного белья и одного-единственного платья. Ее служанку более не допускать к ней. Пищу давать крестьянскую — простую кашу... Офицеры и двое солдат должны находиться теперь внутри помещения денно и нощно.

Выслушав Голицына, она в слезах падает на постель.

ГОЛИЦЫН. Ах, голубушка, я же предупреждал. (Не терпящий женских слез, он торопливо выходит из камеры.)

В своем дворце Голицын в халате сидит в кабинете. Перед ним стоит комендант крепости. Докладывает.

КОМЕНДАНТ. Совсем плоха. Два дня не ела. Кровью ее рвало. Не может она принимать эту пищу. Потом вас все звала. Но солдатушки не понимают... Наконец, многократным произнесением вашего имени она их вразумила. Те дали ей перо и бумагу. Вот, ваше сиятельство...

ГОЛИЦЫН (читает записку Елизаветы). «Именем Бога умоляю вас, сжальтесь надо мной. Здесь, кроме вас, некому меня защитить. Придите! Я, как в могиле, в постоянном молчании...»

КОМЕНДАНТ. А теперь главное, ваша Светлость. Ее все время рвет, но это не из-за болезни. Моя жена сказала — она беременна.

Камера в Петропавловской крепости. Голицын и Елизавета.

ГОЛИЦЫН. Увещеваю вас, сударыня... Сами видите, к чему приводит запирательство. Откройтесь, государыня милостива.

Елизавета при попытке ответить закашливается.

Вытирает кровь и вдруг начинает с удивительной энергией.

ЕЛИЗАВЕТА. Не хотят даже слушать доказательства моей невинности. (Поднимает на князя томные глаза.) Я очень доверчива и за это много страдала, но я честна. Честна перед императрицей. Знаете что... Соберите обо мне мнения самых знатных людей Европы! Князь, умоляю, выпустите меня отсюда! Клянусь, я буду молчать обо всем. Я все забуду, вернусь к своему жениху в Оберштейн.

ГОЛИЦЫН. Вы никак не хотите понять *серьезность* вашего положения и оттого не хотите сознаться!

ЕЛИЗАВЕТА. Ох, я так не люблю быть серьезной! И боюсь серьезных людей. (Глядит на князя с нежностью.) Да и в чем мне признаваться? Скажите, я произвожу впечатление сумасшедшей? Тогда зачем же вы приписываете мне безумную идею: сменить власть в России! В стране, языка которой я даже не знаю.

ГОЛИЦЫН. Вы говорите, что некоторые особы, известные в Европе, могут дать о вас необходимые сведения?

ЕЛИЗАВЕТА. Да! И наверняка помогут раскрытию моей тайны, которой я сама не знаю! Клянусь! (Почти кричит.) Я ее не знаю!

ГОЛИЦЫН. Хорошо, кто они, эти люди? (Старается говорить строго.) Назовите.

ЕЛИЗАВЕТА. Князь Филипп Фердинанд Шлезвиг-Гольштейн-Лимбург, литовский гетман Огинский, французский министр герцог Шуазель...

ГОЛИЦЫН (устало). Послушайте. Я увещеваю вас: раскройте, кто вы? Вы же видели, чем кончается запирательство. У нас с вами два исхода: или мы о вас все узнаем, или вы все узнаете о наших «крайних мерах»...

Елизавета снова закашливается.

ЕЛИЗАВЕТА. И все-таки передайте Ее Величеству: я жду, когда она со мной поговорит.

ГОЛИЦЫН. Ну что ж, будут крайние меры.

ЕЛИЗАВЕТА (с неожиданной усмешкой). Никаких «крайних мер» не будет, князь. Государыня ваша боится, что при «крайних мерах» я тотчас расскажу *то, что знаю.* А она страшится это услышать... Она так не хочет этого услышать, что боится даже встречи со мной... Желает она одного: чтобы я признала себя *безумной лгуньей, всклепавшей на себя чужое имя.*

Князь, испуганно-беспомощно замахав рукой, поспешно выходит из камеры.

Москва. Коломенский дворец. Екатерина и Вяземский.

ЕКАТЕРИНА. Князь хорош! Серьезно спрашивает, можно ли по просьбе разбойницы обратиться за выяснением ее жизни чуть ли не ко всей Европе. Эта интриганка хочет нашими руками известить о своем положении весь мир.

ВЯЗЕМСКИЙ. Совершенная правда, Ваше величество.

ЕКАТЕРИНА. Неужто князь не понимает? Или он действительно потерял от нее голову, или попросту дурак!

Вяземский проникновенно кивает.

ЕКАТЕРИНА. Пусть объявит сей лгунье, которая опять смеет просить аудиенции... Я никогда!.. Никогда!.. *Никогда ее не приму*!

Входит слуга.

СЛУГА (торжественно). Граф Алексей Григорьевич Орлов!

Вяземский тотчас уходит. Входит граф Орлов.

ЕКАТЕРИНА. Рады тебя видеть в отечестве, Алексей Григорьевич, накануне празднеств наших. Велика твоя доля в победе. Надеюсь, по заслугам и оценена.

АЛЕКСЕЙ ОРЛОВ. Приношу тебе благодарность за великие твои милости, матушка!

ЕКАТЕРИНА. Брат твой Григорий в Петербурге в полном здравии, и, надеюсь, скоро его увидишь... Вот и послы иностранные с изумлением отмечают, что вновь он у нас в полной милости. Не понимают: никогда не забуду услуг вашей семьи нам и Отечеству.

АЛЕКСЕЙ ОРЛОВ. Рабы твои до смерти. Надеюсь, усердие тебе доказал, когда разбойницу тебе доставил!

ЕКАТЕРИНА (с усмешкой). Оно *уже* видно, твое усердие. Лекарь говорит: тяжела она... Впрочем, развратница со всей своей свитой, говорят, жила. (Орлов молчит. Екатерина вдруг взрывается.) И притом смеет нам постоянно писать, настаивать на свидании! Объявляет, что может сообщить нам нечто важное. (Далее насмешливо.) Как ты думаешь, Алексей Григорьевич, что она хочет нам сообщить?

АЛЕКСЕЙ ОРЛОВ. Уж не знаю, матушка государыня. Но совсем не то, что нашептывают тебе «друзья» мои здешние. Я перед тобой чист — заманил и привез. Как обещал.

ЕКАТЕРИНА (насмешливо). Ты с ней в полной откровенности был... Кажется, так? Ну, и кто же она?

АЛЕКСЕЙ ОРЛОВ. Хороши слуги у тебя, коли до сих пор не выяснили!

ЕКАТЕРИНА. Так помоги им.

АЛЕКСЕЙ ОРЛОВ. Ан не могу! Я писал тебе: мне не сказала. Все сказала. (В упор глядит на Екатерину.) И как любит, сказала. А уж она говорить умеет... Молода да хороша. Так, что забыть нельзя...

ЕКАТЕРИНА. И ей тебя тоже. До смерти. (Усмехается.) И все-таки, граф, что сам думаешь?

АЛЕКСЕЙ ОРЛОВ. Сначала думал, что побродяжка. Плетет басни. Но как-то ночью... Ночью...

ЕКАТЕРИНА (печально, будто вспоминив что-то). Ночью...

АЛЕКСЕЙ ОРЛОВ. Ночью. Она вдруг имя одно сказала. Каковое знать ей неоткуда: Иоганна Шмидт — любимая камерфрау Елизаветы... Помнишь ее, матушка?

ЕКАТЕРИНА (со вздохом). Помню.

АЛЕКСЕЙ ОРЛОВ. Уж как тебе забыть... Как она тебя тиранила! Как доносила!.. А потом и про учителя сказала...

ЕКАТЕРИНА (еле слышно). Про какого учителя?

АЛЕКСЕЙ ОРЛОВ. Дитцеля... Ну, который, по слухам, увез девочку в Европу. А Дитцеля этого иногда она кличет Шмидтом. Все перемешалось в ее головке... Или рассказал ей все кто-то, или молода была, когда все узнала...

ЕКАТЕРИНА. Вижу, сильно опутала тебя бесстыжая лгунья. Неужто забыл, Ваше сиятельство, что сказал тебе старик Разумовский? Никакого брака тайного не было. Как и девочки, следственно! Не в твоем возрасте повторять вековые сплетни! Но чтоб до конца во всем уверенным быть... чтобы слугам нашим нерасторопным помочь, поезжай-ка ты сам в Петербург в крепость... И разузнай все сам, Ваше сиятельство. Доведи до конца *свое* дело!

АЛЕКСЕЙ ОРЛОВ (помолчав, глухо). На муку посылаешь, Ваше величество?

ЕКАТЕРИНА. Если это мука для тебя, то дай Бог! Значит, сердце в тебе осталось. А без сердца как жить, граф?.. Граф Алексей Григорьевич Орлов-Чесменский — так теперь будут тебя называть...

Входит Потемкин.

Они стоят друг перед другом — Орлов и Потемкин — оба огромные, косая сажень в плечах, и смотрят друг на друга ненавидящими глазами. Но под взглядом императрицы покорно обнимаются и даже целуются.

ЕКАТЕРИНА. Граф хоть и устал с дороги, но в Петербург направляется. Торопится облобызать любимого брата. Не будем задерживать его досужими разговорами...

АВТОР. Петербург. Крепость. В камере тускло горел огарок свечи. Она сидела на постели, расчесывала волосы, Орлов в ужасе смотрел на исхудавшее лицо: одни огромные глаза да копна роскошных волос.

АЛЕКСЕЙ ОРЛОВ. Прости... Я... должен был предупредить о своем приходе.

ЕЛИЗАВЕТА (со смехом). Ты сошел с ума! Какие церемонии в моем палаццо! (Указывает на солдат, молчаливо сидящих в углу темной камеры.) Видишь этих очаровательных мужчин при оружии? Они не покидают меня ни днем, ни ночью. А что? Они и есть теперь мои мужчины. Были те, теперь эти. Так что вы, граф, здесь всего лишь один из посторонних непрошеных мужчин.

АЛЕКСЕЙ ОРЛОВ. Я немедля распоряжусь...

ЕЛИЗАВЕТА (снова хохочет). Вы? Распорядитесь? Ну, не смешите меня! Это раньше я уверена была, что вы распоряжаетесь. А теперь я знаю: в вашей стране распоряжается только она! А вы рабы. Ты, добрейший князь Голицын — все вы рабы! Нет-нет, я без иронии. Он действительно добрейший. Просто я представляю, с какой добрейшей улыбкой он вздернет меня на дыбу, коли она прикажет! Хозяйка! Она так боится, бедная, что не успеет узнать... Что я убегу... в могилу. И еще больше боится узнать... Решила через тебя. Послала — и ты пришел. После всего, что сделал. Не постыдился. Точнее, стыдился, но пришел. Потому что раб. (Вдруг кричит.) Как вы смели! Вы, который шептали в ночи... Которому я все... Кто дал вам право бессовестно распорядиться чужой судьбой? (Снова хохочет.) Это я на корабле так в мыслях вопила. А сейчас не буду. На рабов не сердятся. Как на этих солдатиков несчастных. Они мне будто родные. Помнишь, мы говорили, как на плахе жертва дарит палачу нательный крест? Братается с ним. Боже, как мне было дико слышать это тогда. А сейчас поняла. В тюрьме можно многое понять...

(Протягивает Орлову из темноты нательный крест.) Держи, тебе приготовила. Я знала, что она тебя пошлет.

АЛЕКСЕЙ ОРЛОВ (беря крест). Клянусь на кресте! Я тебя любил.

ЕЛИЗАВЕТА. Не надо. В любовь мы наигрались. Оба.

АЛЕКСЕЙ ОРЛОВ. Я не играл, я любил. Я и сейчас тебя люблю.

ЕЛИЗАВЕТА. Тогда еще страшнее. Тогда ты даже не дьявол. Ты — никто... А я тебя не любила! Я любила... что? Деньги? Нет, их я тратила. Я любила власть. Власть над всеми. Как здесь это смешно! А ты успокойся. Ты не виноват. Я играла тобой. И думала, что выиграла. Но проиграла, потому что впервые в жизни встретилась с любовью раба. Объясни своей госпоже: она тебя зря послала. Передай, что «развратница»... это она так меня кличет... Она, о бесчисленных любовниках которой легенды ходят, смеет так меня называть... Передай, что «развратница» сказала: есть только один путь узнать тайну — *свидеться с ней.* И пусть поторопится: находиться мне у нее в гостях уже недолго. Ступай, граф. (Смеется.) Графы... Бароны... Герцоги... Гетманы... Действительно, развратница!

АЛЕКСЕЙ ОРЛОВ. Ты должна родить. Я умоляю тебя — скажи ей... И клянусь: ты будешь свободна. Я добьюсь.

ЕЛИЗАВЕТА. Ты?! Я просила: не смеши! Передай ей: *свидание! Только мое свидание с ней!* Скажи, что я знаю: она не идет, потому что *нечто* услышать боится. Пусть победит страх и придет!

Коломенское. В кабинете Алексей Орлов и Екатерина.

АЛЕКСЕЙ ОРЛОВ. Смею предположить, матушка, что только личная аудиенция...

ЕКАТЕРИНА. И как ты себе это представляешь, граф?

АЛЕКСЕЙ ОРЛОВ. Велите привезти ее.

ЕКАТЕРИНА. Чтоб завтра пол-Европы удивлялись: почему мы унизились до встречи с бродяжкой? И вообразят

о ней невесть что? Нет, императрица не встречается с безродной шельмой!

АЛЕКСЕЙ ОРЛОВ. Государыня, кто и откуда узнает?

ЕКАТЕРИНА. Милый друг, сразу видно, вы давно не были в России. И забыли: мы все тут держим в секрете, но почему-то все знают обо всем. И чем больше секрет, тем больше людей знают. Я имею возможность следить за тем, что пишут в своих тайных донесениях иностранные послы. Как только я прошу своих: «Господа, это надо держать в секрете», — так тотчас читаю сей секрет в донесениях всех иностранных послов!

АЛЕКСЕЙ ОРЛОВ. Отпусти ее, матушка, Христом-Богом прошу! При смерти она. (Екатерина молчит.) Отпусти ее... За службу мою!

ЕКАТЕРИНА. За службу твою я тебя наградила. Но нужды государства не забываю. Эта женщина даст нам спокойствие только в могиле. Прощай, граф. Я знаю, ты собрался жить в Петербурге. Не надобно тебе. (Он с изумлением смотрит на императрицу.) Здоровье у тебя неважное, правду написал. Потерял здоровье на ревностной службе Отечеству. Я давно об этом подумывала — и даже освободила твои московские дома от всяких денежных сборов. В Москве теперь будешь жить, граф.

Орлов продолжает глядеть на императрицу. Она выдерживает его взгляд.

ЕКАТЕРИНА. Брат твой Григорий как-то сказал: «Два светила у тебя, матушка: я и Алешка!» Слишком много света от вас для одного Петербурга. Мы должны подумать об украшении и другой нашей столицы.

Коломенское. Девять часов утра. В кабинете императрица и Вяземский.

ВЯЗЕМСКИЙ. Князь Александр Михайлович Голицын пишет, что она при смерти.

ЕКАТЕРИНА (с усмешкой). Донесения князя все больше напоминают стихи. «Она возбуждает в людях доверие и даже благоговение». Это о беременной развратнице!

ВЯЗЕМСКИЙ. Она выкинула, Ваше Величество...

ЕКАТЕРИНА (будто не слыша). Но пока он сочиняет эти стихи, дело не движется. Вместо раскаяния нам предлагают пустые просьбы от наглой бестии. Пусть князь объяснит ей в последний раз: никогда я с ней не встречусь. Кстати, если она, как он пишет, «в объятиях смерти», пусть князь уговорит ее причаститься. Послать к ней духовника и дать приказ, чтоб духовник довел ее до полного раскрытия тайны.

ВЯЗЕМСКИЙ. О нижеследующем донести немедля с курьером.

ЕКАТЕРИНА. Именно! (Подумала, торопливо.) Нет, не надо посылать к ней священника и не надо более допрашивать развратную лгунью. Вместо этого предложить арестованному вместе с ней поляку... который по сведениям был ее любовником...

ВЯЗЕМСКИЙ. Доманскому, Ваше Величество...

ЕКАТЕРИНА. Рассказать всю правду о ней. И, коли он подтвердит бесстыдство этой женщины, присвоившей себе царское имя, разрешить ему... обвенчаться с лгуньей! И *немедля увезти ее в отечество, чем и закончить все дело.* Но коли не захочет бессовестная лгунья венчаться с Доманским, пусть сама откроет бесстыдную свою ложь. И, если согласится подтвердить, что бессовестно присвоила себе чужое имя, незамедлительно отправить ее в этот самый Оберштейн. Чтобы она смогла восстановить свои отношения с князем Лимбургом. Коли предложение не примет, объявить ей вечное заточение. Эти предложения князь должен делать, конечно же, от себя.

В Петропавловской крепости потрясенный Голицын читает распоряжения Екатерины.

ГОЛИЦЫН (бормочет). Это что же такое? Полное помилование?! Ничего не понимаю...

В камере. Елизавета лежит в темноте на кровати.

Торопливо входят Голицын и Ушаков. По знаку князя солдаты выходят из камеры.

ГОЛИЦЫН. Хоть вы по-прежнему бессовестно запираетесь, радуйтесь! Я принес вам необычайное известие. Сватом себя чувствую. (Смеется.) Итак, я предлагаю вам свободу и возможность немедля повенчаться с человеком из вашей свиты. (Торжествует, предвкушая развязку.) Я имею в виду господина Доманского. После чего вы оба получаете право возвратиться в отечество господина Доманского. Конечно, при условии, что вы откажетесь от вашей лжи, сударыня. Все будет исполнено в точности, мое вам слово! Введите господина Доманского!

Вводят Доманского.

Молодой красавец поляк молча смотрит на принцессу.

ГОЛИЦЫН (Ушакову.) Записывай. (Ей.) Господин Доманский с восторгом встретил мое предложение. Он показал, что давно вас любит... И он уверен, что вы взяли на себя чужое имя. (Доманскому.) Вы подтверждаете ваши показания?

ДОМАНСКИЙ. Подтверждаю!

ГОЛИЦЫН. Вы хотите взять в жены эту женщину?

ДОМАНСКИЙ. Я мечтаю об этом!

ГОЛИЦЫН. Вы согласны, сударыня, соединиться с этим господином?

Доманский напряженно ждет ее ответа. Ушаков приготовился записывать. Она с невыразимой нежностью смотрит на поляка.

ЕЛИЗАВЕТА (тихо). Вы и так получите свободу, мой друг. Я вам обещаю. Свободу без моих лжесвидетельств... (Князю.) Уведите его!

ДОМАНСКИЙ. Простите меня за мои показания, Ваше высочество. Я так мечтал...

ЕЛИЗАВЕТА (усмехаясь). Я вас прощаю. (Почти кричит.) Уведите его!

ГОЛИЦЫН (в изумлении приказывает солдатам). Уведите!

Доманского уводят. Она смотрит, как он уходит в открывшуюся дверь камеры. Когда дверь захлопнулась, начинает хохотать.

ЕЛИЗАВЕТА. Ох, князь, неужто вы представляете меня замужем за этим несчастным, необразованным, жалким человеком?

ГОЛИЦЫН (беспомощно). Но он так красив...

ЕЛИЗАВЕТА. Он недостаточно красив, чтобы обменять смерть дочери императрицы на жалкую жизнь госпожи Доманской.

ГОЛИЦЫН (безнадежно). Тогда последнее предложение... Вы сами расскажете правду.

ЕЛИЗАВЕТА. Правдой вы называете то, что хотела бы услышать от меня ваша хозяйка?

ГОЛИЦЫН (будто не слыша). И за это вы получите возможность вернуться в Оберштейн к своему жениху князю Лимбургу. Как вы просили когда-то...

ЕЛИЗАВЕТА. Вы уверены, что он возьмет в жены признавшуюся лгунью? Хотя это досужий вопрос, ибо я сейчас думаю уже о другом женихе. И я приду к нему тем, кем была все это время, — дочерью русской императрицы. Передайте вашей государыне... (хрипло смеется), что ей остается только одно — увидеть меня. И пусть поторопится, жених мой уже у порога! (Закашливается и кашляет долго. Потом, вытирая кровь, насмешливо смотрит на князя.)

ГОЛИЦЫН (стараясь не глядеть на нее). Я исчерпал все предложения, сударыня. И милосердию есть предел... (Торжественно.) Как нераскаявшаяся преступница, вы осуждаетесь на вечное заточение в крепости.

ЕЛИЗАВЕТА. Вечным, князь, ничего не бывает. Даже заточение.

Голицын встает и выходит из камеры.

ЕЛИЗАВЕТА (кричит вслед). Итак, я жду ее!

АВТОР. Остается поверить, что деятельнейшая из императриц, у которой хватало времени писать пьесы и прозу, сочинять бесконечные письма и по десять часов в сутки заниматься государственными делами, отказалась откликнуться на призыв таинственной женщины, желавшей поведать ей свою тайну. Женщины, которую по ее приказу везла в Петербург целая эскадра. Женщины, которую ежедневно допрашивал сам генерал-губернатор Санкт-Петербурга, расследованием дела которой на протяжении двух месяцев руководила самолично и с такой страстью... И сейчас, когда эта женщина готова сама сообщить ей при встрече все, чего она тщетно добивалась на протяжении месяцев, Екатерина отказывается? И объясняет, что личная встреча с «побродяжкой» унизит ее! И это в России, где царь часто бывал верховным следователем, где и Иван Грозный, и Петр Великий, и Николай Первый лично встречались со своими жертвами... К тому же «бродяжка» — невеста князя Римской империи, куда более родовитого, чем сама Екатерина! Совсем не верится! А, может быть, все-таки встретились? И, может быть, узнала императрица на этой встрече то, что узнать так боялась? И оттого с таким упорством объявляла потом: «Встречи не было».

Мы даже можем определить дату возможной встречи. 12 августа 1775 года. Именно тогда внезапно совершенно меняется режим — солдат убирают из камеры, возвращают камеристку, прекращаются допросы арестантки и ежедневные инструкции Императрицы Голицыну.

Через несколько месяцев. 6 декабря 1775. В два часа дня, кабинет императрицы в Зимнем дворце. Екатерина, Вяземский и Голицын.

ГОЛИЦЫН. Она умерла, Ваше Величество. Хотя кормили ее отменно, служанка при ней была постоянно, белье тонкое — все, как приказали Ваше Величество... Но у чахоточных, когда от бремени освобождаются, болезнь быстро побеждает!

ЕКАТЕРИНА. Когда она умерла?

ГОЛИЦЫН. Вчера ночью, Ваше Величество. Священника ей позвали... Грехи отпустил.

ЕКАТЕРИНА (внимательно глядит на князя Голицына). И что она сказала ему?

ГОЛИЦЫН. Что огорчала Бога греховной жизнью... Жила в телесной нечистоте... Противно заповедям Божьим. И ощущает себя великой грешницей. Всё.

ЕКАТЕРИНА. Бесстыдная была женщина... Но мы зла не помним. Господи, спаси ее душу!

ГОЛИЦЫН. Похоронила ее тайно, той же ночью, та же команда, которая сторожила.

ЕКАТЕРИНА. Мне сказали что священник, который исповедовал, очень строгих правил. Думаю, нечего ему в нашей суетной столице делать.

ВЯЗЕМСКИЙ. Уже договорились. Синод, матушка, отсылает его в обитель подалее.

ЕКАТЕРИНА. Именно. Там и люди чище, и жизнь светлее.

Вяземский кланяется и записывает.

ЕКАТЕРИНА. Что остальные заключенные — поляк Доманский и прочие?

ГОЛИЦЫН. По-прежнему содержатся в строгости и секрете под караулом.

ЕКАТЕРИНА (благодетельно улыбаясь). А нужно ли сие?

ГОЛИЦЫН (в изумлении). То есть как, Ваше Величество?

ЕКАТЕРИНА. Авантюристка мертва. Стоит ли держать в заточении людей, введенных ею в заблуждение? Надеюсь, у вас то же мнение, князь?

ГОЛИЦЫН. Ваше императорское величество поступили, как всегда, милосердно и мудро. Я думаю, все указанные лица и дети их будут до смерти молить за вас Бога, Ваше величество.

ЕКАТЕРИНА. Именно. (Смотрит на Вяземского.) Что еще?

ВЯЗЕМСКИЙ (печально). Прошение графа Алексея Григорьевича Орлова об отставке.

ЕКАТЕРИНА. Заготовьте указ Военной коллегии. Изъявив ему наше благоволение за столь важные его труды и подвиги, мы всемилостивейше снисходим к его просьбе и увольняем его в вечную отставку. И пусть Григорий Александрович Потемкин самолично подпишет. Это будет приятно обоим: они ведь давние большие друзья.

АВТОР. Ровно через девять лет после всех этих событий в Ивановском монастыре появилась удивительная монахиня.

ВТОРОЙ АКТ.

АВТОР. В середине девятнадцатого века старый причетник Ивановского монастыря рассказывал археологу и историку Снегиреву... Был причетник тогда мальцом. Игуменья его любила, и в келье у нее бывал он часто. При нем и состоялся разговор игуменьи с экономом монастырским...

ИГУМЕНЬЯ (эконому). Келью ей поставишь с прихожей для келейницы — ей прислуживать. Окна сделай маленькие, и чтоб занавеска всегда на них была. И служителя приставишь — отгонять любопытных от окон. (Помолчала.) От той кельи устроишь лестницу крытую прямо в надвратную церковь, чтоб ходила она молиться скрытно от глаз людских... Когда молиться будет — церковь на запоре держать... В общей трапезе участвовать она не будет, стол ей положишь обильный да изысканный. К нашей еде она не приучена. Чай, догадываешься, чьи повеления передаю?

ЭКОНОМ. А как называть новую сестру?

ИГУМЕНЬЯ. Досифея. Да тебе это ни к чему, потому что говорить с новой сестрою никому не следует...

АВТОР. Причетник подробно описал Снегиреву новую сестру. Роста она была среднего, худощава станом и, видать, прежде была писаная красавица. На содержание ее большие суммы отпускались из казначейства. Она их на милостыню нищим тратила. И четверть века никто никогда не слышал от нее ни слова — обет молчания, говорили, взяла. Преставилась она зимой. Год был 1810. И тут начались дивные дела... Хоронили монастырских инокинь здесь же, в Ивановском монастыре. А ее понесли через всю Москву хоронить в Новоспасский монастырь — в древнюю усыпальницу царского рода. Сам главнокомандующий Москвы и жена его Прасковья Кирилловна, урожденная Разумовская, приехали... Все при параде, как положено, когда особу царской крови хоронят... Портрет покойной монахини потом хранился в настоятельских кельях Новоспасского монастыря. На задней стороне была надпись: «Принцесса Августа Тараканова, в иноцех Досифея, постриженная в московском Ивановском монастыре, где по многих летах праведной жизни скончалась и погребена в Новоспасском монастыре». В начале века над ее могилой поставили часовню — стоит она и поныне слева от колокольни у восточной монастырской стены.

//Далее все еще слова автора?// Уже на следующий вечер после удивительного погребения монахини в московском доме князей Голицыных трое молодых офицеров играли в карты. После карт за шампанским разговор пошел, конечно же, вокруг похорон.

ПЕРВЫЙ. А знаете ли вы, что граф Алексей Орлов никогда не ездил мимо Ивановского монастыря? Я это доподлинно знаю. В тот год я безуспешно волочился за его дочерью графиней Анной и от нее узнал, что граф Алексей Григорьевич повелел своему кучеру за версту объезжать монастырь.

ВТОРОЙ. Но что поразительно, господа, — эта монахиня молчала целых двадцать пять лет!

ТРЕТИЙ. А вот тут я с вами не согласен. Моя кузина Варенька Головина все эти годы воспитывалась в Ивановском

монастыре. И покойная монахиня сильно ее отличала и совсем незадолго до смерти рассказала ей удивительную историю...

АВТОР. Впоследствии эта история была опубликована в 1865 году в журнале «Современная летопись».

ТРЕТИЙ. Варенька сказала, что монахиня рассказывала эту историю... как бы не о себе. Но при том так говорила, что не оставалось сомнений, *она говорила о себе*... Дескать, жила-была девица, дочь очень знатных родителей, воспитывалась далеко за морем, в теплой стране. Образование получила блестящее и жила в роскоши. Один раз пришли к ней гости, в их числе важный русский генерал. Генерал этот и предложил ей покататься в шлюпке по взморью. Поехала она с ним... А как вышли в море — там стоял русский корабль. Он и предложил ей взойти. Она согласилась, а как взошла на корабль, силой отвели ее в каюту да часовых приставили... (После паузы продолжает с торжеством.) Теперь вы поняли, почему граф Орлов объезжал за версту монастырь?

ВТОРОЙ. Так что же выходит, господа, — монахиня была та самая женщина, которую граф захватил когда-то в Италии? И эта женщина была не самозванка?

ПЕРВЫЙ. Это все досужие разговоры, господа. Эта монахиня никакого отношения к захваченной графом женщине не имеет. Я доподлинно знаю. Мой дядя, Александр Михайлович Голицын, лично ее допрашивал. Он отцу моему рассказывал, как в камеру к ней вошел, когда она умерла... Она лежала на кровати: руки скрещены на груди. Горела свеча. Князь Александр Михайлович много рассказывал о той женщине... Господа, это была страстная натура! До такой степени страстная, что я влюбился в нее по его рассказам. Нет, не похожа она была на эту безгласную тень...

ПЕРВЫЙ. Нет, тень не была безгласной! Я слышал ее голос, господа, потому я весь разговор и затеял. В тот год я только поступил в полк и сильно повесничал. И как прослышал о безгласной монахине, тотчас заключил пари. Я подкупил сторожа, который ее караулил, выждал час, когда все отправились на богослужение, подкрался к окну кельи. И тогда из-за занавесок услышал тихий голос: «Зачем вы нарушаете мой покой?» Ах, какой это был голос, господа! Мольба, страдание, благородство... И я бежал от окна...

АВТОР. Да, чтобы понять все, что случилось, нам придется вернуться обратно в 1775 год... Когда все наши прежние действующие лица были еще живы, и Екатерина гостила в Москве в Коломенском дворце, а «всклепавшую на себя чужое имя» допрашивали в Петропавловской крепости.

Час дня. Кабинет императрицы в Коломенском дворце.

Князь Вяземский и Екатерина.

ЕКАТЕРИНА. Какие новости из Петербурга?

ВЯЗЕМСКИЙ (внимательно глядя на императрицу). Жить ей осталось недолго, как пишет в своем последнем донесении князь Александр Михайлович.

ЕКАТЕРИНА (молча расхаживая по кабинету). Но не могу же я с ней встретиться?

ВЯЗЕМСКИЙ (как всегда, тотчас понимая). Ваше величество, я ваш преданный раб, но я смею настаивать на вашей встрече с известной женщиной.

ЕКАТЕРИНА. Если я на это соглашусь... вы же знаете наш двор! Нигде в мире нет таких сплетников. Немедля родятся слухи, что сия каналья что-то из себя представляет.

ВЯЗЕМСКИЙ. Никаких слухов не будет, покуда вы в Москве. Именно потому я и настаиваю на этой встрече сейчас. Мы сообщим о вашем легком нездоровье. И вы сможете отсутствовать в Москве несколько дней.

Петропавловская крепость.

Князь Вяземский и офицер в мундире кавалергарда и в плаще входят в камеру.

На кровати лежит Елизавета. Два солдата и капрал сидят на стульях в углу комнаты. Тускло горит свеча.

ВЯЗЕМСКИЙ (караульным). Оставьте нас.

Караульные выходят из камеры. Вяземский вопросительно смотрит на гвардейца. Тот слегка наклоняет голову. Вяземский тотчас тоже выходит.

В камере остаются двое: Елизавета, лежащая на кровати, и офицер, молча сидящий в углу. Наконец, с кровати слышится тихий голос.

ЕЛИЗАВЕТА. Я тоже любила носить мужские костюмы, Ваше величество.

Офицер усмехается, снимает каску, кладет рядом. Длинные волосы закрывают лицо. Екатерина отодвигает волосы, тянется приподнять свечу, чтобы осветить кровать.

ЕЛИЗАВЕТА (резко). Не надо, Ваше величество! Если хотели узнать, красива ли я, надобно было придти раньше... Я давно поджидала вас, Ваше величество.

ЕКАТЕРИНА. Мой приход, голубушка, ровно ничего не значит.

ЕЛИЗАВЕТА. Напротив, он означает, что Ваше величество действительно столь проницательны, как об этом говорит вся Европа. (Приступ кашля прерывает ее.)

ЕКАТЕРИНА. Вы очень больны... Я распоряжусь, чтобы караульных навсегда вывели из вашей камеры.

ЕЛИЗАВЕТА. Как вы добры. Жаль, что мне недолго пользоваться добротой Вашего величества, этим ливнем благодеяний...

Обе некоторое время молчат.

ЕЛИЗАВЕТА. Итак, Ваше величество, *она есть.*

ЕКАТЕРИНА (шепотом). О ком вы?

ЕЛИЗАВЕТА. Вы поняли, Ваше величество...

ЕКАТЕРИНА. Вы опять за свое?! Если вы позвали меня выслушивать наглые дерзости... (Вскакивает и в бешенстве ходит по камере.)

ЕЛИЗАВЕТА (после нового приступа кашля). Время комедиантствовать мне не отпущено, Ваше величество. Итак, я могу рассказать вам то, что вы больше всего хотите знать и больше всего боитесь узнать. Но с условием... (Екатерина молча слушает.) Вы отпустите на свободу... (Екатерина смеется.) Вы не поняли — не меня, Ваше величество. Меня отпустить на свободу уже не в вашей власти. На свободу отпустите их... всех, кого заточили вместе со мной. Всю мою свиту. И я с вас страшную клятву возьму, что все исполните.

ЕКАТЕРИНА. Я добросовестно изучила вас, голубушка, по вашим показаниям. Никогда не поверю, что вас может волновать чужая участь.

ЕЛИЗАВЕТА. Вы не правы, это волнует *перед*... Очень боязно туда являться... с лишними-то грехами. Но, конечно, есть другой, совсем понятный вам, резон. (Помолчав.) Человек есть среди арестованных... Я много грешила с мужчинами... Но, пожалуй, любила его одного. И сейчас люблю. Одно воспоминание о нем... Но полно. Итак, клятву, Ваше величество!

Опять наступает молчание.

ЕКАТЕРИНА. Ну что ж, голубушка, быть по-вашему. Клянусь...

ЕЛИЗАВЕТА. Спасибо, Ваше величество. Продолжился ливень благодеяний... Итак, все это началось два года назад... Боже мой! Всего два года, но будто не со мной. Мне кажется, что я тут и родилась... в этой камере. Итак, это случилось, когда князь купил для меня Оберштейн. Я жила там одна. Есть разные способы расставаться с мужчинами. Самый верный — притвориться чересчур влюбленной, и тогда ты ему быстро опротивеешь. И есть верный способ удержать мужчину — это показать ему, как он тебе надоел... Я сказала князю, что хочу пожить одна в Оберштейне. И страсть его достигла предела... Но именно тогда появился *он*... Он был красив... Он ежедневно досаждал... точнее, радовал своими страстными посланиями. Ах, Ваше величество, я никогда не могла устоять перед мужской красотой! (Екатерина вздыхает.) Я приняла его. Я сказала ему: «Мало того, что вы подкупаете мою прислугу и ежедневно мучаете меня вашими посланиями! Вы осмелились забыть, что я невеста немецкого государя! Я попрошу жениха оградить мою честь!» В ответ он выхватил кинжал: «Неужели не поняли, я не хочу жить без вас... Убейте меня!» Я расхохоталась: «Дорогой! Оставим это для юных девиц пятидесятых годов. Увы, я принадлежу к поколению семидесятых — у нас уже нет иллюзий. Так что уберите кинжал, и начнем говорить серьезно. Я заметила вас еще в Париже. На всех балах вы следили за мной. Но у вас беда... Вы слишком красивы, чтобы остаться незамеченным. Итак, господин Доманский, зачем вам понадобилось завоевывать мое сердце? Только прошу: ни слова о любви. Я видела любовь и могу сказать точно: она вам не грозит». Он усмехнулся, взял понюшку табаку, собираясь с мыслями, и спокойно начал: «И вправду, мы *давно* следим... за вами...» — «Мы?» — «Мы! Вы блестяще образованы. Вы прекрасны. Вы изворотливы. Вы жаждете приключений. И есть еще обстоятельство... Как любит судьба насмешничать, милая принцесса! Когда вы выдумывали все эти россказни про Володимирскую принцессу, вы не знали самого главного: вы удивительно похожи... Нет, не на принцессу Володимирскую, никакого княжества Володимирского в России не существует... Но зато существует она! Ее зовут Августа. Думаю, императрица дала это имя своей дочери, чтобы никто не усомнился в ее происхождении. Но императрица справедливо опасалась за ее судьбу после своей смерти. Поэтому ее вывезли из России, когда девочке было десять лет, и поселили тайно в маленьком городишке в Италии. Это сделал ее учитель, некто Дитцель, который и поведал все это на смертном одре отцу иезуиту. Ну, а тот уж нам... — он замолчал, вынул из камзола и положил передо мною бумагу: — Это завещание императрицы Елизаветы в пользу ее дочери... той самой Августы». Я была потрясена: «Это подлинное завещание?!» — «Это несущественно. Но те, кто составлял его, имели в руках образцы — истинные завещания русских государей, хранящиеся в царском архиве... Сейчас в России на троне...» (Замолчав, смотрит в глаза Екатерине.)

ЕКАТЕРИНА (презрительно). Продолжайте.

ЕЛИЗАВЕТА (усмехаясь). «... Немка! И русская публика сплетничает, будто ее сын и наследник престола рожден отнюдь не от несчастного Петра Третьего. Так что остается Августа... *Последняя из дома Романовых*. И если уж появиться ей на сцене, то сейчас, когда крестьянский царь Пугачев жжет помещиков!.. Пугачева этого братом твоим объявим! Смирим его, и тебя с ним соединим! И дворянство побежит к тебе, когда поймет, что одна ты сможешь чернь успокоить... А тут и мы из Польши огонь запалим... — Он говорил исступленно. — Вся Конфедерация с тобой восстанет... В смуте исчезнет русская империя... как бред. Не впервой нам сажать царя на Руси, коли слыхала про Дмитрия-царевича... — Я и сейчас слышу, как он кричал: — Возмездие немке, растерзавшей Речь Посполитую! Возмездие!» (Мстительно смотрит на Екатерину.) Вы не забыли клятву, слушая все это?

ЕКАТЕРИНА. Я ее помню. Продолжайте.

ЕЛИЗАВЕТА. Я спросила его тогда: «Но коли Августа существует, отчего вы не призвали её?» Он сказал: «Лицом она на тебя похожа, не характером. Теремная она царевна: тиха, скромна, пуглива. За пяльцами ей сидеть, а не царства завоевывать». ... Как же он был хорош! (Усмехнувшись.) С ним я впервые поняла: любовь похожа на смерть...

ЕКАТЕРИНА. Отчего же не согласились с ним уехать?

ЕЛИЗАВЕТА. Я люблю его! Но мечту свою люблю больше...

Обе молчат в тусклом свете свечного огарка.

ЕКАТЕРИНА. Пусть твой Доманский... помолится Богу, что я не посмела забыть клятву.

ЕЛИЗАВЕТА (засмеявшись). Прощайте, Ваше величество! Мне умереть, вам жить. Что лучше — если бы знать?!

ЕКАТЕРИНА. Вам действительно скоро умереть... Неужели не хочется облегчить душу? Кто ваши родители? Кто вы на самом деле? Каково ваше истинное имя?

ЕЛИЗАВЕТА. Вы слишком умны, Ваше величество, чтобы ждать от меня ответов. Я решилась умереть Елизаветой. Я заплатила за это жизнью. И я умру ею... Все, что я вам сейчас рассказала, этому не помешает. Ибо вы никому не посмеете передать мой рассказ. Вы будете молчать о моем рассказе даже на Страшном суде... Я знаю цену своему поступку. И предвижу все, что случится с *той несчастной*. Но... я всегда грешила во имя любви. Главное — я освобожу *его*, и я счастлива.

ЕКАТЕРИНА. Прощайте. Но на прощание я вам скажу: вы страшная! И много несчастных спасено будет с вашей смертью. Вы и есть дьявол во плоти.

ЕЛИЗАВЕТА. Обе мы дьяволицы... Потому что обе — королевы.

Кабинет императрицы в Коломенском дворце. Екатерина и Вяземский.

ВЯЗЕМСКИЙ. Как драгоценное здоровье Вашего величества? О нем беспокоятся в Петербурге.

ЕКАТЕРИНА. Ох, друг мой... Вы же знаете мой рецепт от всех болезней. Берете тяжелобольную, заставляете ее отстоять торжественную обедню от начала до конца под всеобщими взглядами, затем угощаете ее двумя аудиенциями и одной беседой с приезжим коронованным глупцом, даете ей подписать полсотни бумаг, после подаете обед, к которому приглашено еще пятнадцать человек... Клянусь, уже в середине дня ваша больная будет весела, как птичка. И второй рецепт: окружайте себя веселыми, забавными людьми. Вот, например, граф Потемкин. Он так неподражаемо шевелит ушами и так презабавно передразнивает любые голоса! А что забавного умеете вы?

ВЯЗЕМСКИЙ. К сожалению, ничего, Ваше величество. Позвольте передать ваш бесподобный рецепт в Петербург?

ЕКАТЕРИНА (смеясь). Вам не надо шевелить ушами. Вы и так далеко пойдете, князь.

1776 год. Санкт-Петербург, Зимний дворец. Екатерина в кабинете одна.

ЕКАТЕРИНА (пишет). «В декабре я узнала о смерти всклепавшей на себя чужое имя. И, клянусь, тогда я решила не трогать ту тень — злосчастную Августу. Я с нетерпением ждала рождения внука. Он должен был укрепить династию. Но, Боже! Вместо внука я увидела гроб с телом невестки... Несчастье сына, его слезы... Все, все пережила. Рушились все надежды... Когда соколик Гришенька увидел меня, он сделал то, что надо было сделать, — зарыдал вместе со мной, как баба. Обнявшись, плакали оба. И опять все то же — бездетный сын, без жены и наследника... Но в это время где-то рядом — опасная тень и вечно бунтующие поляки, знающие о ней! Так что пришлось... Я отправила разузнать о ней одного хитреца. Сей хитрец по имени Рибас, которого я оставила в Петербурге, быстро обтесался и умудрился жениться на моей любимой горничной. Сообразителен, храбр, отменно владеет шпагой. Я счастлива высшим счастьем правителя. Я притягиваю нужных мне в данный момент людей».

Входит Перекусихина.

ПЕРЕКУСИХИНА. Испанец пришел...
ЕКАТЕРИНА. Проси.

Входит Рибас.

ЕКАТЕРИНА. Давно вас не видела, господин Рибас.
РИБАС. Пришлось попутешествовать, Ваше Величество.
ЕКАТЕРИНА. И как ваше путешествие, сударь?
РИБАС. Весьма удачно, Ваше Величество. После многих приключений в маленьком итальянском городишке мне посчастливилось, наконец, найти и увидеть некую особу.

ЕКАТЕРИНА (усмехаясь). И какова... особа?

РИБАС. Не стара, бодра телом, Ваше Величество.

ЕКАТЕРИНА. И ей известно, кто она?

РИБАС. Несомненно, Ваше Величество. Хотя уверен: не питает никаких честолюбивых планов. Но, думаю, что жизнь этой особы вне пределов нашей державы не отвечает интересам державы Российской.

ЕКАТЕРИНА (помолчав). Обо всем, что выяснили, вы сообщите доверенному человеку. Я не знаю сегодня его имени, но уверена, уже вскоре узнаю. Благодарю вас за преданную службу, господин Рибас.

ЕКАТЕРИНА. Однако, я лукавила. В тот день я уже знала... //непонятно, в какой момент это говорится, не на месте вроде бы, разрывает сцену//

Звонит в колокольчик.

Входит Перекусихина.

ЕКАТЕРИНА. Посиди со мною. Какие новости, о ком говорят в Петербурге?

ПЕРЕКУСИХИНА. Гришка-то твой, Орлов, совсем с ума посходил, слыхала, матушка?

ЕКАТЕРИНА. Слыхала.

ПЕРЕКУСИХИНА. Коли слыхала — образумь дурака. Жениться надумал на фрейлине Зиновьевой Катьке. А она ему сестра двоюродная. Святое церковное постановление нарушает. Не пройдет ему это сейчас, это ведь не раньше!

ЕКАТЕРИНА. Да, права. (Задумчиво.) Пожалуй, они не простят ему... Да разве их, Орловых, остановишь? Безумны в желаниях и в удовольствиях!

ПЕРЕКУСИХИНА. Останови, матушка. Погибнет он. (Шепотом.) Потемкин Совет собирает... Как Гришка-то поженится, Совет брак отменит, а их обоих в монастырь постригут. Точно знаю.

ЕКАТЕРИНА. Да, Григорий Александрович Потемкин — человек решительный... Скажи, любят его у нас?

ПЕРЕКУСИХИНА. Очень... Двое — ты, матушка, да Господь Бог.

ЕКАТЕРИНА. Что ж, Совет дело — уважаемое. Пусть соберутся, может, дельное что скажут.

Июнь 1778 года. Кабинет императрицы в Царском Селе. Входят Панин и Вяземский.

ЕКАТЕРИНА. Слушаю вас, господа.

ПАНИН (торжественно). Совет постановил: брак Григория Орлова расторгнуть и, подвергнув обоих супругов церковному покаянию, сослать в монастырь. Абсолютным большинством мы так решили, матушка.

ВЯЗЕМСКИЙ (поправляет). Я слышал, что граф Кирилла Разумовский был против. (Далее с удовольствием.) Граф сказал: «Еще недавно вы все были бы счастливы, коли граф Григорий Орлов удостоил бы вас приглашением на свою свадьбу. Вспомните обычаи наших кулачных боев: «лежачего не бьют»».

ПАНИН (будто не слыша). Абсолютное большинство голосов. Прошу вас, Ваше величество, подписать решение Совета.

ЕКАТЕРИНА (в ужасе шепчет). Не могу. Рука отказывается...

ПАНИН (в растерянности). Но это решение Совета. Это наше свободное волеизъявление...

ЕКАТЕРИНА. Увольте, господа! Не заставляйте меня страдать!

ВЯЗЕМСКИЙ. А я скажу по-простому: не можешь подписывать матушка — и не надо. Мы все рабы твои. И что тебе сердце подсказывает, то и правда!

Входит Перекусихина.

ПЕРЕКУСИХИНА. Князь Григорий Григорьевич Орлов в приемной. Из Санкт-Петербурга пожаловал.

Яростное движение Панина. Екатерина насмешливо глядит на него.

ЕКАТЕРИНА. Зови, душа моя, несчастного князя... Ты ведь знаешь, я для него свободна в любое время. (Улыбнувшись.) Ступайте с Богом, господа!

В кабинете Екатерины. Григорий Орлов сидит, уронив голову на руки. Императрица

нежно касается его волос.

ЕКАТЕРИНА. Ах, батюшка Григорий Григорьевич, все ты забываешь, что я, прежде всего, твой друг, потом твоя императрица... А уж потом — все наше прошлое, вся наша любовь... Вон указ Совета лежит. Что ж теперь делать, Гриша? Развод, да в монастырь?

ГРИГОРИЙ ОРЛОВ. Ангел она во плоти... Утешение она мое... И тоже Екатериной кличут... И как имя ее назову — тебя вспоминаю. Люблю только тебя! Сама знаешь... всю жизнь!

ЕКАТЕРИНА. Простодушен ты... даже в хитрости... Да все равно приятно. (Молча расхаживает по кабинету и, наконец, объявляет торжественно.) Вот мое решение, князь: я назначаю молодую княгиню фрейлину Орлову в мои статс-дамы.

ГРИГОРИЙ ОРЛОВ (падает к ее ногам). Матушка! Из бездны спасаешь!

ЕКАТЕРИНА. Ох, Гриша... (Гладит по голове лежащего у ее ног Орлова.) Что мне из-за тебя вынести придется! Каким курц-галопом скакать между Потемкиным и Паниным!.. Я жалую ей также орден Святой Екатерины...

ГРИГОРИЙ ОРЛОВ (шепчет бессмысленно). За что убиваешь благодеяниями? Из тьмы вывела!..

ЕКАТЕРИНА. Ах, Гриша!.. Не хватает мне тебя! Так не хватает сейчас... (Смотрит на него долгим взглядом.)

ГРИГОРИЙ ОРЛОВ (вдруг деловито). Никак стряслось что, матушка?

Императрица кивает. Князь тотчас поднимается с колен, усаживается на стул и внимательно глядит на Екатерину.

ЕКАТЕРИНА. Женщина есть... опасная... страшная для меня.

ГРИГОРИЙ ОРЛОВ. Значит, и для нас страшная. Что твое — то наше!

ЕКАТЕРИНА. Привезти ее надо... в Россию.

ГРИГОРИЙ ОРЛОВ. Привезу.

ЕКАТЕРИНА. Ох, Гриша. Ты отважен, да прост. Да некому поручить...

ГРИГОРИЙ ОРЛОВ. Выкраду.

ЕКАТЕРИНА. Не надо так сложно, она не пугливая. Как птица ручная. Так донес верный человек. (Помолчав.) Надо ее тем же манером...

ГРИГОРИЙ ОРЛОВ (шепотом). Каким манером?

ЕКАТЕРИНА. Ну, как брат твой ту женщину привез! Корабль будет ждать тебя в бухте... Живет она на Адриатике, у моря. Тебе все Рибас расскажет... Но в дело его не посвящай. Вот так же, как Алексей, на корабль ее пригласишь и... привезешь. Я Алексея послала бы, да нельзя ему в Италию. После того дела, коли узнают его, живым не выпустят. А вы мне живые нужны. Что бы ни случилось, я знаю: вы моя опора.

ГРИГОРИЙ ОРЛОВ. Все сделаю. Жизни не пожалею.

ЕКАТЕРИНА. Но запомни: ни одна душа... Августа ее имя... Августа Тараканова.

Орлов в ужасе глядит на императрицу.

ЕКАТЕРИНА (с усмешкой). Неправду сказал старик Разумовский...

ГРИГОРИЙ ОРЛОВ. Много бы я дал, чтоб тогда это услышать. (Смеется. Далее торжественно.) Привезу ее тебе, матушка.

Императрица, взяв со стола бумагу, надрывает, протягивает Орлову.

ЕКАТЕРИНА. Это указ Совета... Почитай на досуге. Чтоб лучше запомнить, как любят тебя друзья твои... В Петербурге объявишь, что едешь в Швейцарию, в свадебное путешествие, духу Вольтерову поклониться. Истинное путешествие любителя муз и философии.

Два месяца спустя. Царское Село. Шесть часов утра.

Императрица встает с постели. Она в хорошем настроении, напевает: «Мне всякий край с тобою рай. Любимый мой, вот я с тобой...»

Входит заспанная служанка Катерина Ивановна.

КАТЕРИНА ИВАНОВНА. Заспалась, прости Христа ради, матушка.

ЕКАТЕРИНА (добродушно ворчит). Ох, Катерина Ивановна, вот выйдешь замуж, вспомнишь мою доброту. Муж-то с тобой возиться не станет. Муж тебя...

КАТЕРИНА ИВАНОВНА (вздыхая). Слыхала, матушка, много раз.

В комнате появляется Перекусихина. Екатерина трет щеки льдом, напевая.

ЕКАТЕРИНА.

«Желанья наши совершились,

И все напасти уж прошли,

С тобой навек соединились,

Счастливы дни теперь пришли».

Жены Григория Орлова сочинение... В Швейцарии сочинила. Посещение этих мест поэтический дар пробудило.

Пока императрица моется и совершает туалет, Марья Саввишна приступает к исполнению своей главной роли — сообщает последние сплетни.

ПЕРЕКУСИХИНА. Странный Гришка вернулся из-за границы-то... Намедни князь Щербатов у него гостил. Стол, говорит, стал совсем скромный. Никуда с женой не выходят, в доме сидят... И на камзоле у Гришки теперь ничего не нашито — ни серебра, ни золота, ни драгоценностей.

ЕКАТЕРИНА (с улыбкой). Да, прежде был отменный франт...

ПЕРЕКУСИХИНА. Только с женой лижется целый день. Да, говорят, она по возвращении из-за границы чахнуть начала. Кашляет. Дохтора боятся — чахотка.

ЕКАТЕРИНА (равнодушно). Да-да, печально, уже слыхала... Григорий Григорьевич просит меня разрешить ему вновь за границу уехать на воды. Лечить бедную женщину... Только вернулся и на воды просится. (Усмехается.) Скажи, Марья Саввишна, что делают с любимой иконой, когда она устарела?

ПЕРЕКУСИХИНА. Сжигают, должно быть, матушка...

ЕКАТЕРИНА. Эх ты! В России рождена, а обычаев русских не знаешь... Икону, с которой лик сошел, *на воду спускают*. Так что пускай князь с супругой опять на воды за границу едут. (Обтирает лицо поданным полотенцем, напевает.)

«С тобой навек соединились,
Счастливы дни теперь пришли...»

Царское Село. Девять часов пятнадцать минут утра.

В кабинете Екатерина слушает ежедневный доклад князя Вяземского.

ВЯЗЕМСКИЙ. Заслуживает внимания, Ваше величество, перехваченное сообщение прусского посланника о том, что, по слухам, некая княжна Тараканова, якобы дочь покойной

императрицы Елизаветы, содержится в заточении в Петропавловской крепости.

ЕКАТЕРИНА. Уму непостижимо. Присягу у людей берем, на Евангелии клясться заставляем, и буквально на третьи сутки вся Европа знает...

ВЯЗЕМСКИЙ. Длинные языки, Ваше величество. Поговорка у нас есть: длинный язык до Киева доведет.

ЕКАТЕРИНА. А надо, чтоб до Шлиссельбурга. Да почаще. Порядка больше будет.

ВЯЗЕМСКИЙ. Но новость сия не столь уж печальна, Ваше величество. Ибо точно они ничего не знают. Из того же донесения явствует, что они считают эту княжну Тараканову и покойную «побродяжку», захваченную графом Алексеем Орловым, одним и тем же лицом. Цитирую, Ваше величество: «По распространившимся в Петербурге слухам, княжна Тараканова, захваченная графом Алексеем Орловым в Италии и увезенная на корабле в Россию, не умерла, а продолжает находиться в заточении в Петропавловской крепости».

ЕКАТЕРИНА. Довольно об этом. Какие еще новости, князь?

ВЯЗЕМСКИЙ. В Санкт-Петербурге ожидают большое наводнение.

Екатерина опять задумывается, ходит по комнате.

ЕКАТЕРИНА. Вода, Александр Алексеевич, наверняка затопит Петропавловскую крепость. Так что сегодня же переведите привезенную женщину в безопасное место — в Шлиссельбургскую крепость. В ту просторную камеру, где сидел несчастный Иоанн Антонович. Нам лишние жертвы не нужны...

ВЯЗЕМСКИЙ. Милосердие Вашего величества спасает жизнь этой несчастной.

ЕКАТЕРИНА. И, тем не менее, я подумала: никто не должен знать, что ее перевели.

Наоборот, нам нужен слух, что она погибла во время наводнения... Следует побыстрее расстаться с этой тенью, могущей многих ввести в ненужный соблазн. Да и для нее... так лучше.

ВЯЗЕМСКИЙ. Уверен, известия о гибели этой женщины обеспечат ей спокойное существование в Шлиссельбургской крепости до конца ее дней...

Князь уходит.

Екатерина одна расхаживает по кабинету.

ЕКАТЕРИНА. Батюшки родные! Я их соединила! Августу и ту покойницу. Теперь никто никогда не различит... не поймет, кто есть кто! Ваше величество, вы создали новый персонаж в этой пьесе, и, клянусь, это не худшее ваше сочинение.

Другой день. Кабинет Екатерины. Стоя у окна, императрица выслушивает ежедневный утренний доклад князя Вяземского.

ЕКАТЕРИНА (глядя в окно). Боже мой, вся набережная затоплена. Лодки плавают прямо по набережной, у дворца. Много погибло?

ВЯЗЕМСКИЙ. Жертв нет.

ЕКАТЕРИНА. Как удивительно! Наводнение есть, а жертв у нас нет. В других странах люди гибнут во время наводнений.

ВЯЗЕМСКИЙ. У нас, Ваше величество, люди гибнут за Ваше Величество, веру и Отечество... Все благополучно обошлось.

ЕКАТЕРИНА. Ну что ж, я люблю, когда все благополучно. (Снова смотрит в окно. Усмехается. Повернувшись к князю, спрашивает серьезно.) Еще есть какие-нибудь новости?

ВЯЗЕМСКИЙ. Женщина в Шлиссельбурге. Доставлена вчера вечером. Но в городе уже слухи... Уже говорят, и, каюсь, не без нашей помощи, что в Петропавловской крепости

погибла некая княжна Тараканова... В приемной вас дожидается граф Никита Иванович Панин.

ЕКАТЕРИНА (улыбнувшись и вновь посмотрев в окно). Вы всегда произносите имя графа Панина с каким-то внутренним вопросом. Чувствую, вы все время хотите спросить: зачем я держу этого человека, давным-давно утерявшего всякое влияние, во главе Коллегии иностранных дел? (Князь молча склоняет голову.) Видите ли, друг мой... Я заняла престол среди бурной борьбы. Но вот уже который год царствую в покое. Этому я обязана известным принципам в управлении, и вам надлежит их знать. Прежде всего, постоянство. Это значит, когда я даю кому-то место, он может быть уверен, что сохранит свой пост до конца дней, коли, конечно, не совершит преступления, или болезнь не заставит его покинуть сие место.

ВЯЗЕМСКИЙ. Но если Ваше величество убедились, что ошиблись в выборе министра?

ЕКАТЕРИНА. Я оставлю этого человека на своем месте. Но буду работать с его помощниками. Это не значит, что я стану его третировать. Наоборот, я сохраню видимость его влияния... Потому у нас все знают, что их места и привилегии будут сохранены за ними. И никому не надо беспокоиться и составлять заговоры. Вот почему граф Панин будет числиться главой Коллегии иностранных дел до своей смерти. Но, может быть, у вас на этот счет иное мнение, князь?

ВЯЗЕМСКИЙ. Ваше величество, каждый раз, выслушивая ваше мнение, я счастлив сознавать, что думаю... ну совершенно так же, как думаете вы!

ЕКАТЕРИНА (смеется). Тогда зовите графа.

В кабинете Екатерины — князь Вяземский и граф Панин.

ПАНИН (важно). Посланники ряда стран сообщают в перехваченных нами депешах, что во время наводнения в Петропавловской крепости погибла «известная женщина». Более того, они пишут, что ее нарочно оставили там.

ЕКАТЕРИНА (с ласковой улыбкой). О какой женщине идет речь, Никита Иванович?

ПАНИН. О той, которая всклепала на себя чужое имя, была доставлена из Ливорно графом Алексеем Орловым. Нам надо незамедлительно разоблачить сей вздорный слух.

ЕКАТЕРИНА. Не понимаю... Зачем, граф?

ПАНИН (в изумлении). Но... европейские газеты...

ЕКАТЕРИНА (доброжелательно). Ах, граф, это все такой вздор. Прежде, когда была молода, оглядывалась на любое слово Европы. Чтобы получить одобрение, писала горы писем Вольтеру, барону Гримму... Но с возрастом, Никита Иванович, с печалью поняла: самое благоприятное мнение можно завоевать не только достойными поступками. Вы поступили плохо? Что ж, это вам будет стоить дороже, всего лишь...

ВЯЗЕМСКИЙ (из своего угла, радостно). Так что пусть клевещут, Никита Иванович!

Екатерина молча расхаживает по кабинету.

ПАНИН. Я свободен, Ваше величество?

Императрица спохватывается, оборачивается все с той же улыбкой.

ЕКАТЕРИНА. Ох, простите, Никита Иванович, в голову пришел забавный сюжетец пьесы с наводнением. (Панин смотрит на нее изумленно.) Нет, недаром антрепренер в Москве зарабатывал на моих пьесах до десяти тысяч за представление. Они всегда имеют успех. Я знаю, что многие наши тонкие ценители не находят их бессмертными. Но я всегда говорю: «Пусть, господа, кто-нибудь из вас сочинит получше. И мы будем наслаждаться его творениями». Прощайте, господа.

Все уходят. Екатерина остается одна.

ЕКАТЕРИНА (усмехаясь). Клянусь, Ваше величество, это не худший ваш персонаж. Итак, она погибла в Петропавловской крепости от наводнения... А в Шлиссельбурге теперь навсегда поселилась ее тень. Я могу быть спокойна.

АВТОР. Легенда, созданная Императрицей, оказалась живуча. Через много лет,

в 1864 году, на художественной выставке было представлено полотно Флавицкого: «Смерть княжны Таракановой во время наводнения в Санкт-Петербурге в 1778 году». Картина стала знаменитой.

Кабинет Екатерины Императрица и Вяземский.

ЕКАТЕРИНА. Слушаю, князь.

ВЯЗЕМСКИЙ. Простите, потревожил, Ваше величество... Новости очень серьезные. Как вам известно, Ваше Величество, на берегах Женевского озера, после долгого тщетного лечения скончалась от чахотки любимая жена графа Григория Григорьевича Орлова Екатерина Николаевна.

ЕКАТЕРИНА. Я слышала, граф затворился в своем поместье?

ВЯЗЕМСКИЙ. Если бы! По верным сведениям, он сошел с ума, не выдержал смерти жены.

ЕКАТЕРИНА. Он? Великий кутила, вечный соблазнитель? Сошел с ума из-за женщины?

ВЯЗЕМСКИЙ. К сожалению. Бродит по городу, навещает знакомых, несет бог знает что.

ЕКАТЕРИНА. Что же он говорит?

ВЯЗЕМСКИЙ. Про Божью кару, про какую-то Августу и много чего несвязного. В безумии пришел в дом к князю Щербатову, где посватался к его племяннице. И тут же умолял не отдавать ее за него: дескать, проклят он. И нес такое, что князь Щербатов вынужден был отказать ему от дома...

ЕКАТЕРИНА. Не пугайте меня!

ВЯЗЕМСКИЙ. Я вынужден был, Ваше Величество, без вашего ведома просить братьев позаботиться о несчастном. К счастью, Алексей Григорьевич с братьями сумели отыскать его. Силой усадили в карету и увезли в Москву.

ЕКАТЕРИНА. Ну и слава Богу... Попроси, чтобы и впредь граф Алексей Григорьевич был столь же заботлив, ибо пове-

дение безумца будет теперь на его совести и *полной ответственности.*

Москва. Дворец Алексея Орлова. Алексей и Григорий Орловы.

АЛЕКСЕЙ ОРЛОВ. Будешь молчать?

ГРИГОРИЙ ОРЛОВ. О чем говорить? Будто ты не знаешь, что произошло! Врешь, все знаешь! Катька тебе все говорит. Потому как оба вы злодеи... (Смотрит на брата.) Ты что же, по правде не знаешь? Не знаешь? За горло взяла она меня. (Визгливо смеется.) Как ты императора! И ту, истинную, я и привез ей... (Алексей в ужасе глядит на него.)

Послушай, брат, я хочу уйти. *Туда* — к жене-покойнице. *Мне пора!* И чтоб *там* мне поменьше мучиться, пусть Катька *ее* из крепости освободит. Тихая она, как птица ручная. В монастыре пусть поселит. Там ей самое место. Обещай! Как *уйду,* поедешь к ней и скажешь: дескать, так и так, полюбовник твой прежний сделать это тебе велел, иначе на том свете проклинать тебя будет...

АЛЕКСЕЙ ОРЛОВ (тихо выдохнул). Значит, ты...

ГРИГОРИЙ ОРЛОВ. Угу... Шутку твою повторил. Всю — от корабля до крепости. Да вот жена мою шутку не выдержала. Прекрасна была и чувствительна... Поняла она мою шутку. Догадалась. И гаснуть стала... И погасла! Не хочу я здесь более. Отпусти меня к ней, Алеша.

АЛЕКСЕЙ ОРЛОВ. Побойся Бога... Это же грех смертный.

ГРИГОРИЙ ОРЛОВ. Передашь братьям — я всегда меж вами был первый... Первый чины получал, первый к трону стоял. Так что и в смерти мне быть первым. Христом Богом прошу: не сторожи меня. Яду не дашь — голову разобью. А то еще хуже (шепотом) убегу в Петербург. И зарежу Катьку... Ты нашу кровь знаешь... Распорядись!

АЛЕКСЕЙ ОРЛОВ. Когда?

ГРИГОРИЙ ОРЛОВ. Ночью хочу к ней уйти.

Ночь во дворце Алексея Орлова. Григорий недвижно сидит, обхватив голову руками. Входит Алексей. Вслед за ним входит лакей с подносом. На нем бокал.

ГРИГОРИЙ ОРЛОВ. Ну, прощайте, Ваши сиятельства, господа графы. А я меж вами был князь. Давай, Алеша, из твоих рук... родных!

Алексей молча протягивает ему кубок с вином.

Григорий берет кубок и залпом осушает его.

ГРИГОРИЙ ОРЛОВ. До дна. (Смеется и ставит кубок на стол.)

Зимний дворец. Кабинет императрицы.

Екатерина и граф Алексей Григорьевич Орлов.

АЛЕКСЕЙ ОРЛОВ. Прости, матушка, что побеспокоил посреди трудов твоих великих!

ЕКАТЕРИНА. Ну, полно, Алексей Григорьевич! Разве забыл, что меня можно беспокоить в любое время? Я привыкла, что меня все беспокоят, и давно уже этого не замечаю. Меня заставляют читать, когда я хочу писать, и наоборот. Приходится смеяться, когда впору плакать. Мне не хватает времени, чтобы просто подумать хоть одну минуточку. Я должна работать! Работать, работать, не чувствуя усталости ни телом, ни душой, больна ли я, здорова ли! В начале царствования работала по пятнадцать часов в день. Думала: вот налажу дела — полегче будет. Сколько лет прошло — все то же самое! Страной управляю, двором, устраиваю браки моих фрейлин, издаю журналы... Так важно для общества — иметь хороший журнал. И так трудно это сделать у нас в России. Уж очень мрачны у нас господа литераторы. Вот, к примеру, господин Новиков издавал журнал «Трутень»... Читал?

АЛЕКСЕЙ ОРЛОВ. Я на войне был тогда, матушка.

ЕКАТЕРИНА (не слушая). И сей господин из нумера в нумер обличал взятки. Да, воруют. Но почему об этом нужно скорбеть из нумера в нумер? Как будто радоваться у нас нечему. Ах, господа литераторы! Почему вы все время требуете от рода человеческого совершенства, ему не свойственного? Пришлось журнал закрыть... Но от Европы отставать не хочется. И решилась я сама издавать журнал. Издаю... анонимно. Но какие тайны у нас в России! Конечно, все знают. Надеюсь, ты, читал мой «Собеседник»?

АЛЕКСЕЙ ОРЛОВ. Мы в Москве больше рысаками интересуемся, матушка.

ЕКАТЕРИНА. Может и хорошо, что не читал! Призвала я печатать в моем журнале критические замечания публики. Пусть в Европе подивятся свободе нашей! А от ненужной критики убережет мое имя... Но я забыла о наших мрачных литераторах. И что же интересует их нынче, когда мы достигли таких успехов в войнах, в образовании, в законодательстве? «Отчего в прежние времена шуты чинов не имели, а сейчас имеют и большие? Отчего у нас чиновник за дело не берется, коли не может украсть половины?» Ох, чувствую, опять нам жить без журнала! (Усмехается.) Да тебе это все неинтересно... У тебя рысаки! (Вздыхает.) А Гришу вспоминаю часто. Год для нас тяжелый: брат твой ушел, за ним — граф Никита Иванович Панин и князь Александр Михайлович Голицын. //Панин в марте — то есть, до Орлова, Орлов в апреле, Голицын в октябре// Всех сразу Господь к себе призвал... Ну, ладно, говори, зачем приехал. (Усмехнувшись.)

АЛЕКСЕЙ ОРЛОВ. Просьбу Григория тебе передать хочу. (Внимательно глядит на государыню.) Ты хоть знаешь, матушка, как Григорий умер?

ЕКАТЕРИНА. Пожалей, Алексей Григорьевич, избавь от рассказа. Достаточно я пролила слез. Неделю колодой лежала. Неужто еще хочешь?

АЛЕКСЕЙ ОРЛОВ (твердо). Но Гришкину волю сообщу. Возьми *ее* из тюрьмы. Пускай в монастыре живет... Кроткая она, не опасная тебе. Прости холопа за слова безумные. Казни меня, но волю Гриши исполни. (Императрица холодно смотрит на графа.) Мимо Шлиссельбурга ездить боюсь... Исполнил Гришка твое поручение. Да и я тоже... Сердце пустое стало... от поручений твоих. (Глаза его бешено сверкают — это опять опасный человек со шрамом.)

ЕКАТЕРИНА (вскипает). Поручений?! Неужто ты думаешь, давала бы я вам поручения, если б вместо проклятых юбок на мне были штаны?! Проклятие родиться женщиной! Вы были моими руками и глазами!

АЛЕКСЕЙ ОРЛОВ (мрачно). Исполни волю Гриши, матушка.

Императрица быстро ходит по кабинету, пьет воду стакан за стаканом. И вдруг, успокоившись, нежно улыбается.

ЕКАТЕРИНА. Ну что ж... Коли герой Чесменский стал так пуглив, что страшится ездить мимо Шлиссельбурга... (Смеется.) Придется ему бояться ездить мимо Ивановского монастыря.

АЛЕКСЕЙ ОРЛОВ. Спасибо, матушка! Нет счета твоим благодеяниям! (Кланяется в ноги государыне.)

ЕКАТЕРИНА (после паузы, светским тоном). Слыхала, женился ты, наконец... Что ж, я рада. Правда, говорят, собой нехороша, да не в красоте счастье.

АЛЕКСЕЙ ОРЛОВ. Я долго думал — красивую взять или добрую? И взял добрую.

ЕКАТЕРИНА. Жаль, в свахи не позвал. Люблю и умею устраивать чужие браки. Нашла бы тебе и добрую, и красивую.

АЛЕКСЕЙ ОРЛОВ. Ах, матушка... Не все ли мне равно — красивая иль некрасивая... Будто опоила *она* меня. Сколько лет прошло, а забыть *ее* не могу... Жизни без нее не стало. Ведь оказалось: за всю жизнь только ее и любил.

ЕКАТЕРИНА (глядит на него с удивлением). Ты это о ком, Алексей Григорьевич?

АЛЕКСЕЙ ОРЛОВ (шепотом). Да ты что, матушка?..

Екатерина продолжает смотреть на него с величайшим изумлением.

АЛЕКСЕЙ ОРЛОВ. Ваше величество... вправду... не помнишь?

ЕКАТЕРИНА. Ах, Алексей Григорьевич... Мы учредили десятки новых губерний, выстроили сто пятьдесят новых городов. А сколько было войн и побед! Без нашего на то дозволения ни одна пушка в Европе выстрелить не смеет!... Ну, как тут в памяти всё удержать? (Смеется и совсем ласково добавляет.) Не сердись, Христа ради, Алексей Григорьевич... Не помню!

КОНЕЦ

Серый кардинал. Взгляд на историю из политбюро

ВЗГЛЯД НА ИСТОРИЮ ИЗ ПОЛИТБЮРО

ЧАСТЬ ПЕРВАЯ

Она часто называла его «Товарищ К.».

Она — его любимая жена-финка Айно. *Она* была в тюрьмах и лагерях пятнадцать лет. Сидел в лагере его сын. Его шурин был расстрелян. Расстреляны или погибли в лагерях множество членов финской компартии, которой он руководил.

Но уцелел *он* — Отто Вильгельмович Куусинен, обладавший самым великим даром участника Революции — *выживать*.

В шестидесятых он стал одним из руководителей СССР.

Я не знаю, как ты относишься к перестройке, дорогой читатель, но одним из главных отцов крушения большевизма был *он* — товарищ К.

17 мая 1964 года, раннее утро. Кремлевская больница. Перед тем, как зайти в палату «товарища К.», Хрущев беседует с Андроповым.

АНДРОПОВ. Доктора сказали: сегодня к вечеру.

ХРУЩЕВ. Все подготовьте... для увековечивания. Улицу в Москве — его именем, в Петрозаводске — улицу и памятник. Похороны — в Стене...

АНДРОПОВ. Все будет сделано, Никита Сергеевич, но есть проблема. Он просит выпустить на родину *ее*.

ХРУЩЕВ. Я знаю. Выпустим.

АНДРОПОВ. Она сидела.

ХРУЩЕВ. А кто не сидел?

АНДРОПОВ. Она сидела пятнадцать лет. Но если бы только это... Она работала в разведке с покойным Рихардом Зорге. Некоторые товарищи, с которыми она выполняла самые серьезные задания, и сейчас работают. Между тем, настроения у нее самые антисоветские.

ХРУЩЕВ. Отто тебя любит, Андропов.

АНДРОПОВ. И я его...

ХРУЩЕВ. Это его последняя воля. (Андропов молчит.) Иди. Молодой ты еще, злой.

Хрущев входит в палату товарища К. Он очень старается быть веселым.

ХРУЩЕВ. Сегодня, Отто, скажу со всей большевистской прямотой — ты бодрячок! Идешь на поправку. Главное — покой. Все болезни от нервов, один триппер от удовольствия. (Хохочет.) Ты, говорят, в нашем деле передовик. Выздоровеешь и опять за секретарш... Ленька говорит: «Раздевай и властвуй». (Хохочет.) Знаю, не любишь Брежнева, а он веселый — такие фразочки коллекционирует. «Женщина — не собака. Это собака все понимает да сказать не может, а женщина — наоборот». (Хохочет.) «Баба всегда хочет многого от одного мужика, мужик хочет одного, но от многих баб». (Хохочет.) «Потому что в одной дырке даже гвоздь ржавеет». (Хохочет.) Ну, как, повеселил? А у вас, у финнов, есть анекдоты?

К. У нас есть.

ХРУЩЕВ. Давай, но короткие, длинные не запоминаю.

К. Спрашивают: «Кто такие финны?» Ответ: «Это те, которые рассказывают анекдоты про шведов...»

ХРУЩЕВ. И все?

К. «Если кто-то разговаривает слишком громко, это или пьяный финн, или трезвый швед».

ХРУЩЕВ. А подлиньше?

К. «Тойво и Матти пошли на рыбалку. Начался дождь. «Дождь», — сказал Матти. Вечером Тойво пожаловался жене: «Больше не пойду с Матти на рыбалку, устаю от его болтовни»».

ХРУЩЕВ (скучно). Смешно. Ты, главное, захоти жить. Если человек хочет жить — даже наша медицина не сможет его уморить. (Хохочет.) Ну что, пора мне уходить?

К. Пора тебе *прощаться* со мной, Никита Сергеевич. Ты наш договор... про Айно помнишь?

ХРУЩЕВ. Как же... Мы пенсию ей дадим, хорошую, квартиру дадим... Но вот как выпустить ее, твою Айно? Работала в разведке... Работала с самим Зорге...

К. Зорге на том свете.

ХРУЩЕВ. Но некоторые еще на этом. Мы с тобой люди партийные и должны думать. Я с твоим любимцем, с Андроповым сейчас советовался... Говорит: выпускать ее опасно, у нее резкие антисоветские настроения.

К. Он обо мне заботится, боится — наговорит она про меня врагам... Ты, Никита Сергеевич, мне обещал, не забывай.

ХРУЩЕВ. Сталин часто повторял: «Обещают глупцы, а исполняют обещания идиоты». Если наверх отправишься, подтверди Господу: «Сволочь был усатый, чистый убийца». (Вздыхает.) Ладно, выпустим, раз обещал! Выздоравливай. (Уходит.)

К. Конечно, убийца... Но великий убийца. А ты лилипут. (Прислушивается. Кричит.) Сестра! Сестра!

Входит медсестра.

К. Она пришла?

МЕДСЕСТРА. Кто, Отто Вильгельмович?

К. Я слышу — она пришла! Не пускайте ее! Я не хочу ее видеть...

МЕДСЕСТРА. Да что вы, Отто Вильгельмович! Кто ж сюда придет! Здесь охраны — сто человек, наверное. Все для вашего спокойствия.

Медсестра уходит.

Входит Она. Молча садится у кровати.

К. Ты!

ОНА. Неужто забыл: если я чего захочу...

К. Боже мой! Ты совсем не изменилась...

ОНА. Зато изменился ты. Жалко тебя. Умирать на родине надо... В сауне посидеть на дорожку... кожа распарена, капли на носу висят... Хорошо! И молочко наше на дорожку попить, чтобы было, что вспомнить в гробу. А какие у нас сосны... Выдолби любую — и лежи себе в отличном сосновом гробу. Пахнет смолой... Такой покой тебе здесь не приготовят. Только у нас так пахнут сосны — высокие, стройные, как мое тело. Ты ведь помнишь тело Айно? Белое тело белокурой финки...

К. Женщины и сосны... Точнее, женщины, как сосны... Зачем пришла?

ОНА. Посидеть, повспоминать с тобой... *на дорожку*. По-стариковски.

К. Но почему ты... молодая?

ОНА. Тсс, это у нас впереди. Отгадки-разгадки впереди.

К. Какой-то шум... Что за шум?

ОНА. Это транспортер... Как же ты не помнишь! Ты мне сказал про него в тот день. Холодный был осенний день... И на моей душе была осень... Ваше красное правительство пало. По всей Финляндии шла на вас охота... Меня попросили дать пристанище некоему магистру философии Отто Вильдебрандту. И господин Вильдебрандт пришел поздно вечером...

Комната в ее доме. Она, ее муж и только что вошедший товарищ К.

МУЖ. Мы очень рады вам, господин Вильдебрандт. Кофе, чай?

К. Я должен сразу предупредить: моя голова оценена...

МУЖ. Видно, у вас стоящая голова... не продолжайте.

К. Вам не сказали мое настоящее имя... (*Шепчет на ухо мужу.*) Думаю, вам известно, что с вами сделают, если меня здесь найдут?..

ОНА. Бедный муж побледнел, но остался благороден.

МУЖ. Я ничего этого не слышал. Присаживайтесь. Будем ужинать.

К. Благодарю, но я не голоден. И мне нужна только постель. На одну ночь, на рассвете я уйду...

ОНА. Я не могла тогда оторваться от твоего лица. Боже мой, это *он*! Кумир!.. Твою речь о логике бури — призыв к красной Революции — я знала наизусть... И когда вы захватили власть, я повесила твою фотографию из газеты! И когда вас разгромили и тысячи бежали по льду залива в Советскую Россию, я молилась, чтоб ты уцелел... И вот ты здесь... (*Ему.*) Спасибо, что решились довериться нам, незнакомым людям.

К. улыбается.

ОНА. Улыбнулся... так бесстрашно... На самом деле ты хорошо знал о моем прошлом. Отец социалист. Участвовали в красном восстании мои братья... и погибли. И я сделала квартиру мужа приютом для красных финнов.

МУЖ. Немного коньяка?

К. Нет-нет. Я глупый непьющий финн, пью только кофе... В жизни мне необходимы две вещи — кофе и лыжи...

ОНА. Но я уже знала о третьей... Никогда не забуду твой взгляд... Ты будто раздел меня.

МУЖ. Вы не хотите послушать радио? Сейчас начнутся новости.

К. Нет-нет, не буду вас тревожить, если позволите, я сразу спать...

ОНА. Ваша воля. Комната наверху, господин Вильдебрандт.

Она ведет его наверх, держа свечу. Входят в комнату, посередине которой стоит рояль.

К. (восторженно). Когда мне предложили переночевать у вас, я немного колебался. Но когда сказали: «У них рояль»... (Садится, играет.)

ОНА. Какая странная музыка, в ней нет мелодии.

К. Это Шемберг... Мелодия — пережиток капитализма. Музыка, литература — все будет новым. Только старая поэзия, как выдержанное временем вино, останется. Рунеберг, Гете (играет) ... С революцией в Финляндии покончено на время. Вам придется теперь скучно заниматься домашним хозяйством в счастливом буржуазном браке. Вы мечтали об этом?

ОНА. Я много о чем мечтала. В детстве мечтала поехать в Африку миссионером. Копила деньги на одежду африканским детям. Отец сказал: там жарко и дети ходят в трусиках... Спокойной ночи.

К. Вам очень не хочется уходить?

ОНА. Но ухожу...

К. А если не дам? (Улыбается. Потом вдруг беспомощно.) Я не страшный, я скучно женатый мужчина...

ОНА. Вы это говорите, чтобы...

К. Да, чтобы знали: я не буду приставать... *потом*.

ОНА. И чтобы *потом я* не надоедала вам?

Он подходит к ней вплотную.

ОНА (шепотом). Вы сошли с ума!

К. Мне нужно ответить: «Да, как только увидел тебя...»? Избавь меня от пошлости. (Обнимает ее.)

ОНА. Это... нельзя!

К. Это можно...

ОНА. Я сообразила, но только потом... Конечно, было можно! «Новости» идут сорок минут.

К. «Самая красивая из девиц,

Ясная и нежная, как утро...

(Бросает ее руки на плечи.)

И сомкнула руки вокруг шеи...» (Целует ее, грубо задирая юбку.)

ОНА. Вот так случилось проклятое *потом*. Все это время я ненавидела тебя, и... ждала. Расставшись, не расставалась. Изучила в эти дни всю твою жизнь. Сын сельского портного... Был самым бедным и, конечно, самым умным в гимназии. Восторгался, как все ваше поколение, «Калевалой» и сам писал стихи... Женился рано — в девятнадцать лет — на сестре одноклассника. Я придумала, что брак был по безумной любви. И постаралась забыть, что жена была старше тебя на восемь лет, но... из очень состоятельного семейства... Ты все делал, как надо. Закончил историко-философский факультет университета — там воспитывалась вся будущая политическая элита. Конечно, социал-демократ, блестящие речи... Твои афоризмы уже повторяли...

К. Один нравился мне самому: «Настоящий джентльмен не тот, кто умеет играть на саксофоне, а тот, кто умеет играть на саксофоне, но этого не делает». ... В двадцать лет я мечтал быть поэтом. Но есть хитрая лесенка, по ней умные вовремя спускаются с облаков... Я стал политиком... Политику называют второй древнейшей профессией, стесняясь назвать ее первой. В политику идут те, у кого кожа не чувствительней кожи носорога.

ОНА. К тому же ты умел вовремя сбросить неподходящую кожу. И, как змея, не вспоминал о ней... В тридцать лет — депутат сейма от социал-демократов. И дальше — первая сброшенная кожа — благонамеренный социал-демократ возглавил ревущее гневом радикальное крыло партии. И в семнадцатом году восстание... Наша Революция... Я ведь пыталась писать о тебе... для себя. И вот здесь у меня была путаница. Одни уверяли, что ты был против восстания — захвата власти красными финнами. Другие — что это ты все организовал... Я тогда не понимала, что правы и те, и другие! Ты истинный политик, потому что одновременно умел делать совершенно противоположные вещи... Во главе красного правительства встал тогда Ку́ллерво Ма́ннер, но все знали, что правительством руководишь ты...

К. Есть стрелка часов, она постоянно на виду. Но есть механизм, который управляет стрелкой. Это интересней.

ОНА. А потом было ваше поражение... хотя ты обещал победить!

К. Политик, милая, должен уметь предсказывать будущее, но, главное, объяснять, почему предсказанное не сбылось.

ОНА. Мне сказали, что ты по-прежнему в Хельсинки, в подполье... Но ты не появился. И я чувствовала себя девкой... но как безумно ждала! Однажды я получила стихи...

К. (перебивая, читает). «Ах, смотрите, ах, спасите,—
Вкруг плутовки, сам не свой,
На чудесной тонкой нити
Я пляшу, едва живой.
Жить в плену, в волшебной клетке,
Быть под башмачком кокетки,—
Как такой позор снести?
Ах, пусти, любовь, пусти!»

ОНА. Как ты угадал?! Это были мои любимые стихи Рунеберга. Как же я была счастлива! Я ходила по комнате и бормотала: «Ах, пусти, любовь, пусти...». Но у нас с твоей женой были общие друзья, и я узнала, что она получила... те же строчки Рунеберга //Гёте//!.. Все правильно! Казанова дарил своим женщинам одни и те же драгоценности. Тем более что за пару ювелир делал скидку... Потом сказали, что тебя убили на льду Ботанического залива. Как же я плакала тогда... И однажды, когда муж уехал в Тампере, пришел ты... Точнее сказать: «Узнав, что муж в Тампере, пришел ты».

В ее доме.

ОНА. Жив!.. Жив! (Бросается к нему.)

К. (усмехаясь). Не забыли магистра философии?

ОНА. Как я ждала!

К. Жизнь — это гигантский транспортер... Он движется над нами. И главное — выбрать нужное звено, ухватиться за него и пронестись над волчьими ямами жизни...

ОНА. Да, да!

К. Но нужно уметь соскочить вовремя и в нужном месте... Я ухватился, это звено сейчас — коммунисты.

ОНА. Ты начал меня торопливо раздевать, иоворя все это.

К. Социал-демократия нынче — прошлый день...

ОНА. Да-да. Социал-демократия нынче — прошлый день... Именно! И я помогала тебе... раздевать.

К. Мы основали Коммунистическую партию Финляндии. Я в ЦК!

ОНА. Ты в ЦК! ... Моя головка была безумной. Я ничего не понимала. Я только хотела... тебя!

К. В России создан Коминтерн — объединение коммунистов мира!

ОНА (сбрасывая с себя последнее). Да, да! Коминтерн! Объединение...

К. И Коминтерн не вложит меч в ножны...

ОНА (голая, обнимает его). Меч — это великолепно!

К. Пока не уничтожим капитализм и не создадим Федерацию советских республик всего мира!

Падают на кровать.

ОНА. И наступило утро после ночного безумия...

К. (одеваясь). В России идет великий эксперимент, который скоро охватит весь мир.

ОНА. Я поняла. Ты спрыгнул с транспортера в Россию?

К. Но еще не приземлился. Я в воздухе.

ОНА. Почему?

К. Мусор мешает... Вчерашние вожди Красной гвардии... они живут в роскошной гостинице «Астория», во-

дят проституток, жируют на деньги, которые русские дают на Революцию. А тридцать тысяч голодных красногвардейцев, бежавших с ними в Россию, ютятся в грязных казармах. И насмешливо называют позорный отель «слезой социализма». Вся эта нечисть группируются вокруг Юкка Рахья... Он очень близок к Ленину. Пока есть Юкка и его свора, мне в Москве делать нечего. *Но думаю... переменится.*

ОНА. Но если переменится, я не увижу тебя?!

К. Если не захочешь составить мне компанию... на всю жизнь.

ОНА (кричит). Хочу!

ОНА. Уже вскоре я прочитала в газетах сенсацию — «Мясорубка в Москве». Все случилось во время заседания руководства Красной гвардии...

Заседание. Несколько человек за столом Президиума. В центре — Юкка Рахья.

Входит группа красногвардейцев.

КРАСНОГВАРДЕЕЦ. Мы, представители Красной гвардии, пришли заявить...

ЮККА РАХЬЯ. Кто вам позволил войти?

КРАСНОГВАРДЕЕЦ. Революционная совесть, которую вы потеряли.

ЮККО РАХЬЯ. Вы вонючая оппозиция!

КРАСНОГВАРДЕЕЦ. Ты ошибся. Мы револьверная оппозиция! Революционное средство освободиться от мусора.

Дружно вынимают револьверы, стреляют.

ОНА. Я прочла: убиты Юкка Рахья и все руководство Красной гвардии. И вспомнила твое *«думаю... переменится»*. Неужели это ты передвинул стрелку? И, будто в ответ, вскоре получила письмо... *Уже* из Москвы! Это были стихи — Йохана Рунеберга...

К. «Упорной колонной мы строимся там,
Где гибнут живые толпами.

Все новые воины к нашим рядам
Идут, примыкают с годами.
Пробитая грудь, окровавленный лоб —
Так рать наша бьется из гроба,
Ее не пугает опасность и гроб,
Не трогают зависть и злоба...».

ОНА. И вместо подписи — «Москва. Коминтерн». Я поняла: соскочил с транспортера! И собрала крохотный чемоданчик...

Ее квартира. Муж у радиоприемника слушает экономические известия.

ОНА. Я сварила тебе кофе, обед на плите. (Муж удивленно глядит на нее.) Я ухожу.

МУЖ. Когда вернешься?

ОНА. Наверное, никогда... Скажешь что-нибудь? (Он молчит.) Скажу я. Я не хочу больше тебе изменять. Я хочу вернуть себе роскошь женщины прошлого века — спать в одной и той же постели с одним и тем же мужчиной.

МУЖ. Ты... хорошо подумала?

ОНА. Наверняка плохо. Но, тем не менее, выбрала звено, ухватилась и... лечу над ямами жизни. Прощай. (Целует его.)

ОНА. Я приехала в Москву летом. Стояла адова жара. Я отправилась... в Коминтерн.

Исполком Коминтерна тогда находился в бывшем здании немецкого посольства, где недавно убили немецкого посла. Из этого здания, омытого кровью немецкого аристократа, Коминтерн собирался зажечь Революцию во всем мире... Я шла по коридору. Множество машинисток стучали на машинках... Множество мужчин и женщин с папками в руках проносились мимо — взад-вперед, взад-вперед, говоря одновременно на всех языках.

ОНА (перекрикивая шум). Простите... простите! Здесь есть финны? Простите, вы...

ЖЕНЩИНА (пробегая, перекрикивая). Итальяно!

ОНА (вслед). Вы говорите по-английски?

Женщина, не оборачиваясь, выкрикивает что-то по-итальянски и убегает.

ОНА (кричит). Финны! Здесь есть финны?! (Перекрикивая шум, тщетно взывает к бегущим по коридору.) Вы говорите по-английски?.. Финны... где вы? Здесь есть хоть один финн?!

Бегущий мужчина останавливается.

МУЖЧИНА (очень спокойно). Здесь много финнов.

ОНА. Боже мой, вы говорите по-фински!

МУЖЧИНА. Я говорю на всех языках. Что вам нужно в нашем сумасшедшем Вавилоне?

ОНА. Я приехала к господ...

МУЖЧИНА (мягко поправляет). Товарищу.

ОНА. Конечно, к товарищу Отто Куусинену.

МУЖЧИНА. Вот как! (Властно останавливает пробегающую женщину.) Товарищ! Отведи товарища в Секретариат... (усмехается) к *самому*!

Кабинет К.

К. и Она.

К. Ты!

ОНА. Ты совершенно прав — это я!

К. А как же ты добралась? Нас бойкотирует весь мир...

ОНА. Граница закрыта, но... На каблучках, через леса и реки... Любовь, дружок, и до Москвы доведет.

К. Гёте писал...

ОНА. Только без стихов! Я буду думать, кому ты их еще читал...

К. Ты ревнива?!

ОНА. Я красивая женщина... Некрасивые ревнуют своих мужей, а мы, красивые, только чужих. (Хохочет.)

К. Я хочу...

ОНА. Это я знаю.

К. Я живу в Кремле...

ОНА. Удачно спрыгнул!

К. С завтрашнего дня ты тоже живешь там. Но сегодня — проблема. В Кремле проживает все правительство... В Ленина недавно стреляли, и теперь здесь помешательство: боятся покушений!

ОНА. То есть, меня к тебе не пустят? Через леса и реки на каблучках... и не пустят?

К. Сегодня. Но завтра мы поженимся. (Обнимает ее.)

ОНА. Перестань!

К. Я не могу перестать... Рад бы, но не могу.

ОНА. Ну, не надо... ну... могут войти...

К. Никто не смеет без моего разрешения...

Вдруг входит девушка.

К. (сконфуженно). Моя секретарша.

СЕКРЕТАРША (по-хозяйски). Не забудьте, товарищ Отто, — через десять минут в актовом зале вы приветствуете товарища Айседору Дункан. (Уходит.)

ОНА. Эта смазливенькая, видимо, исключение. И если у тебя еще есть такие же исключения, объясни им всем сразу, что теперь...

К. У меня будут одни правила.

ОНА. Да. Я и мой мужчина — мы будем всегда просыпаться в одной постели.

Актовый зал. На сцене — К. и Айседора Дункан.

К. Дорогая товарищ Айседора! Капитализм, порождающий войны, кризисы, неравенство, нищету масс, стремительно приблизился к своему бесславному концу. Мировая Революция — на пороге. Отсюда, из Москвы, из штаба мировой Революции мы приветствуем в вашем лице всех честных художников...

ДУНКАН. Дорогой товарищ Отто! Я счастлива приехать в Москву — эту Мекку мировой Революции. Тысячелетняя мечта — идеальное государство, каким оно представлялось Платону и Марксу, — осуществляется здесь, на вашей земле. Вы строите мир равенства — мечту Будды, мечту Христа... Я не взяла с собой туалетов, я приехала к вам провести остаток жизни, одетая в красную фланелевую блузу, среди товарищей, преисполненных братской любви друг к другу. Я буду танцевать для вас сегодня идею красного знамени... Идею всепобеждающей Революции, идею Коминтерна.

К. Да здравствует Всемирная республика Советов! Да здравствует мировая Революция! Да здравствует наш славный товарищ Айседора! Ура!

Приветственный рев сотни глоток: «Ура!»

Айседора начинает танцевать.

ОНА (шепчет). Интересно, как она будет ходить одной блузе? Я видела — на улицах такие шикарные женщины, в таких шикарных платьях...

К. Да-да, мы отходим от ужасов военного Коммунизма...

ОНА. А она приехала наслаждаться ими.

К. Да, у нас появился рыночный дьявол и появились капиталисты. Но это всего лишь передышка. Очень временная... Как только наладим производство, мы их ножичком — чик-чик — отрежем!

К. и Она возвращаются в кабинет К.

ОНА. Когда она начала танцевать с шарфом, шарф ожил. И уже будто двое танцуют... и шарф ее обнимает... (К. обнимает ее.) Но раз — и шарф у нее под ногами... И уже она растоптала его... Как ты меня? Или я тебя? Посмотрим...

К. Но для начала всех выгоним. (Звонит в колокольчик.)

Входит все та же секретарша.

К. (торопливо). Я вас не познакомил. Моя жена товарищ Айно. А это мой секретарь — товарищ Алиса Фридмэн.

СЕКРЕТАРША (зло и насмешливо). Я понимаю, что на сегодня я свободна и могу уходить?

К. (торопливо). Конечно, конечно! (Секретарша уходит.) Наконец! (Страстно обнимает ее и... Тут же снова входит секретарша.)

СЕКРЕТАРША. Позвонили из Политического Секретариата. Велели срочно передать: нынешней ночью в Германии ожидается социалистическая революция. Вас ждут немедленно в кабинете товарища Пятницкого. (Усмехаясь, уходит.)

К. Да, надо ехать. Товарищ Пятницкий — глава Международного отдела. (Она хохочет.) Привыкай! Здесь все живут мировыми проблемами. Здесь трудно починить сортир в кабинете, но легко построить Вавилонскую башню...

Кабинет товарища Пятницкого.

К. Моя невеста, приехала из Финляндии.

(Здороваются.)

ОНА. Здороваясь, Пятницкий Здесь хорошо бы, добавить: «Дорогой товарищ, глава Международного отдела! Спешу сообщить, что в тридцать седьмом году вас вместе со всем вашим отделом успешно расстреляет другой дорогой товарищ.

ПЯТНИЦКИЙ (после рукопожатий, напряженно). Вот оно как... Невеста из Финляндии?

К. Вы можете быть спокойны. И не только потому, что она плохо понимает по-русски. Ее братья-революционеры расстреляны белыми финнами. Она с шестнадцати лет в революционном движении...

ПЯТНИЦКИЙ (важно). Пусть она взглянет в окно... Видит ли она звезды над Кремлем? Переведите.

ОНА. Вижу! Красиво!

ПЯТНИЦКИЙ. Вот такие же звезды загорятся сегодня ночью над Германией. Это вам свадебный подарок.

К. Но почему я ничего об этом не знаю? Почему не сообщали мне?!

ПЯТНИЦКИЙ. Я велел держать все происходящее в строжайшей тайне. Восстание готовил наш отдел. Верный человек сейчас подносит фитиль к пороховой бочке... Вы его знаете, вы передавали ему в Берлине царские бриллианты. Это товарищ Вальтер...

Звонок телефона.

ПЯТНИЦКИЙ. Здравствуйте, Надежда Константиновна...

К. (ей). Жена товарища Ленина.

ПЯТНИЦКИЙ. Да, все готово... От руководства Коминтерна туда послан товарищ Радек. Мы держим с ним непрерывную связь... С минуты на минуту ждем от него сообщения о начале восстания... Нет, пока не сообщайте Ильичу. Пусть это будет нашим подарком.

(Кивнув на Айно, подмигнул К.) Губа у тебя не дура! Переведи ей: «Ильич серьезно болен. Нет, «серьезно» не надо. Скажи ей так: «Товарищ Ленин немного прихворнул. Но победа Революции в Германии поднимет его с постели»...

ОНА. Так началась удивительная ночь. Наша первая ночь в Москве. Мы сидели в кабинете Пятницкого — в окна был виден Кремль, горели кремлевские звезды... Но звонка Радека из Берлина все не было...

ОНА (шепотом). Долго нам ждать?

К. Это Революция, милая, а не сеанс в кинотеатре.

ОНА. Секретарша беспрерывно приносила кофе и сигареты. Как я узнала потом —джентльменский набор коминтерновца. Пятницкий и Отто беспрерывно курили и пили кофе. В клубах дыма лица стали призрачны...

Звонок телефона.

ПЯТНИЦКИЙ. Опять она. Поговорите с ней вы, Ильич вас любит.

К. Здравствуйте, Надежда Константиновна, это Отто... Пока никаких известий.

ПЯТНИЦКИЙ. Но скоро будут — скажи ей!

Однако К. молча кладет трубку.

Бьют часы.

ОНА. Наша свадебная ночь начала исчезать.

ПЯТНИЦКИЙ (Отто). Вижу, вижу... Такая женщина... Понимаю! Ты ждешь засунуть, товарищ, а вот мы ждем Революцию...

Часы бьют пять раз.

ОНА. Звезды над Кремлем погасли. Рассвет.

Пятницкий звонит. Входит секретарша.

ПЯТНИЦКИЙ. Пошлите телеграмму товарищу Вальтеру.

СЕКРЕТАРША. Уже посылали, и не одну.

ПЯТНИЦКИЙ. И что же?

СЕКРЕТАРША. Не отвечает.

ПЯТНИЦКИЙ. Тогда телеграфируйте товарищу Радеку два слова: «Что происходит?»

Секретарша уходит.

Все молча ждут. Возвращается секретарша.

СЕКРЕТАРША. Ответ товарища Радека. (Передает телеграмму Пятницкому.)

ПЯТНИЦКИЙ (читает). «Ничего!»

Кабинет К.

ОНА. Мы вернулись в твой кабинет.

К. Неужели, наконец-то...

ОНА. Боюсь, как только начну раздеваться, войдет она!

К. Она не войдет. Сегодня воскресенье!

ОНА. Ну и где же? (Оглядывается. Всю длину кабинета занимают стол и шкаф.)

К. Будем по-революционному — на полу! Здесь целый шкаф протоколов Секретариата... (Открывает шкаф и вываливает на пол бумаги.) Их положим вниз. А сверху — воззвания к народам Востока. У них бумага помягче. (Сбрасывает рулоны со шкафа.)

ОНА. Опытный... Часто пробовал?

К. Какое прекрасное ложе! Я буду любить тебя среди воззваний к народам — призывов к мировой Революции. Твое тело будет возлежать посреди великой Истории.

ОНА. Да, именно на ней разместится моя роскошная задница... Кстати, что с немецкой революцией? Я так и не поняла...

К. Мерзавец товарищ Вальтер всех надул... Я предупреждал. Я был в Берлине, передавал ему царские бриллианты. В конспиративной квартире застал картину: валюта — повсюду. Фунты торчали из книг. Валютой набиты чемоданы, папки... В ночной горшок под кроватью он положил царские бриллианты... Ну, иди ко мне...

ОНА. Еще одна безумная ночь. Я заснула на рассвете. Во сне слышала небесную музыку, под нее с шарфом танцевала одинокая Айседора... А на следующий день мы с тобой расписались...

К. Это небыстрая процедура для обычных людей.

ОНА. Но для выдающихся революционеров — мгновенная. Так я начала постигать новую жизнь, точнее, ее главное правило: «*Все люди здесь равны*, но некоторые намного *равнее*». Сразу после брака мы поехали в Кремль... Несколько часов я заполняла множество анкет с хитрейшими вопросами. И, наконец, — пропуск! Надо же, я в Кремле! Транспортер свое дело сделал! Но квартира была средневековая со сводами... Говорят, во времена Ивана Грозного здесь находился застенок. Никогда не бывала в такой мрачной квартире. Здесь я впервые увидела *его*.

Квартира К. в Кремле. Она и К.

Входит Сталин.

СТАЛИН (усмехаясь, без приветствия). Что за баба?

К. Жена... из Финляндии. Она плохо говорит по-русски.

ОНА. Никогда не видела тебя таким предупредительным.

СТАЛИН. И что же случилось в Германии, дорогой?

К. По нашему сигналу небольшие группы рабочих, вовлеченные в эту авантюру, начали действовать. В Берлине напали на полицейских, но были легко рассеяны. В Гамбурге выступление рабочих было подавлено тотчас и беспощадно. Участники в тюрьме, есть убитые. Мы потеряли много преданных людей... В Саксонии и Тюрингии...

СТАЛИН. Это я всё знаю! И что же с организатором? Куда делся этот сукин сын товарищ Вальтер?

К. Он человек товарищей Пятницкого и Зиновьева. Вчера, в судьбоносную ночь, он внезапно исчез.

СТАЛИН. Ты, сказали, встречался с мерзавцем?

К. И, приехав, я докладывал о безобразной обстановке хранения огромных средств, которые получал от нас товарищ Вальтер...

СТАЛИН. И что же?

К. Товарищ Зиновьев сказал, что он, глава Коминтерна, ручается за этого человека и попросил меня не вмешиваться не в свое дело.

СТАЛИН. Впредь сообщай о подобных вещах лично мне. Сколько ему передали?

К. Точно не знаю...

СТАЛИН. Неправильный ответ.

К. молча пишет что-то на листе бумаги и после передает его Сталину.

СТАЛИН. Рад, что не ошибся в тебе, товарищ. Что касается Вальтера, который внезапно исчез... Позавчера его видели в Венеции... Но вчера нашли в канале. Постарайся, дорогой, чтобы все наши хорошие друзья за рубежом узнали о судьбе товарища Вальтера и запомнили: шутить с нами не нужно. Мы продолжим переправлять драгоценности в Берлин. Ильич по-прежнему верит в революцию в Германии... Товарищ Юровский из Гохрана придет к тебе.

К. Если даже забросаем Германию драгоценностями, ничего не выйдет.

СТАЛИН. Внимательно слушаю...

К. Не на тех опирается Коминтерн. Все эти фрондирующие либералы средних лет, болтливые профессора не полезут на баррикады, не подстрелят полицейского, не сядут в тюрьму... Для всего этого нужны мальчишки — глупые, одержимые, бросившие ученье и даже семью. Вот их можно воодушевить, направить к великой цели. Но чтобы они поверили, нужны не красоты наших ораторов, а банальные общедоступные слова, которые легко усвоят мозги юнцов. Они потом станут их убеждением на всю жизнь... Нужна долгая подготовка. Но Ильич верит в неминуемую быструю мировую Революцию...

СТАЛИН (усмехаясь). А ты? Скажи, дорогой, не стесняйся: ты веришь в мировую?

К. Я о ней... мечтаю.

СТАЛИН (смеется). На этот раз верный ответ... Пожалуй, она только в мечтах и останется. (Уходит.)

ОНА. Кто это был?

К. Единственный ответственный человек в нашем сумасшедшем доме... Сталин.

ОНА. Прошу тебя, не грузи меня русскими фамилиями. Я знаю только тех, кого знает весь мир: Ленин и Троцкий — вожди русской Революции.

К. Революция умирает. И Троцкий, герой-любовник Революции, уже не нужен Истории. Символично, что другой вождь, Ленин, тяжело болеет. Он умирает вместе с Революцией. История и Власть теперь делаются в кабинетах... И должность Генерального секретаря партии, которую занимает этот рябой грузин, станет должностью Вождя... Он сколотил «тройку»: Зиновьев — вождь Коминтерна, где ты бу-

дешь работать, его сподвижник Каменев — влиятельнейший член Политического бюро и он сам, Сталин — вождь «тройки»... Они теперь решают всё. Хорошо запомни это имя — Сталин.

ОНА. Почему я никогда о нем не слышала?

К. Потому что он тоже не стрелка. Он механизм, двигающий стрелку.

ОНА. Сталин... Повтори имена остальных из «тройки»?

К. Остальных, поверь, запоминать не надо.

ОНА. Что это значит?

К. Это значит, что наступает второй акт драмы под названием «Поле битвы после победы принадлежит мародерам». Вчерашним вождям пора покидать сцену... Кстати, вечером к нам придет особый гость. У нас есть кусковой сахар?

ОНА. Да...

К. Он пьет чай только вприкуску. И обязательно хлеб с маслом. Он принесет новые бриллианты для немецких коммунистов. Он тоже — История Революции. Он руководил расстрелом Царской семьи... Но об этом его *не* спрашивай. Он ненормальный. Если начнет рассказывать, не сможет остановиться до утра...

ОНА. И он пришел... Черный человек с черными волосами, черной бородой и в черной кожаной куртке... Такие тогда носили чекисты.

Входит Юровский.

Он молча вынимает драгоценности из портфеля.

ЮРОВСКИЙ. Пиши, товарищ Отто: «Шесть бриллиантов. «Шесть» — словами. Получил. Подпись. Нитка жемчуга — одна. Количество жемчужин — тридцать восемь.» Пиши, пиши!.. Первоклассный жемчуг с тела Царицы. Вся была обвита нитями жемчуга... И здесь ставь подпись: получил!

К. подписывается. Юровский начинает пить чай, оглушительно хрустя сахаром.

ЮРОВСКИЙ. Вальтера ликвидировали. А что толку? Ни денег, ни бриллиантов. Успел продать, паскуда. Такие бриллианты — им цены нет! С великих княжон лично снимал... Как похожа ваша квартира на тот подвал... Такие же своды...

ОНА. И тут я сделала ошибку, спросила: «Какой подвал?»

ЮРОВСКИЙ. Небось, хочешь услышать правду, товарищ? То, что я сейчас расскажу, не знает никто. Партийный секрет! Со мной уйдет... Разбудил я царскую семейку ночью, говорю: «Так и так, обстрел города идет. Для безопасности пожалуйте все в подвал». В подвале выстроил всю семейку, будто для фотографии. «Дескать, в Москве просят фоты, потому как есть слух, будто вы сбежали...» Они знали, что я фотограф. Встали (обращается к К.) Если не трудно — встань под сводом... (К. становится.) Вот так Николашка стоял. А царица вместе с наследником рядом сидели, дескать, ноги у них больные... Ты, гражданка, сядь рядом с мужем на стул. Вот так! И как встали — я им приговор. И тотчас стрельнул из «Маузера» (выхватывает пистолет) — в царя!

К. Ты что?! (Прячется.)

ЮРОВСКИЙ (размахивая «Маузером»). Не боись! Царь — навзничь, фуражка в угол отлетела... За мной стала палить команда... Ладно! (Прячет «Маузер», вздыхает.) Беспорядочная вышла стрельба. Царица упала следом, потом — слуга царский, врач... Но с детьми повозились! Девиц никак ликвидировать не могли... Помещеньице малюсенькое, метров тридцать... А пули так и отскакивают, так и отскакивают от девиц и летают по подвалу. Одного из нашей команды даже поцарапало...

ОНА. Он хрустел сахаром. А мне казалось — кости хрустят...

ЮРОВСКИЙ. Палим, палим... Слуг всех уложили, а девицам ничего — живы! Малец-наследник с кресла сполз, по полу ползает — прямо раздавленный таракан... Я в дым вошел и двумя выстрелами в голову покончил с его живучестью. А девицы все живут... На коленях стоят у стены, руками головы от пуль защищают. Наконец, и они упали... Еще сахарку мне... Спасибуля тебе, товарищ... Начинаем выносить на носилках трупы. И тут расстрелянные девицы поднимаются в носилках — совсем свели с ума. Начинаем докалывать штыками. И опять, твою мать, загвоздка — штык в них не входит... Испугались наши, думают: точно Бог... Только когда хоронили и одежду сжигали, поняли. Мы их раздели, и вот тут в корсажах сверкнуло... в корсажи оказались зашиты бриллианты... Они бронированные бриллиантами были, оттого пули и отскакивали. А царица вся нитями жемчужными обмотана... Видать, бежать готовились. Лично снимал эти драгоценности с царицы и дочерей. (Показывает.) Вот эти, самые крупные, снял с Татьяны. Бронированные оказались девицы, бронированные... Баба у тебя жалостливая, слезу пустила. Видать, дохлая революционерка... Объясни ей, товарищ, что такое революционная необходимость. ... Однако (глядит на часы) пора и честь знать. За чаек спасибо... Бывай, товарищ! (Уходит.)

ОНА (к К.). Когда ты мне все перевел... Как же девочек, слуг, больного ребенка...

К. Гражданская война! Ленин сказал: «Нельзя оставлять их живыми, нельзя оставлять врагам живого знамени». В это время люди бежали из партии, а неизбежность расправы за царскую кровь вновь сплотила партию. Все поняли: впереди победа или смерть.

ОНА. Я редко видела тебя... только ночью. Но зато ночью...

К. Зато ночью!.. А днем Москва плавилась от солнца. Большевистские вожди бежали от московской жары на Черное море, во дворцы великих князей. Наслаждались комфортом, употребляли восторженных девушек-коммунисток. Только рябой грузин работал в нестерпимо жаркой Москве... Транспортер двигался, и я опять схватился за верное звено. Я связал себя с ним с самого начала. Я с удовольствием выполнял его задания в Коминтерне, хотя выслушивать их было нелегко — от него всегда сильно пахло потом... Ленин в это время много болел. Он уже не мог сражаться с оппозицией. Ему нужна была послушная партия. И по заданию

Ленина в это жаркое лето Сталин перетряхнул всю партию... Теперь по всей стране сидели партийные руководители, назначенные им. Он создал преданную гвардию руководящих партийных чиновников... Помню, когда я приехал в Россию в девятнадцатом году, Ленин мечтал, чтобы партийные руководители и члены правительства получали столько же, сколько получают рабочие. Но Сталин покончил с этой утопией. Пока Ленин тщетно боролся с инсультами, Сталин позаботился о щедром материальном вознаграждении партийцев...

ОНА. И, главное, вождей партии и Коминтерна.

К. Нет, вожди партии и вожди Коминтерна уже с начала Революции жили в особых условиях. Сталин позаботился о людях, самых важных для власти, — о руководителях второго ранга, о тех, кто составляет съезды партии, — о партийной гвардии. Благодаря ему, они получили большие зарплаты, лечились в особых поликлиниках, жили в отдельных квартирах, когда вся страна жила в коммунальных... Их было тысяч двадцать! Партийная номенклатура! Он родил её, а она вознесла его! Жаркое лето двадцать второго года. Историческое лето...

ОНА. В Кремле трудно было принимать гостей. Это была долгая церемония — выписывать пропуска. И мы переехали в гостиницу «Люкс» — в ней жило много коминтерновцев. Рядом в номерах поселились дети Отто от первого брака, приехавшие в Россию, — две дочери и сын...

К. Герта — моя любимица, истинная марксистка... Она вскоре вышла замуж...

В квартире.

ОНА. Как удивительно мы живем! Никак не могу привыкнуть. У нас бесплатная машина с бесплатным шофером. Бесплатная квартира, бесплатная дача и даже бесплатная домработница, которой платит государство...

К. Тебе не нравится?

ОНА. Я пытаюсь понять, как это может быть в стране равенства... И что это за удивительный магазин, в котором наша домработница покупает продукты?

К. В первые дни после Революции был жестокий голод. Ленин открыл этот магазин. Здесь отоваривались вожди партии и самые активные ее члены... Все, кто был особенно ценен для партии... Называлось это «спецпитание в спецмагазине».

ОНА. Но и сейчас люди в Москве живут голодно... Зато в вашем...

К. В нашем!

ОНА. ... В спецмагазине я, точно в раю — икра, рыба, конфеты, фрукты, спиртное... Наша домработница неграмотна, но там и не надо... В магазине всю эту роскошь отпускают без денег...

К. Ну почему же? В конце месяца вычитают из моей зарплаты.

ОНА. Смехотворную сумму!

К. Да, там такие цены...

ОНА. Коммунистические. Кроме спецпитания у нас есть спецлечение — особая поликлиника. Просто...

К. Коммунизм!

ОНА. Абсолютно. Но где же прославленное равенство, ради которого сделали Революцию? Мне кажется, и Герта не может этого понять...

К. Герта поймет так, как ей объясню я. (Насмешливо.) Постарайся понять и ты: мы все идем в долгожданный коммунизм. Но кто-то должен войти туда первым...

ОНА. Мы!

К. Да, мы пришли первыми, чтобы готовить приход других.

ОНА. Ты это серьезно?

К. ... И ради этих других, которые уже поднимаются во всем мире, я работаю день и ночь. Разрабатываю тактику грядущей мировой Революции! И потому о таких, как я, заботится партия...

ОНА. По вечерам к нам приходили такие же люди, живущие в коммунизме...

Здравствуйте, Григорий... Это глава Коминтерна Зиновьев. Рады, что вы пришли, дорогой Николай!.. Это Бухарин, большой друг Отто. «Любимец партии», — так прозвал его Ильич. Здравствуйте, дорогие любимцы партии. Хочу сообщить вам, что всех вас расстреляет... Впрочем, это я могла сообщить почти всем. Мы окружены призраками — каждый из них с пулей в сердце. Ты дружил с ними...

К. Милая, в политике не дружат. А если дружат, то дружат против кого-то. Мы все тогда дружили против Троцкого. И во главе нашей дружбы стоял рябой грузин. Он попрежнему был механизмом, который вращал нашу стрелку... В этот момент у больного Ленина наступило улучшение... Как и положено истинному вождю, Ильич воспринимал партию, как жену... И вдруг он открыл: пока болел, жену увели. И кто? Его тень, преданный раб, которого называли «левой ногой Ленина». Партия теперь подчинялась Сталину. Ленин взревновал! Он никогда не любил Троцкого, но позвал его... Два вождя большевистской Революции, два кумира объединились — бороться против Сталина...

ОНА. Как ты испугался!

К. Наступало слишком интересное время. Как говорят китайцы: «Не дай нам Бог жить в интересные времена»...

ОНА. И ты моментально вышел из игры. Из нашей квартиры тотчас исчезли и Зиновьев, и Бухарин...

К. Но, оказалось, я поспешил...

В кабинете Сталина. Сталин и К.

СТАЛИН. Обычно анекдоты сочиняет народ, но у нас в партии есть свой сочинитель — товарищ Радек. На днях товарищи рассказали его последний анекдот: «У товарища Ленина случился новый удар. Товарищ Сталин приезжает к нему в Горки. Ленин говорит: «Чувствую, батенька, умираю». Сталин: «Тогда, Владимир Ильич, отдайте мне Власть».

Ленин: «Рад бы, да, боюсь, народ за вами не пойдет». Сталин: «А вы не бойтесь. Кто не пойдет за мной — пойдет за вами»»... Чаще рассказывай этот анекдот, он очень правдивый. Кстати, полезно понять его и самому Радеку. Большой любитель Троцкого этот Радек... Ты с ним близок?

К. Очень далек.

СТАЛИН. Верный ответ. Любит товарищ Радек ссать против ветра... И еще... Это пока сверхсекретная информация... Но с товарищем Лениным случился новый удар. Мы все должны быть готовы к уходу величайшего орла Революции, и встретить его уход следует сплоченно.

ОНА. Так что они все опять появились у нас...

Трибуна. 2 февраля 1924 года. На трибуне появляется Сталин.

СТАЛИН. Уходя от нас, товарищ Ленин завещал нам высоко держать и хранить в чистоте великое звание члена партии. Клянемся тебе, товарищ Ленин, что мы с честью выполним эту твою заповедь... Уходя от нас, товарищ Ленин завещал нам хранить единство нашей партии, как зеницу ока. Клянемся тебе, товарищ Ленин, что мы с честью выполним эту твою заповедь... Уходя от нас, товарищ Ленин завещал нам хранить и укреплять диктатуру пролетариата. Клянемся тебе, товарищ Ленин, что мы не пощадим сил и с честью выполним эту твою заповедь...

В кабинете Сталина. Сталин и К.

СТАЛИН. Рабочие настойчиво просят не отдавать Ильича земле. Хотят оставить его с пролетариатом навечно...

К. То есть, как... навечно?

СТАЛИН. Мумифицировать дорогое тело. Трудная научная задача! Но нет таких крепостей, которые не взяли бы большевики. Нетленный Ленин будет лежать в специально сооруженном Мавзолее из драгоценных пород камня — мы в Политбюро приняли такое решение...

К. Я с изумлением слушал эту азиатчину, это варварство...

ОНА. Но пришлось принимать в нем участие!

СТАЛИН. Я надеюсь, в Коминтерне братские партии оценят желание нашего пролетариата. Сможешь, дорогой товарищ финн, которого так ценил ушедший от нас Ильич, сформулировать это революционное намерение нашего Политбюро?

К. «Даже после смерти великий Ленин продолжает служить рабочему классу. Теперь он встал на бессменную вахту в Мавзолее. Сюда, в Мавзолей, к нему обращены теперь сердца честных людей всего мира...»

СТАЛИН. Неплохо, дорогой. Но нам нужен краткий лозунг.

К. Вечно живой Ильич! Большевики победили даже Смерть!

СТАЛИН. Это лучше, умный финн...

К. Но этим не кончилось... Уже потом, когда мумия была создана и лежала в Мавзолее, он опять позвал меня.

СТАЛИН. Понимаешь, дорогой, группа злобных антисоветчиков — американские журналисты — не верят в «вечно живого» Ленина. Клевещут, будто в Мавзолее лежит не дорогой Ильич, а восковая кукла... Сопроводи их в Мавзолей, дорогой, и пусть восторжествует правда. Да, забыл тебе сказать... Ты дружишь с Зиновьевым... Зиновьев — он, конечно, с нами. Но, чувствую, не наш! И его дружок Каменев — тоже.

К. Я с ним никогда не дружил. Заносчивый, жестокий и трусливый человек. И то, что Интернационал после Маркса возглавляет Зиновьев, — смешно!

СТАЛИН. Верный ответ, дорогой. И смейся, смейся — во всю глотку, это сейчас можно.

ОНА. И Зиновьев опять перестал у нас бывать...

К. Уже вскоре он потерял пост вождя Коминтерна. А я... я повел журналистов в Мавзолей. Там отец мумии, профессор Збарский, открыл стеклянную крышку саркофага. Перед нами лежал... Ленин! По моему знаку Збарский слегка ущип-

нул Ленина за нос, потом начал, держа за нос, двигать его голову. И они увидели: это не воск. Это великий богоборец Ленин, превращенный в нетленные мощи...

ОНА. В это время, к моему изумлению, Троцкий стремительно терял все важные посты. Основатель Красной армии был удален из армии... Я не понимала, что происходит.

К. Ничего нового... Читай историю французской Революции. Вожди Революции с аппетитом едят друг друга. Но Троцкий — только начало... Согласно правилам Революции, подошла очередь ближайших друзей Ильича, вчерашних участников «тройки» — Зиновьева и Каменева. Они не поняли чуда, которое так быстро сотворил Сталин. Чудом этим был управляемый съезд партии...

Четырнадцатый съезд партии.

На трибуне — Каменев.

КАМЕНЕВ (привычно жестом вождя выбросив руку вперед). Товарищи!

Раздаются свист, улюлюканье, крики: «Мы тебе не товарищи!»

КАМЕНЕВ. Вы не заставите меня замолчать, как бы громко ни кричала группа товарищей.

Все заглушающий свист.

К. Он ошибся — это уже была не группа...

Свист, общий рев: «Долой! Гнать его с трибуны!»

КАМЕНЕВ (кричит). Я все равно скажу! Сталин не может выполнять роль главы большевистского штаба. Мы против теории единоначалия! Против подавления дискуссий! Против того, чтобы создавать культ вождя.

Зал орет: «Гнида! Чушь!» Скандирует: «Сталин! Сталин!»

ОНА. И ты тоже орал!

К. И я тоже. Ко мне в перерыве подошла вдова Ленина, спросила: «Вы видели это безобразие? Не дали говорить одному из вождей партии, другу Ильича! Вы должны дать ему слово на Исполкоме Коминтерна. И Зиновьеву тоже...»

ОНА. И ты?

К. Промолчал.

ОНА. Да нет, ты забыл: ты промолчал, чтобы тотчас подойти к Сталину.

К. Ты знаешь?!

ОНА. Я знаю... Привыкай.

Сталин и К.

К. Товарищ Крупская просит дать им слово на Исполкоме.

СТАЛИН. И что думаешь ты?

К. Думаю, будем против... Всесоюзная Коммунистическая партия большевиков — эталонная партия Коминтерна. Мы не в праве обсуждать ее решения.

СТАЛИН. Верный ответ. Со своей стороны постараемся, чтобы товарищ Крупская поняла: если она срала в один унитаз с Лениным, это еще не значит, что она понимает ленинизм... *И коли она будет мутить воду, дадим Ленину другую вдову!*

К. На следующий день я позвонил Крупской, спросил, настаивает ли она на своем предложении. Ничего не ответила — просто повесила трубку. Захотела остаться вдовой Ленина.

ОНА. Вскоре пришла очередь Бухарина исчезнуть из нашего дома. Ты очень дружил с ним...

К. Он был блестяще образованный марксист. Любимец Ленина и партии.

ОНА. Но главное — был трогательно женственный. Обожал животных, мне подарил обезьянку... Женщины были от него без ума...

К. И он от них... Кстати, этот главный интеллектуал придумал лозунг: «Организованное понижение культуры». Он считал, что темными людьми легче управлять. И это он посоветовал Ильичу посадить на пароход главных интеллектуалов России и отправить вон из страны. Но, вправду, был любитель животных и птиц... (насмешливо) и при том — охотник. На очередной партконференции, когда Ленин делал доклад, любитель птиц придумал пригласить Ильича на охоту и отправил в президиум приглашение — подстреленную перепелку! Получив окровавленный трупик, Ленин весело расхохотался над проказливостью «любимца партии».

ОНА. Ревнуешь до сих пор?

К. Ты с ним спала?

ОНА. До сих пор не можешь мне простить... А я — себе. То, что этого, не было... Меня всегда пугали ваши разговоры. Тогда, *в начале* двадцатых, вы пели в унисон... В *конце* двадцатых все больше говорил один Бухарин, а ты молчал...

БУХАРИН. Хочется нам или не хочется, мы должны осуществить выбраковку нового человека... из материала капиталистической эпохи. Жестокая работа! И здесь Троцкий прав: «Надо навсегда покончить с поповско-квакерской болтовней о священной ценности человеческой жизни», когда на наших плечах лежат величайшие исторические задачи. Пароход философов был компромиссом. (Усмехается.) Куда полезней для Революции было их всех расстрелять. (Звонко хохочет.)

К. Да.

ОНА. Думаю, для него ты был обычный немногословный финн. Но я-то тебя знаю... Ты бываешь очень многословным. Но становишься типичным финном, когда тебе, по каким-то причинам, *не надо* говорить. Однако ваши кро-

вавые разговоры... возбуждали. И ночью, *после нашего безумия... мы еще бывали безумны...* я сказала: «Страшненькие у вас разговоры с Бухариным...»

К. Точнее — болтовня. Бухарин только говорит, действовать кроваво может лишь рябой грузин. Знаешь, что он придумал? Истребить всё зажиточное русское крестьянство — так называемых кулаков. То есть, самых умелых крестьян.

ОНА. Но зачем?!

К. Задумал индустриализацию крестьянской страны. Не имея валюты, не имея новых технологий. Но для этого ему нужен дешевый, практически бесплатный хлеб и труд. И он решил истребить зажиточных крестьян, а бедноту объединить в колхозы, которые будут продавать хлеб и продукты по ценам, назначенным государством. Русская деревня возвращается в крепостное состояние. Чтобы он мог рывком догнать капиталистические страны. И этот женственный глупец Бухарин посмел выступить против...

ОНА. И я поняла, почему ты стал с ним так немногословен... Уже вскоре Бухарин прибежал к нам...

Квартира К. Бухарин и К.

БУХАРИН. Послушай, наш Чингисхан сошел с ума... Его колхозы — это военно-феодальная эксплуатация несчастного крестьянства. Колхозы крестьяне ненавидят. Уже появился анекдот: «Как избавиться от вшей? Напиши на голове: «Колхоз», и вши сами разбегутся». (Звонко хохочет, потом трагически.) Он заткнул всем рты. В самый страшный период гражданской войны в партии шли свободные дискуссии. Нынче признается только угодничество... Что ты молчишь? Коминтерн обязан вмешаться!

К. Николай, ты забыл главное правило: Коминтерн не обсуждает вашу партию. Она эталон.

БУХАРИН. Боишься... А мы... мы пойдем до конца.

К. Кто — «мы»?

БУХАРИН. Глава профсоюзов Томский, председатель правительства Рыков... К нам присоединятся отцы октябрь-

ской Революции — Каменев, Зиновьев, вчерашние сподвижники Чингисхана.

К. Он сдунет вас всех, как пушинку с рукава. В его руках партия! И, что важнее, в его руках ОГПУ.

БУХАРИН. Он погубит страну и партию. Будет голод и всеобщее восстание.

К. Голод — да, восстание — нет. Пока есть ОГПУ, никакого восстания не будет.

БУХАРИН. Ты, конечно, донесешь ему, что я был у тебя.

К. Ты правильно думаешь. Но если я не донесу, донесут другие. Ты наверняка ходил не к одному мне! Вам крышка, Николай!

БУХАРИН. Спасибо на добром слове, Отто.

ОНА. Все случилось, как предсказал Бухарин, — наступил голод, магазины опустели, стояли только бочки с кислой капустой. Карточки на хлеб... Потерять карточку — смерти подобно. Население кормилось в столовых при заводах. Но наш райский магазин радовал глаз по-прежнему...

К. Радовал живот по-прежнему.

ОНА. Икра, рыба, мясо, выпивка — и все по тем же смешным ценам. Можно брать сухим пайком, а можно «мокрым» — то есть, готовый роскошный обед в судках. Но однажды... В тот день наша прислуга болела, и я сама пошла в наш сказочный магазин. И когда вышла с сумками и направилась к машине, увидела их... Это был крестьянин. Он был невероятно худ, вместо лица — одни скулы, держал за руку маленький скелетик — дочку. Он снял шапку и зашептал: «Христа ради, дайте что-нибудь, только побыстрее, а то увидят и нас заберут». Он не понимал, что около нашего магазина полно переодетых сотрудников безопасности... Я не успела дать, тотчас пятеро товарищей притиснулись к нему и повели его и девочку... Дома у меня случилась истерика: «Если бы ты их видел!»

К. Я их не видел. Но и ты их не видела...

ОНА. Как это — не видела?

К. Нельзя видеть то, чего нет.

ОНА. То есть, как это — нет?!

К. Есть обычные женщины, которые видят все, что происходит на улице. А есть жена лидера Коминтерна, которая видит только то, что позволяет ей увидеть Его Величество рабочий класс... Враги кричат, что в результате коллективизации СССР охватил жесточайший голод... Враги видят, как похожие на приведения крестьяне приходят на окраины городов и умоляют дать им хлеба... Но Иосиф Виссарионович запретил нам это видеть. Запретил даже говорить об этом. Идет строительство новой страны. Невиданный социальный эксперимент. И нам не нужны эти панические разговоры. Ты читала в газетах хоть строчку о голоде? Читала? Отвечай!

ОНА. Нет...

К. Потому что никакого голода нет! Запомнила? Есть злобные сельские богачи — кулаки, прячущие хлеб от народа. *Их расстреливают или ссылают!* Есть контрреволюционная агитация наших врагов, за нее дают десять лет... А теперь приготовь мне кофе, Айно, жена Отто, исправившего ей зрение...

ОНА. Я слушала твои поучения и видела, как тебе больно менять кожу. А менять ее приходилось каждый день... Самое страшное, Отто, что ты был прав: деревня умирала покорно. Миллионы умерли, а страна пела и славила сталинскую коллективизацию.

ОНА. Бухарин перестал у нас бывать. Ты перестал его звать?

К. Хочешь ебаться — найди другого побезопаснее!

ОНА. Что с тобой, Отто?..

К. Он похож на зараженного чумой, который, уходя на тот свет, жаждет заразить здоровых...

ОНА. И уже вскоре я узнала, что ты произнес одну из самых беспощадных речей против Бухарина...

К. Бедный Бухарин не понял, *с кем* он посмел воевать... Я понимаю. И потому я, никого и ничего в жизни не страшась, Усатого боюсь... смертельно!

ОНА. В это время мы переехали. Сталин велел построить на набережной Москвы-реки этот «Дом на Набережной», собрав в нем всю верхушку партии, армии и правительства. Только самые близкие сподвижники остались в обезлюдившем Кремле... Дом-махина в двадцать пять подъездов — какого-то безысходно серого цвета. Из моих окон был виден Кремль, из гостиной — храм Христа Спасителя, из спальни — одна из древнейших церквей Москвы, будто захваченная в плен нашим домом и превращенная в склад. Я сказала: «Недоброе место».

К. Ты всегда была немного ведьма... Девяносто пять процентов вельможных обитателей дома лягут с пулей или сгниют в лагерях... Но тогда я был в восторге. Умей наслаждаться новой квартирой! Погляди на потолок...

Квартира в «Доме на набережной». К. и Она.

ОНА. Лепнина! Во всех комнатах разный орнамент. А это что? Боже мой, тараканы!

К. Это Россия! Здесь таракан — друг человека. Этих усатых существ веками никто не может истребить. Зато посмотри, какая у нас уборная...

ОНА. Дворец! Но что это...

К. Как пользоваться унитазом. Понимаешь, не все нынешние руководители пользовались прежде уборными со сливным бачком. У некоторых была дырка на улице, рядом с избой. Революция: «кто был ничем — тот станет всем».

ОНА. Боже мой, здесь уже стоит мебель!

К. Учти, эту мебель лично утверждал Сталин...

ОНА. И фарфоровая посуда в буфете, и медные кастрюли на кухне. Даже свечи, коли лампочка перегорит... Мы оказались в светлом будущем коммунизма. Впрочем, мы из него и не выходили. Но рябой позаботился не только о мебели и свечах... Уже на третью ночь я услышала в комнате кашель...

(Обращается к К.) Проснись!.. Слышишь? (Отчетливо слышен кашель.)

К. Ничего не слышу.

ОНА. А я слышала кашель.

К. Ты тоже ничего не слышала. Спи, объясню завтра. Спи!

ОНА. Объяснил завтра на улице...

К. Дорогая, жизнь стремительно меняется, и говорить о подобных вещах дома... не надо. В нашем десятом подъезде живут самые видные руководители — наркомы, командующие армиями и так далее. А вот одиннадцатый подъезд дома необитаем...

ОНА. Не поняла...

К. Строительство контролировал Ягода, глава ОГПУ. И там, в пустом подъезде, то есть, за нашими стенами, стоят круглосуточно живые подслушивающие устройства...

ОНА. Я не понимаю!

К. Стоят сотрудники и слушают...

ОНА. А ты откуда знаешь?

К. Знаю... Отнесись к этому с юмором. (Усмехается.) Медичи Великолепный, награждая дворцами своих вельмож, делал подобное. Если без шуток — в связи с борьбой с оппозицией, в связи с угрозой прихода к власти фашистов в Германии...

ОНА. Ты хочешь прочесть мне лекцию?

К. Это точно! Моего секретаря Мауно Хеймо вызвали на Лубянку и предложили ему писать отчеты о том, с кем и о чем я говорю... Он говорит, что отказался... Они его больше не вызывали. Ты понимаешь, что это значит? Это значит, что согласился кто-то другой из моего окружения! Или... согласился сам Хеймо! Он мой питомец, блестящий организатор, навел какой-то порядок в нашем Вавилоне по имени «Коминтерн»...

ОНА. И к тому же очень красивый... Ну, Бог с ним! Я не смогу с тобой спать... Я не могу, чтобы третий слушал... как я кричу.

К. Успокойся, я переговорю с Хрущевым... Это безобразие мы прекратим.

ОНА. Уверена — не переговорил.

ОНА. Хозяин! (Смеется.) Как стремительно все поменялось! В стране Революции, уничтожившей хозяев, рябого грузина стали называть «Хозяином»... И он вправду им стал. Теперь весь день, с утра до вечера, гремело одно имя. Его я слышала из репродуктора на работе. Оно бросалось на меня из репродукторов и на улице, и дома. Если открывала газету, оно прыгало прямо в суп со всех страниц... А если выключить радио, разорвать газету, оно донесется из-за стены, из репродуктора соседа... В нашем доме был клуб. Как-то, проходя мимо, я услышала истошные крики. Заглянула в зал и поразилась...

На сцене стоит организатор. В зале — множество мужчин.

ОРГАНИЗАТОР. Итак, все делегаты, стоя, приветствуют товарища Сталина. Они устраивают ему продолжительную овацию. Двадцать раз кричим «Ура!». Начали!

МУЖЧИНЫ (хором). Ура! Ура! Ура!..

ОРГАНИЗАТОР. Включается группа скандирования: «Великому Сталину — ура!» — десять раз. «Нашему любимому Сталину — ура!» — двадцать раз... Подхватывайте активнее, товарищи. Великому Сталину — ура! ура! ура!..

ОНА. Придя домой, спросила: «Что происходит в нашем клубе?»

К. Когда ты перестанешь удивляться и меня мучить? Репетирует группа скандирования. Страна готовятся к четырнадцатой партконференции.

ОНА. Но зачем эта группа? Нынче вся страна — группа скандирования.

К. Перестань!

ОНА. Забыла, что стены слышат в буквальном смысле. (Хохочет.) Молчу.

К. Нам придется изменить расписание нашей жизни. Хозяин работает ночами, и у него часто возникают вопросы или мысли. Ему нужно поделиться, посовещаться с руководите-

лями. Но мы спим... Теперь все руководители, у которых, как у меня, стоит особый телефон... его нельзя прослушать посторонним — соединяет автоматически, *без помощи телефонисток*... Все мы теперь будем бодрствовать после полуночи.

ОНА. И во сколько тебя ждать в кровать?

К. В шестом часу, когда обычно ложится...

ОНА (с усмешкой). Хозяин! С тех пор я возвращалась с работы, когда ты только просыпался. И просыпалась, когда ты только шел спать. И однажды, когда я проснулась, ты все-таки попытался...

ОНА. Не надо, я опаздываю на работу.

К. Жаль... Я скоро забуду, как это делается.

ОНА. Ты забудешь, как это делается со мной... Сказать тебе, с кем ты помнишь? Можно проще — просто перечислить всех молоденьких секретарш в нашем Коминтерне. (К. пытается обнять ее.) Нет! Безумие прошло, мой друг, а гимнастика в кровати мне не интересна...

ОНА. Все рушилось. И в квартире, и за окном. Я так любила смотреть в окно... Там был огромный, ослепительно горевший золотом главный храм страны — храм Христа Спасителя. И однажды в окно я увидела тысячи людей. Они шли, как на праздник, с песнями и плакатами: «За безбожную Москву!», «Религия — опиум для народа»... Храм взорвали на моих глазах. Теперь в окне — только развороченные камни...

К. Зато на этом месте будет воздвигнут невиданный дворец высотой в полкилометра, увенчанный стометровой скульптурой Ленина. (Смеется.) Один его палец, указывающий в светлое будущее, будет длиной в шесть метров...

ОНА. Да, смешно, но смеяться нельзя. (Смеется тоже.) Нелегко носить большевистскую кожу?

К. Да, они азиаты, но поверь, мы спрыгнули в нужном месте.

ОНА. Мечтали о стране всеобщего равенства — и что получили? Хотели ликвидировать бюрократию — и чего добились? Уничтожили религию — и главного атеиста превратили в святые мощи...

К. Ты не понимаешь, женщина! Русский народ из века в век имел бюрократию. И он ее имеет нынче. Имел религию. И она есть — новая религия. Мавзолей — верховный храм новой религии, лежащий там Ленин — Иоанн Предтеча...

ОНА. Так что же, Христос — это...

К. Да, Мессия Виссарионович Сталин. Прошу любить и жаловать. И его новую религию — азиатский марксизм. И, как положено религии, она нетерпимо относится к другим религиям. Потому мы взрываем и закрываем христианские храмы, сажаем священников...

ОНА. Но ты, преклоняющийся перед разумом, эстет, обожающий Шомберга.

К. Пришлось сбросить и эту кожу. В стране азиатской Революции нет места эстетам. Вот почему Сталин — в Кремле, а Троцкий — изгнанник. Да, у нового Мессии посредственный ум, зато невероятное честолюбие. Это честолюбие родило качества, которые для политика важнее ума, — мстительность, невероятную волю и хитрость, умение играть на самых низких свойствах натуры. Только такой беспринципный и страшный человек способен создать государство-крепость, из которого мы понесем знамена Революции по всему миру. *И тогда вернем себе нашу родину!*

ОНА. Это я услышала от тебя впервые. И лишь в тот миг поняла, зачем ты здесь.

К. У нас сегодня новый гость...

ОНА. Это был твой новый друг, прокурор республики товарищ Крыленко. Он альпинист, прекрасный лыжник и шахматист... Ты тоже обожал лыжи и шахматы...

Крыленко и К. играют в шахматы.

КРЫЛЕНКО. Давненько не брал я в руки шахматы...

К. Шутить изволите. Съедим вашего коня...

КРЫЛЕНКО. Давненько не брал я в руки шахматы... Прислали мне молодых прокуроров. Я объясняю сосункам: «Есть такой предрассудок, впитанный вами с молоком матери: судить надо, исходя из высшей справедливости. Запомните до гробовой доски: судить надо, исходя из указаний партии!»... Теперь вам шах.

К. Шутить изволите. (Передвигает фигуру.)

КРЫЛЕНКО. Давненько не брал я в руки шахматы... «И если, исходя из партийной политической целесообразности, надо расстрелять — расстреливайте». Вам шах.

К. Знаем, знаем, как вы давно не играли...

КРЫЛЕНКО. Также интересен вопрос о правомерности пыток в пролетарском судопроизводстве... Великий вождь товарищ Сталин помог нам разобраться: «Желая добиться от подсудимых — представителей эксплуататорских классов важных признаний, можно и должно использовать пытки...» Вам мат, товарищ!

ОНА. А все-таки Господь есть. И любит улыбаться... сквозь слезы о человечестве. Не пройдет и пяти лет, как верного большевика Крыленко «правомерными пытками» заставят признаться в том, что он шпион и предатель. Расстреляют... Мы окружены трупами...

К. Мы рубим капиталистический лес, и должны лететь щепки... Мне кажется, в последнее время ты немного помешалась на правде... Это бывает. Мне рассказывали, наш знаменитый писатель Гайдар, как и ты, помешался на правде. У него хватило остатков ума добровольно сесть в сумасшедший дом. Вышел излечившимся!

ОНА. Ты хотел отправить меня?..

К. Зачем так радикально? Просто тебе вредно работать в отделе информации...

ОНА. И уже вскоре меня вызвал товарищ Пятницкий...

Кабинет Пятницкого. Пятницкий и Она.

ПЯТНИЦКИЙ. Мы хотим предложить тебе, товарищ, ответственное задание. В Штатах — конфликтная ситуа-

ция. Финские рабочие-коммунисты образовали объединение внутри Компартии США. Но американцы против... Ты знаешь английский, разберись, в чем там дело.

ОНА. Как я догадываюсь, это не все задание?

ПЯТНИЦКИЙ. Приятно иметь дело с умным человеком. Ты должна будешь также вести пропаганду среди американских финнов. Пусть едут к нам, в нашу советскую карельскую автономию... Время для агитации благоприятное, у них кризис, безработица.

ОНА. Сколько приехавших исчезнут в лагерях в дни террора! Я себя проклинала... потом. Но кто мог предположить тогда?! Кто мог!

ПЯТНИЦКИЙ. Но и это не главное. Ты получишь еще одно задание... секретного характера. Но, конечно, тебе следует все обсудить с мужем. Потому что если он против...

ОНА. Мне почему-то кажется, он будет «за»... (Пятницкий улыбается.)

ОНА. Вечером я рассказала о предложении тебе...

К. Ну и что ты ответила Пятницкому?

ОНА. Что готова. Хочешь показать, что расстроен? А я думала, ты будешь плясать от радости... Я почему-то уверена, что ты сам устроил мне эту поездку. Так тебе легче жить без моих постоянных вопросов. И главное — трахаться. Дорогой муженек с вечно пылающим членом...

ОНА. Уже в Америке я прочла в коммунистической газете перепечатку из газеты «Правда»: «ЦК ВКП (б) с прискорбием доводит до сведения товарищей, что в ночь на 9 ноября скончалась активный и преданный член партии Надежда Сергеевна Аллилуева». Но в американских газетах писали: «Сталин во время ссоры убил свою жену».

ОНА. Я вернулась в СССР... В квартире было грязно. Наша уборщица Галя совсем...

К. (перебивает). У нас с завтрашнего дня будет убирать другая уборщица, потом объясню...

ОНА. Но так и не объяснил. На следующий день у меня был доклад в Коминтерне о поездке. И после доклада...

К. Вынужден сделать тебе замечание.

ОНА. Что не понравилось?

К. Отношение. Когда моя жена рассказывает о небоскребе, где находится финский рабочий союз, она должна не забывать добавить: «В этом небоскребе двадцать восемь этажей. Наши финны находятся на двадцать шестом. Догадайтесь, товарищи, что бывает, когда у них ломается лифт!»

ОНА. Ничего не бывает — они просто ездят на другом.

К. «Но если второй поломается, — рассказывает жена товарища К., — тогда им надо взбираться по лестнице на двадцать шестой этаж... И, как вы догадываетесь, порой немолодые финны не доходят».

ОНА. Какая чепуха! Они ездят на третьем или на четвертом. Там четыре лифта!

К. Но это необязательно знать твоим слушателям. У тебя должен быть особый взгляд.

ОНА (насмешливо). Что это такое, я забыла в дороге.

К. Я терпеливый, объясню... К примеру, два знаменитых советских писателя, товарищи Ильф и Петров, поездили по Америке. И в своей книге они не забывают объяснять читателям: «Да, у американцев есть все материальные блага, но нет ничего, что делает людей счастливыми».

ОНА. То ли дело у нас в Москве... Рядовой обыватель живет в коммуналке, встает чуть свет, занимает очередь пописать, а потом выскакивает на улицу. И ходу — ведь, по слухам, где-то дают сыр!.. Опоздал, зато узнал, где дают сахар! И с сахаром — счастливейший — на работу! Мы с тобой, правда, этого не знаем, мы в коммунизме!

К. По-прежнему не понимаешь, а жаль.

ОНА. Ты мне все-таки скажешь, почему не убирает наша уборщица?

К. Прогуляемся.

На улице.

К. Французская революция мечтала о царстве свободы, но одновременно с царством свободы основала царство палача. Здесь в Азии царство палача будет пострашнее. И я прошу тебя: во имя нашего будущего победоносного возвращения на родину — уйми свой язык!

ОНА. Я не могу унять разум. Я все время вспоминаю роман «Бесы» Достоевского. Бесы мечтают об обществе, где все равны... но находятся в подчинении вождям. Где все следят за всеми — и все доносят на всех... Причем, в этом обществе все безумны. Но никогда люди не были так уверены в своей правоте и истине, как эти безумные!

К. Это клевета на Революцию! Да, Революция жестока, но она прекрасна! И я не хочу слушать реакционные глупости...

ОНА. Ну хорошо. Тогда о другом. В Америке было много слухов о смерти *его* жены. Точнее, о ее убийстве. Мне важно узнать об этом — не из любопытства. Я хочу знать, на что способен человек, который распоряжается моею жизнью. Туда ли я спрыгнула с транспортера? Вот почему я хотела бы поговорить с нашей уборщицей...

К. Она... исчезла. Нам дали другую, с понедельника.

ОНА. И ты, конечно, не спросил о ее судьбе?

К. Я давно ни о чем не спрашиваю. И тебя прошу научиться этому. Но, если тебя так интересует судьба жены Сталина, расскажу официальную версию. Для народа: умерла от приступа аппендицита. Для посвященных: тяжело болела и покончила с собой в квартире. Товарищ Сталин ночевал на даче и узнал о ее смерти только утром. Все!

ОНА. Но я решилась узнать сама. Три сестры работали уборщицами у партийной элиты. Галя — у нас, ее старшая сестра — у Сталина, а третья убирала у моей знакомой, жены маршала...

Она и жена маршала.

ОНА. Куда-то исчезла моя уборщица. Ты не можешь дать мне свою?

ЖЕНА МАРШАЛА. Нет.

ОНА. Значит, твоя тоже исчезла?

ЖЕНА МАРШАЛА. Расскажи мне... об Америке.

ОНА. После рассказа об Америке знакомая пошла меня провожать...

ЖЕНА МАРШАЛА. Послушай, приучись, наконец, спрашивать о подобных вещах на улице.

ОНА. Приучусь! А сейчас выкладывай.

ЖЕНА МАРШАЛА. Моя уборщица пересказала мне рассказ старшей сестры. Был праздник, день Октябрьской Революции. И ее сестру оставили ночевать у Сталиных, чтобы утром прибраться... Сталин не был на даче, он ночевал в квартире. И посреди ночи она услышала выстрел... Эта дура мне рассказала, но, видно, не только мне... Все три сестры исчезли... Забудь все, что услышала.

ОНА. Когда я вернулась, ты меня поджидал...

К. Я догадываюсь, для чего ты ходила! Ты погубишь себя! И заодно меня!

ОНА. Прости. Больше не повторится... Мне стало душно в Москве... Душно дома от этой трусости и лжи... Я выполняла в Америке *некоторые особые задания* Коминтерна... И удачно. Поэтому решилась... В нашем доме жил Берзин, глава всей военной разведки. Я пошла к нему и предложила свои услуги. Он обещал подумать. Через день позвал меня и сказал: они согласны, но чтоб я поговорила с тобой... Однако пока я ходила к Берзину, к тебе приехал Сталин...

Сталин и К.

СТАЛИН. Как устроился в новой квартире, дорогой? Увидел зримые черты коммунизма? Когда-нибудь их увидит весь советский народ. Жена довольна?

К. Очень довольна.

СТАЛИН. У тебя умная жена, и она не хочет быть бабой. Неплохо поработала в Америке, хочет работать и дальше. Товарищи предлагают послать ее в Японию. Думаю, она

тебе все расскажет сама... У нас к тебе другое дело... Но сначала ответь, умный финн, что происходит в мире? В начале двадцатых немецкая экономика была разрушена, марка обесценена, нищета, сотни тысяч калек, сильная компартия, оружия у коммунистов в достатке, советский народ щедро помогал твоему Коминтерну... И где результат? Где мировая Революция, в которую так верил великий Ленин? Шиш! И вот сейчас в мире — новый жесточайший кризис, в Германии — армия безработных, тысячи немецких рабочих участвовали в демонстрациях. И результат — к власти пришел Гитлер! Почему, дорогой? Я тебя спрашиваю, одного из вождей всемирного штаба Революции...

К. Я над этим думаю постоянно, Иосиф Виссарионович. Был великий период — с 1917 по 1923 годы, когда произошла наша Революция и происходили революции в других странах. Полагаю, мы в Коминтерне были тогда слишком робки... Чего не скажешь о буржуазии. До Октябрьской Революции капиталистические правительства знать не знали о коммунистической угрозе. Точнее, знали, но не верили в нее. Но после нашей Революции в России они быстро научились. Убивают восстания в зародыше. Тюрьмы Европы набиты коммунистами. Нашу прессу душат, с заводов поувольняли наших активистов... И наступила стабилизация капиталистической системы. Да, в двадцать восьмом году надежды пробудились опять. Великий кризис, увольнения рабочих, общее обнищание... Но именно тогда буржуазия стала поддерживать лжерабочую нацистскую партию, укравшую многие наши идеи — даже цвет знамени. Но самое печальное... (Молчит.)

СТАЛИН. Ну, говори, дорогой.

К. Коминтерн, вместо того чтобы быть штабом мировых Революций, все эти годы превращался в дом отдыха престарелых революционеров. Мне трудно продвигать способных молодых, места заняты старыми тупицами.

СТАЛИН. Умный, очень умный финн... Но что нам делать с вашими тупицами?

К. Ленин, борясь с оппозицией старых большевиков, както пошутил: «Революционеров после пятидесяти лет нужно отправлять к праотцам, иначе они становятся тормозом идеи, которой сами посвятили всю жизнь»...

СТАЛИН. Великий человек — Ильич. (Мрачно.) В этой шутке есть большая доля правды... Итак, твоя жинка хочет поработать в Японии, в нашей разведке... Поручишься за нее?

К. Не смогу, Иосиф Виссарионович.

СТАЛИН. Честно ответил... Как за них поручиться — за женщин! Разве теперь я мог бы поручится за свою? ... И ведь такой маленький был пистолетик, брат ей привез из Германии... в подарок. Нашел что дарить! Я *был на даче,* там работал. Приехал в московскую квартиру под утро и узнал...

К. Он остановился и посмотрел мне в глаза. Если бы ты видела, как он смотрел своими желтыми глазами... И я поспешил...

ОНА. Доказал, что веришь в самоубийство.

К. (Сталину). Убить себя — оставить без матери двоих маленьких детей!

СТАЛИН. Что дети? Они маленькие, они ее забудут. А вот меня она искалечила на всю жизнь... (Пристально глядит на К.) Ты скажи своей, чтоб бабьи сплетни не слушала. (Медленно.) А то... до беды недалеко.

К. Спасибо, непременно скажу.

СТАЛИН. Я пришел к тебе по делу... Как тебе известно, по обвинению в поджоге Рейхстага арестованы поджигатель, сумасшедший Ван дер Люббе, и ваши коминтерновцы — болгарские коммунисты товарищи Димитров, Попов и Танев и немецкий коммунист товарищ Торглер. Их будто бы видели в обществе поджигателя.

К. Так...

СТАЛИН. Ситуация такова: Попов и Танев немецкого не знают, Торглер осторожничает и будет только доказывать свое алиби. А вот товарищ Димитров немецкий знает от-

лично и, как передают наши товарищи из Германии, готов к борьбе. Что скажешь?

К. Процесс, действительно, может стать великолепной трибуной для коммунистической агитации. Ведь весь мир понимает, кто и зачем поджег Рейхстаг.

СТАЛИН. Да! И выглядит товарищ Димитров отлично — мерзавцы держат его в кандалах, мир возмущен, он страдалец! Все это замечательно! Правда, по нашим сведениям, товарищ Димитров — парень славный, но не орел... Вот если бы помочь и написать речи товарищу Димитрову?.. Скажи, дорогой и умный финн, готов ли ты передать товарищу коммунисту свои мысли?

К. Неважно, кто высказывает мои, то есть наши мысли. Важно, чтобы они победили.

СТАЛИН. Браво!

К. Зная возможности товарища Димитрова, я уже раздумывал над таким вариантом.

СТАЛИН. Опять — браво!

К. Но мне сообщили, что к нему не пускают даже адвокатов.

СТАЛИН. А вот тут забота наша. Не забывай, дорогой: нет таких крепостей, которые не взяли бы русские большевики! К нему пускают мать... У него плохо с желудком, она носит ему продукты. И заворачивает продукты... в обычную немецкую газету. Фальшивую немецкую газету мы наберем у себя. И внутри газетных статей шифром будут планы речей. И ключевые цитаты. Все сочинит очень умный финн...

К. При таком повороте событий ему лучше отказаться от защитников. И защищать себя самому. Тогда он будет иметь право выступать с речами дважды — как защитник и как обвиняемый.

СТАЛИН. И это хорошая идея!..

К. Полагалось ответить: «Мне всегда приходят в голову хорошие идеи, когда со мной беседует товарищ Сталин». Но я промолчал.

ОНА. Понимаю, ты был в бешенстве...

К. Еще бы! Болгарин Димитров, обычный, убогий коминтерновец, в свое время участвовал в безуспешном восстании в Болгарии. И теперь, благодаря гитлеровским идиотам, ему будет сочувствовать, им будет восхищаться весь мир!

ОНА. Когда я вернулась домой, ты стоял на стуле и держал речь!

К. Да, господин судья, я защищаю Революцию, защищаю свои убеждения, защищаю Коминтерн — смысл и содержание моей жизни... Здесь наверняка будет реплика судьи: «Немедленно прекратите агитацию! Это суд, при чем тут Коминтерн!». ... Вы хотите знать, что такое Коминтерн, господин судья? Это великое объединение всех коммунистических партий в мировую компартию. И в программе этой партии нет места поджогам и политическим авантюрам!..

ОНА. Что происходит?

К. Готовлю триумф другого. «Сирано де Бержерак» всегда был моей любимой пьесой... Придется сыграть ее в жизни. Помнишь про стрелку на часах? Она на виду. А я предпочитаю быть невидимым механизмом, двигающим стрелку...

Она начинает быстро и молча укладывать вещи в чемодан.

К. Что ты делаешь?

ОНА. Ты знаешь. Уезжаю в Японию.

К. Но как ты могла все решить одна? Это должны решать мы оба...

ОНА. Нас *обоих* давно нет. Теперь я одна... И одна себе нравлюсь. Немолодая, но еще желанная, одинокая красивая дама. Согласись, недурна... и даже очень. «В сорок пять баба ягодка опять»... И впереди — море удовольствий. Как я поняла, согласно заданиям, придется переспать... надеюсь, с очень интересными людьми.

К. Перестань...

ОНА. Когда ты перетрахал весь Коминтерн, меня беспокоил вопрос: почему тебе можно, а мне нельзя? И я решила

попробовать... с твоим красавчиком-секретарем. Оказалось, дело непростое. В моем ухе таится предательский кусочек кожи... когда ты дотрагивался до него губами, земля уходила из-под моих ног. И поэтому... когда я изменяла тебе...

К. С Матти?!

ОНА. С Мауно не получилось — не захотел. Он преданно служит тебе... Но есть у вас венгр, лучший синхронист Коминтерна. Я его однажды спросила: «А как вы успеваете переводить со всех языков?» Он говорит: «Это легко... Когда они только начинают говорить, я уже знаю продолжение фразы». (Хохочет.) Ну как можно было устоять перед таким?

К. Ты пьяна?

ОНА. Трудно уходить от любимого на трезвую голову. Позволь вернуться к важному... Когда я изменяла тебе...

К. Замолчи!

ОНА. Почему? Это так поучительно... Я все ждала, когда земля умчится из-под моих бедных ног. Но не вышло... И не выйдет, пока... (остановилась) ... пока я не освобожусь... от тебя! Мне иначе нельзя начать нормально жить. И я решила убраться от тебя к чертям собачьим, то есть, в Японию. Прости, что я так многословна...

К. Айно...

ОНА. Ошибся. Я Элизабет, журналистка. У меня теперь новый паспорт... Через Вену, Берлин, Стокгольм я направляюсь к новой жизни.

К. Но я тебе не разрешаю!

ОНА. Что ты говоришь! Ты можешь не разрешать только в своей жалкой заводи под названием «Коминтерн». А, выходя из здания на улицу государства-эталона, ты уже ничего не можешь.

К. Они с ума сошли! Ты завалишься на первом задании...

ОНА. Боишься, да? Не за меня — за себя... Завалюсь, и враги узнают, чья я жена... Чтобы ты не боялся — нас с тобой развели.

К. Как? Когда?

ОНА. Час назад. В эталонном государстве все делается моментально, если этого хочет эталонный наркомат ОГПУ.

Что же касается наших с тобой желаний и жизней... Личные судьбы так мизерабельны, как любил говорить несчастный товарищ Бухарин... Прощай! Ты будешь тосковать... Ты будешь сильно тосковать. (Убегает.)

ЧАСТЬ ВТОРАЯ

Квартира К. Звонок телефона.

ГОЛОС СЕКРЕТАРЯ СТАЛИНА. С вами будет говорить товарищ Сталин.

СТАЛИН. Отличная работа! Димитрова трижды лишали слова и однажды вывели из зала суда. Эйнштейн, Ромен Роллан — много знаменитостей включились в борьбу за его освобождение.

К. Он теперь знамя, символ!

СТАЛИН. Молодец, финн!

К. Благодарю, товарищ Сталин. Следующие его выступления, и особенно вопросы суду, будут еще злее. Надеюсь, его много раз лишат слова и изгонят из зала суда. Как бы не убили...

СТАЛИН. Смерть входит в профессию политика.

К. Вы правы, товарищ Сталин. Жизнь — ничто, идея — все. До свидания.

23 декабря 1933 года. Квартира К. Звонок телефона.

ГОЛОС СЕКРЕТАРЯ СТАЛИНА. С вами будет говорить товарищ Сталин.

СТАЛИН. Поздравляю. Его и остальных коминтерновцев оправдали! Мы предложили гражданство всем оправданным. Коминтерн и советский народ должны устроить достойную встречу. И, прежде всего, несгибаемому борцу товарищу Димитрову! Хочу с тобой посоветоваться, умный финн. Ты оказался прав, она требуется — большая чистка Коминтерна. Но чтобы ее провести в нужном масштабе, в Коминтерне необходим новый пост вождя — то есть, Генерального секретаря...

К. Это мудрое решение.

СТАЛИН. Но кого назначить Генеральным секретарем? Какие у тебя идеи?..

К. Герой дня сегодня один — Димитров. Его замечательные речи уже разошлись на цитаты, их повторяют коммунисты всего мира.

СТАЛИН. Не обидно?

К. Это качество обывателя, как учит нас товарищ Сталин.

СТАЛИН. Что ж, умеешь *съежиться вовремя*... Нужное качество. Очень.

К. Я уже говорил: мне не важна моя победа. Мне важна победа моей мысли.

СТАЛИН. Тогда ты не политик, дорогой, ты всего лишь академик.

К. В феврале приехали в Москву герои Лейпцигского процесса и главный герой — Димитров... Накануне состоялся знаменитый семнадцатый съезд партии.

ОНА. Я читала о нем в японских газетах. После ужасающего голода съезд объявил... построенным «фундамент социалистического общества». Страна узнала, что живет в том самом социализме, о котором столько мечтали вы, революционеры... Правда, продукты в этом социализме продолжали выдавать по карточкам. Ты был на съезде...

К. Что творилось, когда Мессия Виссарионович появился на трибуне!

На трибуне Сталин.

ГРУППА СКАНДИРОВАНИЯ. Великому Сталину — слава! Гениальному продолжателю дела Ленина — ура! Корифею науки и техники — ура! Ура! Ура!..

Восторженный рев зала.

Сталин машет рукой, как бы пытаясь усмирить зал. Беспомощно звонит в колокольчик. Овации и крики переходят *в оглушительный рев.*

К. Съезд назвали «съездом Победителей», хотя следовало назвать «съездом Победителя».

Зал с трудом затихает. Сталин начинает читать отчетный доклад.

СТАЛИН. «Дорогие товарищи! Если на пятнадцатом съезде приходилось ещё доказывать правильность линии партии и вести борьбу с известными антиленинскими группировками, а на шестнадцатом съезде — добивать последних приверженцев этих группировок, то на этом съезде — и доказывать нечего, да, пожалуй — и бить некого... Все видят, что линия партии победила... Победила политика индустриализации... Доказано на опыте нашей страны, что победа социализма в одной, отдельно взятой стране — вполне возможна...»

Восторженный рев зала.

К. И началось! Это было славословие, которое знали только московские цари... Особенно усердствовали вчерашние оппозиционеры. Они яростно обличали сами себя — захлебываясь в восхвалениях Сталину.

БУХАРИН (на трибуне). Сталин — славный фельдмаршал пролетарских сил. Все мои обвинения Сталина были ложью на грани преступления и одной из острейших ядовитых парфяских стрел, направленных в сердце партии...

ЗИНОВЬЕВ (на трибуне). Доклад Сталина — редкий и редчайший в мировой истории коммунизма документ, который можно и должно перечитывать по многу раз... Это бессмертный шедевр, который войдет в сокровищницу коммунистической мысли... (Истерически.) Да здравствует победоносное великое учение Маркса-Энгельса-Ленина-Сталина!

ГРУППА СКАНДИРОВАНИЯ. Великому Сталину — слава! Гениальному продолжателю дела Ленина — ура!...

К. Вся ленинская партия была у его ног. Каменев, Рыков, Томский — все, кто был вместе с Бухариным, славили и каялись, каялись и славили.

ОНА. И ты?

К. И я! И со мной — весь исполком Коминтерна.

ОНА. Трудно... так часто менять кожу?

К. Привыкаешь... (Помолчав.) На этом съезде все и случилось. Съезд должен был избрать *тайным* голосованием высший орган партии — центральный комитет. И состоялись выборы. Объявили итог: Сталин получил всего три голоса «против»... меньше всех. С тем я и уехал домой. Но уже вскоре поползли слухи, будто на самом деле две сотни славословивших проголосовали против него... И будто депутаты пришли к партийному вождю Ленинграда Кирову и предложили ему пост генерального секретаря, но Киров отказался... За эти слухи можно было отправиться в тюрьму. Поэтому, услышав, полагалось сказать: «Вражеская болтовня, я в это не верю и вам верить не советую!»

ОНА. И ты говорил...

К. И я говорил. Но думал: какой вывод из случившегося мог сделать опасный азиат? Старые члены партии по-прежнему не признают его вождем и никогда не признают — это раз. Не нашлось никого среди ленинской гвардии, кто открыто заявил бы о своих убеждениях, — это два. Известно, что даже в Риме в дни казней Нерона находились люди, открыто выступавшие в сенате против Цезаря. Знали: это смерть, но выступали! А ведь у нас еще не было расстрелов, только ссылки, потеря руководящей должности. Так что это тайное голосование показало ему: никакой железной когорты большевиков не существует. Есть трусы, страшащиеся потерять свое место, способные кусать лишь тайно. Теперь он мог их не бояться. Уверен, именно в тот день они своим

страхом, покорными славословиями и тайным предательством проголосовали за собственную гибель.

ОНА. И за мой будущий лагерь!..

К. Сразу после съезда партии начались чествования Лейпцигских героев. Триумфатор Димитров сделал доклад в Коминтерне... В зале яблоку негде упасть. Все приготовились внимать великому оратору. Но у доклада была печальная особенность — он писал его сам. Зал аплодировал, когда он приводил мои цитаты. Но когда он говорил своими словами... Самое печальное — ему понравилось выступать. Зал выдерживал первые пятнадцать минут, а далее — живительный сон... Ходил анекдот: «В Коминтерн проник шпион. Прислали чекиста — поймать шпиона. Чекист спрашивает: «Когда у вас доклад товарища Димитрова?» В середине доклада чекист говорит: «Шпион сидит во втором ряду, пятое место». Его берут, он в изумлении: «Как вы меня вычислили?» — «Ну, это нетрудно, — отвечает чекист. — *Враг не дремлет*!»»

ОНА. Действительно, все секретари исполкома, товарищи немец Вильгельм Пик, итальянец Тольятти, чех Готвальд тихонько дремали... а вот товарищ К. боролся со сном, как умел...

К. Но откуда ты знаешь, ведь ты была в Японии?

ОНА. Не надоело спрашивать? Я даже знаю, что твоей своеобразной борьбой со сном заинтересовались...

В кабинете Сталина.

К. Я вошел, Хозяин стоял у стола. На столе лежала стопка бюллетеней. Я сразу понял, что это за бюллетени... Рядом с Хозяином стоял крошечный человечек с безумными глазами.

СТАЛИН. Знакомьтесь, товарищ Ежов — из новых руководителей нашей грозной организации... Как называется у нас теперь ГПУ?

ЕЖОВ. Наркомат внутренних дел, сокращенно НКВД, товарищ Сталин.

СТАЛИН. Но я их все равно называю чекистами... Жалуется на тебя, финн, товарищ Ежов. Давай, жалуйся!

ЕЖОВ. Вот товарищи Готвальд, Пик, Торез, Тольятти слушали доклады товарища Димитрова со вниманием...

К. То есть, мирно спали.

ЕЖОВ. ... А вы, как нам сообщили, залезли под юбку стенографистки, товарища...

СТАЛИН. Не надо называть, Ежов, береги честь женщины. И сколько сообщений у тебя об этом?

ЕЖОВ. Шестнадцать. Прислали товарищи...

СТАЛИН. Их тоже не надо называть, Ежов. Береги друзей своей организации, как берегут любимую женщину. Но что будем делать с товарищем Отто?

ЕЖОВ. Я пришел спросить ваше мнение, товарищ Сталин.

СТАЛИН. Мое мнение? Будем завидовать, Ежов!.. Иди!.. (Ежов уходит.) Ты старый партиец... Не мне тебя учить, как часто враг заползает в государственные секреты через женскую п... у... (Перехватывает взгляд К. на стопку бюллетеней.) ... Да, как волка ни корми, он все в лес хочет. (Ходит по кабинету. Берет винтовку, прислоненную к стене.) Делегация тульских оружейников подарила. Я думал: зачем мне винтовка?.. Но они пролетарским чутьем почувствовали — винтовочка Сталину скоро пригодится. Ты был прав: Ильич хорошо пошутил про наших революционных старичков. Повтори.

К. «Революционеров после пятидесяти лет надо отправлять к праотцам, иначе они становятся тормозом для идеи, которой отдали всю жизнь».

СТАЛИН. Да, пора чистить днище революционного корабля. Но куда девать вычищенных, знающих столько государственных секретов? Ведь они — находка для шпионов. Рецептов нет, классики марксизма молчат... Зато есть анекдот. «Как шах менял кабинет министров? Их выводили на высокую гору и сбрасывали в пропасть. В газетах сообщали: «Кабинет пал»». (Смеется.) Шутка! Но, как говорит на-

род, в каждой шутке есть доля правды!.. Споем? (Тихонечко.) «Наш паровоз, вперед лети!..»

К. (подхватывает). «В Коммуне остановка. Иного нет у нас пути...»

СТАЛИН. «В руках у нас винтовка!» (Поднимает винтовку.) Пах, пах!

ОНА. *Стрелять он будет точно*. Из ста тридцати девяти руководителей партии, присутствовавших на съезде, только тридцать один умрет своей смертью...

К. Летом того же 1934 года нацистские газеты опубликовали сообщения из Германии, повергшие в шок... Старые партийцы-нацисты, руководители штурмовых отрядов, устроили заговор против Гитлера. Но Гитлер подавил путч, оппозиционеры были арестованы и заботливо расстреляны... Вскоре меня позвали в Кремль.

Сталин и К.

СТАЛИН. Что пишут ваши розовые листочки?

К. Английские газеты утверждают, что никакого путча не было, просто бесноватый в припадке безумия расстрелял старую верхушку своей партии.

СТАЛИН. А ты что скажешь, дорогой?

К. Какой же он бесноватый, он очень даже в своем уме. Просто вчерашние соратники ворчали, мешали строить сильное государство. (Усмехается.) Видимо, мерзавец узнал совет великого Ленина о том, что «революционеров после пятидесяти лет следует отправлять к праотцам...».

СТАЛИН. Умный финн... Я тоже думаю, что только сейчас, уничтожив их, Гитлер становится истинным Вождем. Сначала поджег Рейхстаг, чтобы избавиться от *чужих* — от социал-демократов и коммунистов. Теперь избавился от *глупых своих...* Конечно, не бесноватый! *Политик* — хитрый и умный... Какова реакция немецкого народа?

К. Приветствуют...

Сталин молча расхаживает по кабинету.

К. Я смотрел на него и ясно видел: некая опасная мысль все больше завладевала им... Мне даже показалось, я знаю, о чем он думает. И тут он взглянул на меня, подмигнул и тихонечко запел...

СТАЛИН. «Наш паровоз, вперед лети! В Коммуне остановка...»

К. (подхватывает) «Иного нет у нас пути...»

СТАЛИН. «В руках у нас винтовка». Пах! Пах! (Смеется.)

К. ... И стало страшно. Жаль, что мне не с кем было обсудить. Стало не с кем говорить...

ОНА. Тосковал?

К. Тосковал... И боялся. Уже в конце года винтовка-то — пах, пах... Был убит тот самый вождь Ленинграда Киров, которому предлагали встать вместо Сталина... Убит подозрительно легко, и наши старые партийцы потихонечку запели частушку: «Ах, огурчики да помидорчики, Сталин Кирова пришил в коридорчике...» Далее — все, как у фюрера! НКВД выяснило, что за убийством Кирова... стоит старая ленинская гвардия — отцы Октябрьской Революции... Заговор за заговором открывали органы! Все они признавались в измене ленинизму, объявляли себя террористами, вредителями и шпионами. Всю верхушку партии Хозяин отправил на тот свет...

ОНА. Погибли миллионы. Вокруг тебя — тысячи. Девяносто процентов Коминтерна... Почему не взяли тебя? Как ты думаешь? (Он молчит.) Потому что ты умел вот так же замечательно молчать. Когда несчастный Куллерво Маннер, бывший глава вашего красного правительства, уже зная, что его арестуют, просил тебя вступиться... не за него — за его возлюбленную, ты промолчал. ... Его убьет радиация на добыче радия, ее утопят в реке — в лагере. Когда Ежов арестовал почти весь финский Коминтерн и бахвалился, что «ликвидировал финнов, как кроликов», ты, основатель партии, молчал. Когда НКВД арестовал брата твоей жены — Эйнари Лааксовирта, и тебя попросили высказаться о нем, ты написал: «Он никогда не был коммунистом и никогда им не станет. Поступайте, как считаете нужным». Да что шурин! У тебя сына арестовали — ты молчал...

К. Ты здесь не была. Ты не знаешь, что такое пытки! Я был в кабинете Молотова, когда к нему принесли письмо великого Мейерхольда. И он, поглядывая на меня, начал медленно читать вслух: «Меня здесь били — больного шестидесятишестилетнего старика. Клали на пол лицом вниз, резиновым жгутом били по пяткам и по спине... И в следующие дни... по этим красно-сине-желтым кровоподтекам снова били этим жгутом, и боль была такая, что, казалось, на больные чувствительные места ног лили крутой кипяток (я кричал и плакал от боли) ...». Что делали с людьми, если отцы Революции — Зиновьев, Каменев, Бухарин — все признавали себя шпионами и вредителями?! И герои гражданской войны соглашались оклеветать себя. Оплевав себя, отправилось к стенке все руководство Армии!.. Великие революционеры гибли — что мне жалкий Куллерво Маннер! Фриц Платтен, основатель компартии Швейцарии, умер в лагерях. Бела Кун, отец венгерской республики, расстрелян... Погибли почти все члены руководства югославской, венгерской, польской, австрийской, эстонской, латвийской компартий, а также Индии, Кореи, Мексики, Турции, Ирана... Из руководства германской компартии уцелели лишь двое — Пик и Ульбрихт. И я уверен, если бы Ленин был жив, он отправился бы на тот свет вместе со своими сподвижниками. И «ленинизм» стал бы такой же бранной кличкой, как «троцкизм». Самое страшное — все это было неизбежно. Эту неизбежность сформулировал французский революционер Верньо: «Революция, как Бог Сатурн, пожирает своих детей...» Но понял он это поздно и потому очутился на гильотине. Я понял это рано и потому сейчас умираю в своей постели. Платон две с половиной тысячи лет назад учил нас, дураков: «Тиран, как правило, возникает... из корня, называемого народным представительством... Став тираном и поняв, что граждане, способствовавшие его возвышению, осуждают его, тиран вынужден будет уничтожать своих осудителей, пока не останется у него ни друзей, ни врагов...».

ОНА. Я Платона не читала. Но, в отличие от тебя, проверила его слова на собственной шкуре... А тогда обо всем, что у вас происходило, узнавала из японских газет. Однако не верила... Представить, что все, кто основал советское государство, признали себя шпионами и террористами... Трудно поверить в такой бред, когда живешь в нормальном мире, среди нормальных людей. И я отправилась поговорить к нашему резиденту — от него я получала инструкции и задания. Это был немецкий коммунист Рихард Зорге, коминтерновец. Я даже где-то встречала его в двадцатых...

К. Ты встречала его в моем кабинете.

ОНА. В Японии он успешно играл в фашиствующего журналиста и был большим другом немецкого посла.

Зорге и Она.

ОНА. Неужели всё это правда?

ЗОРГЕ. Верхушка разведки... все наше начальство, действительно, арестованы. Отзывают очень многих наших сотрудников в Москву — и легальных, и нелегальных, и дипломатов. Это все, что я знаю. Немцы знают больше. Они говорят, что это обычная борьба за власть, наподобие той, которая была недавно в Германии. Так что нас с вами это вряд ли касается...

ОНА. Так он мне говорил. Но я получила письмо от твоего секретаря, Отто...

К. С которым ты спала...

ОНА. С которым безуспешно хотела переспать. Видимо, поэтому ты его сдашь одним из первых... Он успел написать мне очень туманно, но я поняла одно: он просил меня не возвращаться. Я представляла, как ты боишься того, что я останусь... Ты ведь боялся?

К. Боялся.

ОНА. Очень-очень боялся. Еще бы! Ты был окружен арестованными — шурин, сын. А тут еще изменница-жена! Ты многое сделал для того, чтобы меня отозвали?

К. Мне не надо было ничего делать. Всех отзывали.

ОНА. Но уверена — делал... Меня вызвал Зорге. Он был совсем пьян. В последнее время он начал сильно пить...

Она и Зорге.

ЗОРГЕ. Ну что, отзывают в Москву, а мы с тобой так и не переспали! Большой пробел в нашей совместной работе.

ОНА. Вы стали часто пить...

ЗОРГЕ. Я трезв, когда пьян, и наоборот... Поедешь туда? Меня, кстати, тоже отзывают.

ОНА. А вы поедете?

ЗОРГЕ. Где выбор?! *Там болото, а здесь топь*. Что бы я ни выбрал — ошибусь... Но ехать надо. У тебя там муж, у меня жена... Иначе им не поздоровится... Короче, до встречи в Москве... или на Лубянке. ... Может, все-таки восполним пробел?

ОНА. Ни мне, ни вам не до радостей жизни. До свидания! (Обращается к К.) Зорге обманул меня, не вернулся... Но продолжал снабжать руководство страны информацией. Он первым прислал письмо Сталину с указанием точной даты нападения Гитлера на СССР. Сталин не поверил невозвращенцу... Интересно, что было бы с тобой, если бы я не вернулась? Думаю... ничего! Ты ему был нужен — умный финн, всегда знавший свое место... Но я вернулась. Представляю, с каким облегчением ты вздохнул! Я, конечно же, решила позвонить твоему секретарю Хеймо, но телефон не ответил. Я еще не понимала тогда, что это значит...

К. Но мне ты не позвонила!

ОНА. Зачем пугать тебя? Зачумленный — так ты называл Бухарина. Я тоже была теперь зачумленная... Вскоре узнала: всех, вернувшихся из Японии, арестовали...

К. На самом деле я узнал о твоем приезде от Хозяина...

Сталин и К.

СТАЛИН. Ну что, финн, в нелегкое время живем. Какой заговор раскрыли... Какие люди оказались замешаны. Скажи, дорогой, мог ли ты подумать?

К. Не мог, товарищ Сталин.

СТАЛИН. Я понимаю, как тебе и Димитрову... тяжело. Сколько ваших друзей замешаны. А каково мне! Бухарин... ты дружил с ним?

К. Так нельзя сказать. Он был главой Коминтерна после Зиновьева, и мы часто дискутировали.

СТАЛИН. Да не бойся! Я тоже дружил с ним. А как с ним дружила моя жена Надя! Сколько раз обедал у нас, с детьми играл... И что замышлял?! Клубок змей пригрели на груди, и какой! Утром встаешь, думаешь: наконец-то всех искоренили! Но нет! НКВД и Ежов приносят все новые списки врагов народа, и все длиннее и длиннее, и люди в них все важнее и важнее... Вчера список — 3169 разоблаченных и арестованных врагов народа. И всех — к высшей мере социальной защиты. Пришлось мне подписывать... Думаю, теперь отдохну. Сегодня опять Ежов! Тащит новый список — сто тридцать восемь врагов! Начинаю читать — беда! Ой, беда-то какая! *Все* заместители наркома обороны СССР, плюс двадцать два руководителя Генерального штаба, плюс начальники всех управлений Наркомата обороны, среди них — начальник твоей жены Берзин... Ты только подумай: глава нашей контрразведки — шпион! Плюс все командующие войсками всех военных округов... Далее — флот. Читаю — ой, беда! Нарком флота, все его заместители, начальник штаба морских сил, командующие флотами... И все — враги, и все сознались... Я знаю, что и вы с товарищем Димитровым боретесь, не покладая рук...

К. Да, руководством Коминтерна была проведена беспощадная проверка всего аппарата. Несколько секций Коминтерна оказались целиком в руках врага.

СТАЛИН. В том числе почти все твои финны... Трудно тебе, разве не понимаю. Но мы, коммунисты, дышим полной грудью, только когда трудно! Человек — наше главное достояние, ради человека, его безопасности мы и боремся за чистоту наших рядов! ... Взять сладкую парочку — Маннера и его любовницу. Не хочешь за них попросить?

К. Не хочу.

СТАЛИН. И правильно! Мы их приютили, верили им. А они что задумали? Мечтали отделить карельскую автономную область и присоединить к буржуазной Финляндии. Не вышло! Русские цари сделали много плохого, но одно хорошее сотворили — сколотили огромное государство. Мы, большевики, получили его в наследство и считаем его «единым и неделимым»... И каждый, кто попытается разрушить это единство социалистического государства, — заклятый враг народов СССР. Мы будем уничтожать каждого такого врага, будь он хоть старым большевиком, хоть кем угодно. Мы будем уничтожать весь его род, его семью — каждого, кто своими действиями и мыслями (даже мыслями) покушается на наше государство. Ты хорошо понял меня, финн?

К. Очень хорошо, товарищ Сталин.

СТАЛИН. А с женой как? Мне сказали, она приехала...

К. Мне она не звонила.

СТАЛИН (вздохнув). Боюсь, и ее придется проверять... Я слышал от товарища Ежова, что у НКВД к ней много вопросов... Не хочешь попросить за нее?

К. Я хочу одного: чтоб разбирательство было честным.

СТАЛИН. А когда оно было другим? Тяжело, понимаю... Да у тебя и сын арестован... Многовато врагов тебя окружает. Да что я говорю! А меня? Муж родной сестры покойницы-жены — враг... Члены Политбюро, они ведь были ближе семьи, ленинские друзья — враги... Горе, ой, горе наше... Я тот список в сто тридцать восемь человек полдня изучал. А товарищ Молотов, не глядя, его подписал. Между тем, товарищ Сталин не выдержал, двух вычеркнул, слабину дал... Поэтому Молотов — настоящий революционер, а товарищ Сталин — слабак... Что же касается твоей жены... Понимаешь, она, видно, сразу поняла, что у НКВД к ней вопросы, и попросилась вернуться в Японию. Ну как отпустить без проверки, дорогой, если вокруг такое творится? Но если у тебя другое мнение — только скажи, сразу отпустим...

К. Нет.

СТАЛИН. Наверное, боишься, вдруг она переметнется к врагу? Да и как не бояться, если она долго работала с этим отщепенцем Зорге, который отказывается вернуться... Значит, здесь у нас разногласий нет, дорогой... спасибо. Я слышал, Молотов читал тебе письмо от мерзавца Мейерхольда... Вот как не применять к ним меры? Ведь только после мер правду говорят. И потому я не понимаю некоторых товарищей. Раньше они хотели подлинно независимую, могучую карательную организацию рабочего класса. Мы ее создали. И сразу пошли жалобы — вместо того, чтобы гордиться ею... Да это такая организация — она и нас с тобой арестовать может... Кстати, хотя твой сын во всем признался, расстрелять его не дадим, нет! Ради его отца! Давай оба будем верить: отсидит свое и исправится... Но ничего. Социализм мы уже построили?

К. Построили.

СТАЛИН. Ты большой теоретик. Тебе сам Ленин верил... Положа руку на сердце, скажи: сможем ли мы построить коммунизм?

К. Непременно, товарищ Сталин.

СТАЛИН. Когда?

К. Думаю, к восьмидесятому году.

СТАЛИН. Нам с тобой не дожить... Но мы, как Моисей, много сделали для того, чтобы наш народ пришел в землю Обетованную. А ну-ка, нашу боевую... (Поет.) «Наш паровоз, вперед лети...»

К. (подхватывает). «В Коммуне остановка. Иного нет у нас пути...»

СТАЛИН. «В руках у нас винтовка...» Пах! Пах!

К. Сказали, ты прелестно выглядишь... Я тосковал.

ОНА. Знаешь, я тоже... Я остановилась в «Метрополе»... От одиночества ночевала у своей подруги-финки в общежитии Коминтерна. Там арестовывали каждый день. Обычно

все происходило в три часа ночи. Не спали до трех — ждали. Ровно в три свет автомобильных фар пронзал темноту...

Она и подруга стоят, обнявшись, у окна. Их освещают автомобильные фары.

ПОДРУГА. Началось...

Молча стоят. Свет фар движется по стене и исчезает.

ПОДРУГА. Слава Богу! Остановились у третьего подъезда.

ОНА. //в сторону?// Мы стояли, как распятые, у стены... Потом по нам снова двигался свет — значит, забрали кого-то, уезжали...

ПОДРУГА. Теперь до следующего вечера. У меня живот свело от страха... Боже мой! Узнаем ли мы когда-нибудь, за что нас хотят арестовать? Мы честные люди. Мы коммунисты. За что! За что?!

ОНА. Анекдот про кролика слышала? «Кролик перебежал от нас в Польшу... Поляки спрашивают: «Отчего ты убежал из СССР?» — «Как — отчего! В СССР арестовывают всех верблюдов».— «Но ты же не верблюд!» — «А там это надо еще доказать...»».

ПОДРУГА. Я не верблюд! (Хохочет.) Я не верблюд!

Обе кричат: «Я не верблюд!» и истерически хохочут.

ПОДРУГА. Я тоже знаю анекдот: «Живем, как в автобусе — половина сидит, остальные трясутся!» (Смеются вместе.) Трясутся! Не верблюды!

ОНА. Боже мой, завтра Новый год! Напьемся шампанского и хоть на это время забудем...

//в сторону?// Вот так я весело жила, дорогой муж, который объелся груш... Но в Новый год я не выдержала.

Новый год. Она и подруга. По радио бьют куранты.

ПОДРУГА. Давай закончим этот год ужасов и пожелаем счастья друг другу!

ОНА. С Новым годом! И если можно — с новым или старым, но счастьем!..

ОНА. В третьем часу новогодней ночи я все-таки позвонила...

К. Алло!

ОНА. Алло, это я.

К. (испуганно). Алло! Говорите громче... я не слышу... я вас не слышу! Перезвоните!

Она бросает трубку.

ОНА. Я себя презирала но... опять набрала.

Телефон звонит. Но К. не подходит. Он молча слушает звонок.

ОНА. Я поняла... и легла спать.

ГОЛОС ИЗ ТЕМНОТЫ. Гражданка... Поднимайтесь! Одевайтесь!

У кровати человек в форме НКВД.

ОНА. Отвернитесь.

— Это не обязательно. Где вы прячете оружие?

ОНА. У меня нет оружия...

— Одевайтесь побыстрее! И ничего с собой не берите — это ненадолго...

ОНА. Оказалось, всего лишь на пятнадцать лет. В тот же день арестовали мою подругу... Я встретила ее через двадцать лет на улице. После смерти Сталина ее освободили. Она прижимала к груди поношенную сумку...

ПОДРУГА. Вот как случилось... Все мои родственники расстреляны, только я уцелела и их фотографии. Но, знаешь, Айно... несмотря ни на что, я верю в коммунизм.

ОНА. В тюрьме за пятнадцать месяцев следствия меня допрашивали двадцать четыре следователя. Иногда допрашивали день и ночь!

К. Но при этом тебя не били. Ты сохранила спину, тебе не выбили зубы. И тебя не отправили погибать на урановые рудники... Тебе не приходило в голову, кто все это вымолил?

ОНА. Уверена: ты не сказал за меня ни слова. Это распоряжение Хозяина. Ведь ты был на свободе... пока! И усердный Ежов уже собирал на тебя материал. От меня добивались двух признаний: о том, кто завербовал в шпионы меня в Японии и тебя — здесь... Мне назначали очную ставку с твои секретарем, моим несостоявшимся любовником, арестованным Мауно Хеймо...

Следователь, Мауно Хеймо и Она.

СЛЕДОВАТЕЛЬ (ей). Вы знаете этого человека?

ОНА. Да, это секретарь моего мужа, Мауно Хеймо.

СЛЕДОВАТЕЛЬ (Хеймо). Вы знаете эту женщину?

ХЕЙМО. Да, это жена моего начальника.

СЛЕДОВАТЕЛЬ. На следствии вы показали, что она была завербована японской разведкой...

ХЕЙМО (поспешно). Но я сказал неправду... она не причем. Меня сильно, долго били... Она не причем...

СЛЕДОВАТЕЛЬ. Вы что же, хотите взять назад все свои показания?

ХЕЙМО (торопливо). Все что касается меня — нет. Я был завербован немецкой разведкой...

СЛЕДОВАТЕЛЬ. Английской!

ХЕЙМО. Простите, конечно, английской.

СЛЕДОВАТЕЛЬ. Спасибо, хотя бы это не отрицаете.

ХЕЙМО. Не отрицаю...

СЛЕДОВАТЕЛЬ. Назовите еще раз имя того, кто завербовал вас и эту женщину.

ХЕЙМО. Меня завербовал Йохан Людвиг Рунеберг. Он завербовал меня в шпионы.

Что же касается ее — я сказал неправду.

СЛЕДОВАТЕЛЬ. Чем занимается указанный вами Рунеберг?

ХЕЙМО. Писал стихи. Пожалуй, это вся его работа.

СЛЕДОВАТЕЛЬ. Где происходили ваши встречи?

ХЕЙМО. В Хельсинки на Эспланаде.

ОНА. Памятник Рунебергу с книгой стихов в руках действительно стоял на Эспланаде...

СЛЕДОВАТЕЛЬ. Какие-нибудь особые его приметы? Как вы его узнавали?

ХЕЙМО. Он всегда был с книгой в руках... Что же касается этой гражданки — повторяю: я ее оговорил, не выдержал боли...

СЛЕДОВАТЕЛЬ. Боль помогает таким негодяям говорить правду. Уведите арестованного. (Ей.) Пытался ли указанный господин Рунеберг вас вербовать? Были ли у вас с ним какие-то контакты?

ОНА. Могу ответить определенно: не пытался, и отношений с указанным господином не было. //в сторону?// Что они потом сделали с Хеймо, когда узнали о насмешке? Думаю, забили его...

СЛЕДОВАТЕЛЬ. Теперь о другом, гражданка Куусинен. Мы хотели бы вызвать в Москву известного вам товарища Зорге, чтобы он подтвердил вашу невиновность. Но он не едет. Товарищ Сталин лично вызывал его, но без результата. Не могли бы вы написать ему письмецо — мол, у вас все хорошо, вы надеетесь вскоре увидеть его в Москве и так далее... Мы вам напишем, вы перепишете. Это очень помогло бы и нам, и вам...

ОНА. Это бессмысленно. Если он не послушался великого Сталина, он не будет слушаться меня.

СЛЕДОВАТЕЛЬ. И все-таки напишите...

К. И ты согласилась!

ОНА. Да. Потому что не сомневалась — он не приедет. И он не приехал... А как ты мог, зная обо всем, что с нами происходит, продолжать служить ему?

К. Я никогда не служил ему. Я служил идее, в которую верю и с верой в которую умру. Я служил государству, где осуществляется социальная мечта. Здесь убили рыночного дьявола. Здесь общественная собственность на средства производства... Здесь бесплатные медицина и образование... Здесь строят коммунизм — впервые в мире!

ОНА. В лагере был любимый анекдот: «Адам и Ева — первые коммунисты. Одно яблоко на двоих, сами ходят голые, но говорят, что первые в мире». (Хохочет.)

К. Да, мы живем во имя будущего. Уже сейчас наша идеология, когда-то идеология кучки интеллигентов, стала всемирной — как в свое время христианство! Оно тоже начиналось среди жалкой кучки неграмотных рыбаков в отдаленнейшей римской провинции... чтобы впоследствии победить Рим и захватить мир! Теперь мы новые боги! Большевизм — новая всемирная религия во главе с Мессией Виссарионовичем и Предтечей — Лениным. Но для чего мы победили в России, для чего захватили и удержали власть? Неужели для того, чтобы построить новое общество в России? Нет, тысячу раз — нет! Предтеча Ленин всегда говорил: «Россия лишь трамплин». Из этой крепости мы завоюем весь мир. Исходя из этой идеи, становится понятен сталинский террор. Согласно генеральной идее этого террора, все осколки старого мира должны быть беспощадно вычищены... Старые большевики-оппозиционеры, старые коминтерновцы, остатки старой интеллигенции, остатки свергнутых классов мешали Мессии выполнять всемирную задачу. Все они неисправимые диспутанты. Они без дискуссий не могут. Смолчать по приказу не могут. Но у него... у нас... не было времени на дискуссии. Надо спешить закончить индустриализацию. Только так можно создать государство-монолит, непобедимую крепость, из которой мы отправимся на завоевание всего мира... Вот почему я преданно служил этому азиату... (кричит) *ненавидя его*! Помню, в конце лета тридцать девятого года меня вызвали в Кремль... Я подумал, что не вернусь. Ведь я тоже принадлежал к старому миру. Хозяин принял меня ласково, чем напугал еще больше. Он, как барс, любил поиграть с жертвой перед...

Кремль. Кабинет Сталина. Сталин и К.

СТАЛИН. Скажи, дорогой финн, как ты отнесешься к возможному нашему союзу с Гитлером?.. Ты побледнел, дорогой!..

К. Просто неожиданно, Иосиф Виссарионович...

СТАЛИН. Если даже ты побледнел, представляю, что сказали бы твои коллеги-коминтерновцы, оказавшиеся шпионами... Уточняю вопрос, дорогой: какое оправдание ты нашел бы этому союзу? Не торопись... Поспешишь — людней насмешишь. Как? Уже готов?

К. Советское государство — осуществленная мечта человечества, и нам надо сберечь его... любой ценой.

СТАЛИН. Неплохо, но скучновато.

К. И если союз с Гитлером является гарантией мирного существования, его надо заключить... Тем более, есть позиции, по которым мы сходимся, — например, ненависть к олигархическому капиталу...

СТАЛИН (перебивает). Нет, нет, это для учившихся! Как объяснить это массам, простым малограмотным солдатам Красной армии?

К. Я понял, Иосиф Виссарионович. Объяснять надо наглядно. Политрук нарисует два треугольника. Один называется: «Что хотели англичане?», вверху у него пишем: «Лондон», внизу: «Москва» и «Берлин». Англичане хотели столкнуть СССР с Гитлером, чтобы самим быть наверху. Другой называется: «Что сделал великий Сталин?» Теперь наверху слово «Москва», внизу — «Берлин» и «Лондон». Сталин столкнул империалистов друг с другом, а СССР — наверху!

СТАЛИН. Не зря тебя любил Ленин. Выходит, нельзя тебя сажать... Так и скажем товарищу Ежову... Шучу, конечно!

К. Потом в Москву приехал Риббентроп. Был подписан Пакт о ненападении. Но, кроме того, были подписаны секретные документы, то есть, тайные договора, против которых так долго боролись большевики и которые проклинал Ленин. В этих тайных договорах Мессия Виссарионович разделил с Гитлером Европу на зоны влияния... Я понимал: Гитлер, желавший напасть на Польшу, смертельно боялся сражаться на два фронта. Он готов был отдать Сталину что угодно, лишь бы заполучить такого союзника на востоке. Но что отдал Гитлер? В чью зону влияния попала Финляндия? И скоро я понял...

Сталин и К.

СТАЛИН. У нас в Политбюро возникли большие опасения в связи с постоянной антисоветской линией нынешнего финского правительства. Шут гороховый — ваш премьер! Твердим какой месяц: Ленинград расположен слишком близко к границе. Отодвинуть город от нашей границы с Финляндией мы не можем. Просим отодвинуть границу от нашего города. Но шут гороховой не хочет слышать... У нас есть и другие территориальные претензии к Финляндии. Наше терпение лопнуло! (Шепотом.) Радуйся, финн, — возглавишь новую советскую Республику. Седлай белого коня, дорогой!

К. И я понял: Гитлер отдал Финляндию.

ОНА. И ты увидел себя на этом белом коне, въезжающим в Хельсинки...

К. Я так хотел поговорить с тобой...

ОНА. Прости, была занята. Нас гнали в новый лагерь, заставили перейти вброд ледяную реку. Я выливала воду из валенок. И, не чувствуя ног, в ледяном пальто шла еще пять километров... Но финские ноги выдержали и это.

К. (будто не слыша). Уже вскоре состоялось совещание. Там были Сталин, военный нарком Ворошилов и командующий ленинградским военным округом...

ОНА. У нас тоже было совещание. Девушка-заключенная совсем ослабела, не могла идти. Охранники совещались — не пристрелить ли ее... Но мы — тетки с ледяными ногами — понесли ее на руках...

СТАЛИН (на совещании). Политбюро допускает, что Финляндия может стать плацдармом агрессивной игры главных империалистических группировок — немецкой и англо-французской. Имеются разные варианты наших ответных действий в случае удара Финляндии... В этой связи на вас возлагается обязанность подготовить план прикрытия границы от возможной агрессии финнов и, конечно же, *план контрудара по вооруженным силам Финляндии*.

ОНА. Хорошая сцена! Жаль, что не могла ее представить в лагере, когда после ледяного похода пыталась отогреться на нарах. Ведь смех так согревает! А тут — смешнее не придумаешь... Никто, конечно, не верит ни в какое нападение крохотной Финляндии. Все отлично понимают, о чем идет речь. И наступает твой черед...

СТАЛИН. Здесь присутствует известный деятель мирового коммунистического движения товарищ Отто. По инициативе подлинно демократических сил Финляндии тотчас после нашего контрудара он выступит с инициативой создания народного правительства в изгнании. (Усмехнувшись.) Хотя, думаю, в изгнании оно будет недолго.

Все хлопают.

К. О моей инициативе мне сообщили... минут за пять до заседания!

ОНА (хохочет). И «известный деятель мирового коммунистического движения» был счастлив — близка поездка в Хельсинки на белом коне.

К. Замолчи! О том, что я пережил, не узнает никто!.. На следующий день совещались по поводу моего будущего правительства. Присутствовали формальный глава СССР Калинин и нарком Ворошилов. Вел встречу сам Сталин...

Сталин, Ворошилов, Калинин, К.

СТАЛИН. Начинайте, товарищ Отто.

К. Сразу после начала военных действий мы передадим по радио следующее обращение народного правительства к народу Финляндии: «По соглашению руководства ряда левых партий и восставших финских солдат образовано новое народное правительство Финляндии. Народное правительство торжественно обещает осуществить вековечную мечту финского народа — воссоединить братские народы Карелии и Финляндии в независимом государстве Суоми. Народное правительство обращается к советскому правительству с предложением заключить договор о взаимопомощи и военной помощи между народным правительством Финляндии и СССР...»

СТАЛИН. Что думает Председатель Верховного Совета товарищ Калинин? Наш Верховный Совет одобрит такой договор?

КАЛИНИН. Безусловно.

СТАЛИН. По просьбе демократического правительства Финляндии мы будем обязаны прийти на помощь финскому народу?

КАЛИНИН. Безусловно.

СТАЛИН. Тем более, к тому времени правительство капиталистов бежит из Хельсинки.

Так, товарищ Калинин?

КАЛИНИН. Безусловно.

К. Мы разместим пока наше правительство на границе, в городке Терийоки...

СТАЛИН. Думаю, на самое короткое время... Сколько вам понадобится на всю операцию, товарищ Ворошилов?

ВОРОШИЛОВ. Это будет молниеносная операция, боевые действия будем вести с учетом продолжительности всей военной операции в двенадцать суток.

СТАЛИН. Мы щедрые. Дадим вам, товарищи военные, четырнадцать суток. Через пятнадцать суток народное правительство должно сидеть в Хельсинки.

К. Мессия Виссарионович был добр ко мне в эти дни. И я решился заговорить с ним о тебе...

ОНА (смеется). Но...

К. Но Калинин заговорил первым на ту же тему. И все испортил! У него, официального главы государства, тоже сидела жена...

КАЛИНИН. Иосиф Виссарионович, прошу, отпустите жену!

СТАЛИН. Очень расстроен?

КАЛИНИН. Очень.

СТАЛИН. Странно. Разве ты ее любишь? Мне, например, доложили, что преспокойно е... шь балерину... и не одну.

КАЛИНИН. Да, это так... Очень прошу, Иосиф Виссарионович, выпустите жену. У нее со здоровьем плохо, помрет, а у нас дети...

СТАЛИН. Понимаешь, дорогой, есть на нее нехороший материал. Например, она называла по телефону товарища Сталина «тираном, душащим свободу и Революцию». Может, и ты меня считаешь тираном, дорогой? Если так — только скажи, и мы ее освободим.

КАЛИНИН. Конечно, нет, Иосиф Виссарионович!

СТАЛИН. А кем ты меня считаешь, дорогой?

КАЛИНИН. Нашим вождем, великим продолжателем дела Ленина.

СТАЛИН. Да, именно так ты меня часто называешь. Видишь, ты с ней не согласен, зачем тебе с ней жить?

КАЛИНИН. Но как жить без нее? Я старый...

СТАЛИН. Я вот тоже немолодой, а живу без жены... Короче, жить тебе придется, как раньше — е... ть балерин. И как ты это делаешь — загадка. У них жопы нет, одни кости. Знаешь, на Востоке говорят: красивую женщину могут нести только два верблюда...

КАЛИНИН. Иосиф Виссарионович, она моя первая любовь!

СТАЛИН. Это не страшно, известно ведь: «Первая любовь не всегда бывает последней. Вот последняя часто бывает первой»... И бери пример с товарища Отто. У него и жена, и родственник, и сын сидят, а он не хнычет... понимает. Пусть посидят, умнее выйдут... Мы же следим, чтоб их там не убили, чтоб на тяжелые работы не ставили. Езжай домой, товарищ Калинин, не мешай работать.

Сталин и К.

СТАЛИН. Что ж ты за сына не просишь?

К. Мне в НКВД объяснили, что есть серьезные причины для ареста.

СТАЛИН. Ладно, его выпустим из уважения к отцу. Но сразу выпустить жену и сына — прости, не в моей власти. НКВД — такая организация... Итак, понесем знамя Коммунизма в твой родной Хельсинки!..

ОНА. Я потом много читала об этой войне... Что ты чувствовал?

К. Лучше тебе не знать.

ОНА. В лагере я благодарила Бога за то, что не была с тобой в твое сволочное время!

К. После тяжелых потерь Сталин предпочел забыть о нашем правительстве... Он теперь думал о том, как бы закончить войну... Но я знал: численность сыграет свою роль. И перелом наступит... И правда, мы начали наступать.

ОНА. Мы!

К. И Маннергейм поторопился начать мирные переговоры. Я попросил о встрече. Но Хозяин не принял меня... Я по-

нял: он решил закончить войну. Так и было. В конце концов обе стороны согласились вспомнить границу времен Петра Первого. И СССР получила большую часть финской Карелии... Хозяин сделал меня руководителем новой Карело-Финской республики. Мы получили богатые финские земли.

ОНА. Мы!

К. (кричит). Я не хочу больше об этом говорить!

ОНА. Не хочешь, милый... А если придется? И не со мной... Боишься?

К. Ты глупая курица! Знаешь, что велел написать на своей могиле великий философ? Ничего. Вот и все наши будущие разговоры.

Сталин и К.

СТАЛИН. Ну что, умный финн... пока не вышло. Не унывай. Чем является твоя республика? Бронепоездом Пролетариата, стоящим на запасном пути. Придет время, и твоя республика потребует воссоединения с остальной Финляндией. ... Чувствую, хочешь спросить о жене?..

К. Бывшей, Иосиф Виссарионович... Я снова женился.

СТАЛИН. Это хорошо. Но печально. У нас был клуб — Калинин без жены, Джугашвили без жены, ты был без жены, Поскребышев, мой секретарь, без жены... Но твоя шпионка-финка пусть отбудет срок. После чего освободим. Надеюсь, ты, деятель самого высокого ранга, не возражаешь против соблюдения закона?..

ОНА. И ты промолчал. А потом Гитлер напал на СССР, и шпионка-финка провела всю войну в уютном местечке — в лагере. Как выжила — до сих пор не знаю.

К. Сукин сын Маннергейм, конечно же... Все, как я предполагал... Слишком велик соблазн — вернуть отнятые территории! Он вступил в войну на стороне Гитлера. И вернул Карелию. Мне пришлось бежать из Петрозаводска... Но после того, как немцы сдались под Сталинградом... Опять, все опять, как предполагал я! Маннергейм тотчас собирает секретную сессию парламента. Доклад о резко изменившейся ситуации на фронтах. И уже... (Тихо смеется.) Ты не представляешь, какое это ощущение — угадать в политике...

Сталин и К.

СТАЛИН. Слыхал, что затеял твой дружок в Хельсинки, империалист Маннергейм?

К. Он мне не дружок.

СТАЛИН. Решил выйти из войны. Переговоры ведет — с нами и с англичанами. Придумал «рыбку съесть и на х... й сесть». Нет, парень, не выйдет. Ну что, финн, готовь белого коня?

К. Я не совсем понимаю, товарищ Сталин.

СТАЛИН. Да понимаешь, все хорошо понимаешь... Ты хитрый, неискренний человек. Но нужный... В Хельсинки скоро въедешь. Соединим финнов с твоей республикой. Большая территория у тебя будет, завидую. Это тебе не коминтерновские дела. Тем более что Коминтерн придется прикрыть... Мешает отношениям с союзниками, и толку сейчас от него никакого. Сформулируй, умный финн, как это объявить потактичней?.. Как?.. Готов?

К. (усмехнувшись). Изменившаяся международная обстановка заставляет искать новые формы взаимоотношений между братскими партиями. Так поступал Карл Маркс, когда распустил Первый Интернационал. Так теперь поступает руководство Коминтерна. Невозможно руководить всемирным рабочим движением из одного центра... Слишком разные задачи у компартий в нынешних условиях. К примеру, компартии Германии, Италии, Испании и Финляндии имеют задачу свергнуть свои правительства, а компартии СССР, Англии, Америки, наоборот, — всемерно поддерживать свои правительства для скорейшего разгрома фашизма. ... Итак, по просьбе самих Компартий, Коминтерн самораспускается...

СТАЛИН. Каждый раз думаю: ну как такого умного — в Сибирь? Шучу, конечно... Браво, дорогой! И готовь белого коня. (Подмигивает, запевает.) «Наш паровоз, вперед лети...»

К. (подхватывает). «В Коммуне остановка. Иного нет у нас пути...»

СТАЛИН. «В руках у нас винтовка...» Пах! Пах!

К. Но в это время Маннергейм вышел из войны.

ОНА. С белым конем опять не получилось!

К. Хотя наши войска рвались к Хельсинки...

ОНА. Наши?!

К. Да, тебе не понять, что это такое, когда *мои* советские войска рвались в *мой* Хельсинки. Но! Маннергейм держал оборону и вел с нами переговоры о мире.

ОНА. С нами?!

К. Он сохранил боеспособную армию. И предложил прекратить кровавое сопротивление, но в обмен... Я думаю, с ним были обговорены некие секретные пункты, и Сталин их выполнил. Впоследствии всех, сотрудничавших с Гитлером, судили, а Маннергейма даже не вызвали свидетелем на Нюрнбергский процесс!.. Да, я не сел на белого коня, но получил еще один кусок родины. Эта земля вошла в мою Карело-Финскую республику. Я хотел поехать в Хельсинки...

Звонок телефона.

СЕКРЕТАРЬ. С вами будет говорить товарищ Сталин.

СТАЛИН. Финны против. У нас с ними будет договор о дружбе. Ехать тебе не надо. И никаких лишних движений! (Гудки в трубке.)

К. И опять все, как я предполагал! Он захотел иметь нейтральную страну — посредника в будущей драчке с Западом. И поставил на нового президента Паасикиви, чей лозунг: «Финляндия — в стороне от ссор и споров великих держав» — его очень устраивал.

ОНА. Ты хорошо помнишь хронологию своей жизни... Правда, пропустил кое-что в моей.

В сорок шестом году твою Айно выпустили. На свободе — ни денег, ни жилья. Поселилась у своей домработницы в Москве, хотя после лагеря не имела права жить в столице. Уже вечером меня задержала милиция, но домработница подняла на ноги моих знакомых...

К. Домработница? Не смеши. Она попросту позвонила мне... И потому, вместо того чтобы арестовать, тебя вежливо отвели к начальнику отделения милиции...

Отделение милиции. Начальник и Она.

НАЧАЛЬНИК. Вы не имели права приезжать в Москву, гражданка.

ОНА. Но мне негде жить, единственное пристанище — у моей бывшей домработницы.

НАЧАЛЬНИК. Я на вашем месте позвонил бы сейчас вашему бывшему мужу.

ОНА. Я на своем месте.

НАЧАЛЬНИК. Если вам нужен номер его телефона...

ОНА. Мне он не нужен.

НАЧАЛЬНИК. Надеюсь, завтра, во избежание неприятностей, вы покинете столицу.

К. Почему не позвонила?

ОНА. Ты же мастер предвидений. Ты знал — не позвоню. Хорошо помнила тот последний звонок. Кроме того, с тобой рассталась красивая женщина. Не хотела, чтобы вместо нее ты увидел нищую старуху.

К. Но пока я думал, как тебе помочь...

ОНА. Пока ты думал, как от меня избавиться, я думала, как избавиться от страны, в которую спрыгнула с транспортера... по твоей милости!

К. Но ты не нашла ничего лучшего...

ОНА. Да, я пошла в американское посольство — попросила помочь мне уехать. Однако они не поверили в то, что

я смелая идиотка. Решили, что это провокация. Таков ныне всеобщий мир трусов!

К. Удивительно! Ты закончила сталинские университеты — неужели не поняла? В тот момент, когда ты пересекла порог американского посольства, ты обрекла себя на арест.

ОНА. Ну что ты, я все понимала. Но думала: не все ли равно, в каком лагере жить? На так называемой свободе без свободы, денег и жратвы или в обыкновенном лагере с баландой? Меня арестовали. Четырнадцать месяцев под следствием... В прошлый раз было пятнадцать — достижение! И опять лагеря... (Издевательски.) До скорого, любимый... Твоя прежняя женушка отбыла по прежнему маршруту. Но, к счастью, через шесть лет подох Мессия Виссарионович, не успев всех вас прикончить.

К. Да, на последнем съезде партии он был страшен. В свой речи набросился на соратников. Я понял: он опять надумал чистить страну.

ОНА. И ты снова дрожал.

К. Я не обыватель. Мне, прежде всего, нужно понять политическую игру. Зачем в стране Маркса этот хитрец развязал антисемитскую компанию? Ходили слухи о массовом переселении евреев в Сибирь... И вдруг в феврале, за неделю до смерти, он позвал меня на дачу.

Дача Сталина. Сталин и К.

Сталин стоит перед огромной картой.

СТАЛИН. Ну что, финн... Первая мировая война вырвала одну страну из капиталистического рабства, вторая — создала социалистическую систему. Выходит, третья... Продолжи, дорогой умный финн.

К. Я похолодел — я понял... Навсегда покончит с империализмом, Иосиф Виссарионович.

СТАЛИН. Догадался! Ты говорил — когда ждать коммунизма?

К. К восьмидесятому году.

СТАЛИН. Ты про СССР говорил, дорогой. А я тебя спрашиваю сейчас про всю планету. Великая мечта, которой жили Ленин и все наши партийные мудаки, осуществится, благодаря товарищу Сталину, которого они ненавидели и который их расстрелял... Все готово! Через пару месяцев у нас будет водородная бомба — её нет у американцев-засранцев. Наша армия — самая мощная в мире армия, стоит во всех странах Восточной Европы и в Германии. Наша столица защищена двойным кольцом ракет; треть человечества — под нашим знаменами, и миллионы сочувствуют нам — победителям Гитлера...

К. //в сторону?// Вот в чем было дело! Он готовил страну к последней войне. К мировой победе Социализма. И он сплачивал ее страхом и ненавистью — вот зачем нужны были антисемитские процессы. Поэтому он придумал избавиться от усталых старых соратников, ему требовались сейчас молодые волки...

СТАЛИН. На совещании руководителей братских компартий... (закуривает трубку) товарищ Сталин объяснит участникам: «Война, недавно затеянная американцами в Корее, показала слабость американской армии... Лагерь социализма имеет сейчас военное преимущество, но это преимущество временное... Таким образом, основной задачей социалистического лагеря является мобилизация всех политических и военных сил для решающего удара по капиталистической Европе. Капиталистическая Европа станет Европой социалистической!» У тебя есть замечания, дополнения, умный финн?

К. Кратко, но гениально, Иосиф Виссарионович.

СТАЛИН. Доживем, финн, — только советская нация будет, только советской нации люди. А теперь нашу, любимую... (Запевает.) «Наш паровоз, вперед лети...»

К. (подхватывает). «В Коммуне остановка, иного нет у нас пути...»

ОБА (хором). В руках у нас винтовка!»

СТАЛИН. Пах! Пах!

К. Он пристально смотрел на меня...

СТАЛИН. Фальшиво поешь, финн.

К. Мир стоял на пороге Апокалипсиса... Меня раздирали самые разные чувства. Увидеть конец Истории... Увидеть победу всего, за что боролся... И миллиарды погибших на обезлюдевшей планете... Он по-прежнему смотрел на меня... Я понял — он ненавидел... И мне тоже конец...

СТАЛИН. Видишь мою библиотеку? Троцкий, Зиновьев, Бухарин... Все они были революционеры... И все ушли. А я живу, окруженный обывателями вроде тебя... Иди домой, трусливый финн... Пшел вон!

К. Меня и мир спасла четверка его сподвижников — Хрущев, Берия, Маленков, Булганин. Он каждую ночь приглашал их на Ближнюю дачу, на ночное застолье. Они должны были издеваться друг над другом — он любил, когда они превращались в шутов.

Дача Сталина. Сталин, Маленков, Хрущев, Берия, Булганин.

СТАЛИН. Слово имеет Маленков, секретарь ЦК КПСС, большой человек. Давай тост!

МАЛЕНКОВ. Дорогие товарищи! Позвольте провозгласить тост за солнце нашей планеты, великого вождя всего прогрессивного человечества Сталина!

СТАЛИН. Мастер говорить подхалимские тосты! Садись, дорогой.

МАЛЕНКОВ (садится). Ой!

БЕРИЯ. Помидор жопой раздавил! (Общий хохот.)

СТАЛИН. Получает прозвище «Маленков — красная жопа». Твоя очередь, военный министр Булганин.

БУЛГАНИН. Выпьем, товарищи, за величайшего полководца, вождя всего прогрессивного человечества товарища Сталина!

СТАЛИН. Такой же мастер! Садись.

БУЛГАНИН (садится). Ой!

БЕРИЯ. Очки жопой раздавил...

СТАЛИН. Получает прозвище «Булганин — очкастая жопа». А ну-ка, Никитка, ты любишь анекдоты...

ХРУЩЕВ. «Если есть у бабы рот, значит, баба не урод».

СТАЛИН. Хреновый анекдот, хреновые речи! Лаврентий, давай лезгинку!

Берия бьет в такт в ладоши. Сталин медленно пляшет.

ВСЕ (хлопают в такт, хором). Товарищ Сталин, какой вы молодой!

СТАЛИН. Нет, биологические законы неотвратимы... А государство после меня примет красная подхалимская жопа — Маленков.

ВСЕ (хором). Нет! Нет! Вы! Вы!

СТАЛИН. Как же я из гроба...

ВСЕ (хором). И из гроба сможете, потому что гений всех времен и народов!..

К. И всякий раз, когда они веселились, Хозяин по старости минутки на две-три обязательно отключался, храпел... Думаю, тогда ненавидевшие и смертельно боявшиеся соратники и добавили ему в вино... Лаборатория была при КГБ. Бесследные яды провоцировали инсульт, инфаркт и даже рак... Во всяком случае, на Мавзолее во время празднования Первого мая Берия при мне сказал Молотову: «Я убрал его!» Громко сказал, чтобы мы все слышали.

ОНА. Ты почувствовал страх. Сейчас начнут возвращаться из лагерей недобитые соплеменники и спросят, почему не защитил... (Смеется.) Так, наверное, думали те, кто тебя не знал... Но не я. Человеческие чувства ты называл обывательщиной. Ты был политик, ты до сих пор уверен, что это национальность!

К. После смерти Хозяина эти идиоты объявили, что покончено с культом личности и теперь у них будет коллективное руководство страной. Радовались, глупцы! Они забыли, что со времен Киевской Руси в России не было коллективного правления. И никогда не будет. А я знал, что вскоре увижу обязательную азиатскую пьесу под названием «Чингисхан умер, и чингисиды пожирают друг друга». Но кто победит, выяснить было нетрудно. Есть старая восточная пословица: «Сильного зарежут, умного удавят, хитреца изберут предводителем». И я сказал себе: Хрущев! И он победил!

Хрущев и К.

ХРУЩЕВ. Вы у нас старейший деятель международного рабочего движения. Помогите нам бороться с наследием культа личности.

К. Теперь я помогал этому не очень грамотному, но смекалистому партийцу, ставшему наследником Чингисхана... Я должен был облагородить его власть, освятить ее воспоминанием о Коминтерне, сделать ее наследницей Ильича, дитем мировой Революции. И потому я взлетел...

ХРУЩЕВ. Вы теперь член коллективного руководства страной — член Президиума ЦК коммунистической партии, секретарь ЦК нашей партии...

К. Я стал властью в великой стране!

ХРУЩЕВ. Помогайте нам держать истинно ленинский курс. Когда-то Ильич поручил вам разработать Устав Коминтерна... Теперь ЦК поручает вам разработать новую программу нашей партии. И, пожалуйста, откройте что-нибудь новенькое в теории.

К. (чуть насмешливо). Что именно открыть, Никита Сергеевич?

ХРУЩЕВ. Что-нибудь... ну... ленинское. Сами решайте, что! Вы ведь теперь секретарь ЦК.

К. В 1958 году был очередной юбилей финской Компартии... И опять старую боевую клячу потянуло на Родину. Я снова представил, как я во главе делегации...

ХРУЩЕВ. ... К сожалению, тебе нельзя. Они тебя не хотят. Мы не можем пустить тебя в Финляндию... Небо нашей дружбы с финским соседом должно быть безоблачным.

К. Оказалось, я был не властью, а только украшением власти. Москва хотела дружить с Хельсинки. И с белым ко-

нем было окончательно покончено. Карело-Финскую республику Хрущев расформировал. Так что с «Бронепоездом на запасном пути» тоже было покончено. Мне следовало забыть все прежние надежды. Это трудно в старости... Но я придумал. Вместо Финляндии вернулся на другую Родину... Помнишь, милая, Одиссей после многих странствий возвращается в родной дом, в Итаку? Так и я решил вернуться в родной дом — к прежним добрым социал-демократическим идеям... Я, символ Коминтерна, с *его главной коммунистической идеей диктатуры пролетариата,* решил эту диктатуру *убрать из программы* Коммунистической партии. В это время у меня появился любимый ученик — Юрий Андропов. Он был вождем комсомола в Карело-Финской республике. Как и я, он любил кофе, как и я, писал стихи, как и я, знал языки и литературу... Я успешно перетянул его в Москву. Он стал частью моего плана. Я решил дать СССР социал-демократическую идеологию и впридачу — социал-демократического вождя. Я мечтал, чтобы образованный мною марксист возглавил, наконец, страну Социализма.

Хрущев и К.

ХРУЩЕВ. Послушай, Отто... Что ты так печешься об этом... Андропове?

К. Он очень способный человек, Никита Сергеевич. Его хотели арестовать в сорок девятом году, но я уговорил Сталина...

ХРУЩЕВ. Надо же! Никогда не слышал, чтобы ты за кого-то заступился! Кстати, у него какая-то темная биография. Мало что известно об отце...

К. Рос без отца. Его мать развелась.

ХРУЩЕВ. У нее еврейская фамилия?

К. У нее финская фамилия. Она была сиротой, ее удочерила финская семья.

ХРУЩЕВ. Странно это всё... Скажи честно, не заделал ли ты сам этого Андропова, и потому эта баба развелась? Про тебя в плане девок чудеса рассказывают! ... Анекдот хочешь?

«Муж звонит ночью жене. Жена: «Ты где?» Муж: «Я на охоте!» Жена: «А кто это там рядом... дышит?» Муж: «Это медведь»». (Хохочет.)

К. (сухо). Это все сплетни, Никита Сергеевич. Товарищ Юрий Андропов очень способный, перспективный коммунист, и потому я...

ХРУЩЕВ (перебивает). Твоя взяла, будем его двигать. Да, все хочу спросить тебя... Только честно: мы, действительно, построим коммунизм?

К. К восьмидесятому году будет создана материальная база коммунизма.

ХРУЩЕВ. Нет, я спрашиваю тебя: честно, к восьмидесятому году? Это точно?

К. Это точно.

ХРУЩЕВ. Совсем точно?

К. Точнее не бывает.

ХРУЩЕВ. Не надуваешь? Ты ведь прямиком от Ленина... Анекдот Громыко рассказал: «Вопрос: можно ли построить коммунизм в Сахаре? Ответ: можно, только песка не будет!» (Хохочет.) Выходит, я могу объявить: нынешнее поколение советских людей будет жить при коммунизме?

К. Можете!

ХРУЩЕВ. Это так важно! Мы всегда объясняли нашим людям, что они живут для будущего — для построения коммунизма. И вот приблизилось Царство Божие... Ну, пиши новую программу партии, все ждем...

К. И я собрал молодых образованных марксистов.

К. и несколько молодых людей.

К. Кто может крест на кольцах сделать? (Молчание.) А я могу. (Показывает.) Вот так, сосунки... Как про вас сказано у Шиллера в перечне действующих лиц пьесы «Разбойники»? Не помните? «Молодые люди, впоследствии разбойники». Надеюсь, разбойнички, мы кое-что соорудим с вами... Вопрос: если мы построили социалистическое общество, нужно ли нам сохранять диктатуру пролетариата?

Или нам нужен переход к новому типу государства? А ну-ка, все вместе грянем?

ВСЕ. Переход! Переход! Переход!

К. Правильно! И я вам его назову. Это общенародное государство! Да, пусть сам Маркс критиковал идею такого государства, но марксизм должен развиваться! И разовьем его мы с вами... Какое будет резюме?

ПЕРВЫЙ МОЛОДОЙ ЧЕЛОВЕК. Нас убьют!..

К. Он был прав. И я поспешил заручиться поддержкой Хрущева.

Хрущев и К.

К. В связи приближением Коммунизма мы составили записку в ЦК об отмене диктатуры пролетариата на нынешнем этапе и о переходе к общенародному государству.

ХРУЩЕВ. Это как же? Ленин считал диктатуру пролетариата главной в марксизме.

К. Я был в руководстве Коминтерна, который должен был осуществить всемирную диктатуру пролетариата. И я говорю вам: эта идея нынче устарела!

ХРУЩЕВ. Точно?

К. Точно! Это сталинская догма, будто диктатура пролетариата — главное в ленинизме. У нас теперь творческий марксизм. Такой цветок не мог вырасти в тени культа личности... Но в условиях нынешнего коллективного руководства...

ХРУЩЕВ. А у Ленина есть на этот счет?..

К. Нет... но мы найдем!

ХРУЩЕВ. Точно?

К. Точно!

ХРУЩЕВ. Загадку хочешь? «Встанет — до неба достанет». Что это такое?

К. Не знаю.

ХРУЩЕВ. Радуга! (Хохочет.)

К. И началось! Непрерывные звонки членов Президиума ЦК КПСС...

Звонок телефона.

ГОЛОС. Послушайте, дорогой Отто Вильгельмович! Вы покушаетесь на святое святых. Что будет с нашим государством — государством диктатуры пролетариата? Что будет с идеологией?..

К. Крепче будут оба — и государство, и идеология. Никита Сергеевич нас поддержал. Так что будем жить без диктатуры, но с Никитой Сергеевичем.

Звонок телефона.

ЖЕНСКИЙ ГОЛОС. Мне сказали...

К. Правду сказали.

ЖЕНСКИЙ ГОЛОС. Но как нам быть? Что говорить партийцам? Я, можно сказать, диктатуру пролетариата всосала с молоком матери!

К. «Сосать надо не диктатуру», как шутит товарищ Хрущев. Кстати, он — *за*!

ЖЕНСКИЙ ГОЛОС. Это точно?

К. Совершенно точно. Вы ведь знаете — он выдающийся марксист...

Андропов и К.

АНДРОПОВ. Они все в ярости.

К. Глупцы! Они не знают — это только начало. Дальше мы покончим с *однопартийностью*. У нас будет нормальная социал-демократическая страна.

АНДРОПОВ. Учитель, поверьте, не надо...

К. Меня поддерживает Хрущев...

АНДРОПОВ. Хрущев — это хорошо сегодня. Уверяю, это будет очень плохо завтра.

К. Яснее можешь?

АНДРОПОВ. Яснее не могу. Но прошу... настойчиво: откажитесь, учитель!

К. Я накричал на него... Он слушал презрительно, равнодушно. И мне показалось, что я повторяю историю философа Сенеки... Он мечтал воспитать мудреца, а воспитал Нерона... И еще я понял: они все вместе!

ОНА. И уже вскоре тебе стало плохо...

К. Врачи не понимают, что со мной... Или наоборот — понимают?

ОНА. Змея не смогла сбросить очередную кожу... на этот раз.

К. Змея, которая не смогла сбросить старую кожу, погибает! (Кричит.) Мне очень плохо! (Хочет сесть на стул.)

ОНА. Туда нельзя, милый... Это место Куллерво Маннера.

К. пытается сесть на другой стул.

ОНА. Сюда нельзя, родной, здесь сидит твой секретарь Мауно Хеймо.

К. мечется между стульями.

ОНА. И сюда тоже. И все остальные, милый, заняты финнами, которых ты предал... Ложись-ка лучше в постель. И я спою тебе песенку, любимый... на дорожку.

К. У тебя меняется лицо... Оно колеблется...

ОНА. Тс-с-с, родной... (Поет финскую колыбельную.)

К. Айно! (Кричит.) Айно! Мне душно... Айно...

ОНА. Разве её сюда пропустят? Она очень просилась навестить тебя, твоя Айно... Но ты не захотел.

К. Кто ты?!

ОНА. Ты давно понял... (Нежно.) А теперь спи, любимый. Пора. (Закрывает ему глаза.)

Комната в коммунальной квартире. Старая Айно сидит у радиоприемника.

ГОЛОС ДИКТОРА. Страна прощается с верным сыном Коммунистической партии. Нескончаемым потоком идут советские люди... Заканчивается траурная церемония. Урну с прахом выносят из Колонного зала Дома Союзов...

Она выключает, плачет. И вновь включает радио.

ГОЛОС ДИКТОРА. Похоронная процессия направляется на Красную площадь. В церемонии принимают участие руководители партии и советского государства, а также Генеральный секретарь ЦК компартии Финляндии Вилле Песси. Урну с прахом устанавливают в нишу Кремлевской стены. Светлая память о товарище Отто Вильгельмовиче Куусинене вечно будет жить в сердцах советских людей и всего прогрессивного человечества. (Звучит траурная музыка.)

АЙНО. В сосновом гробу лежать тебе было бы лучше...

КОНЕЦ

Снимается кино. Взгляд на историю из киностудии

ЧАСТЬ ПЕРВАЯ

В темноте

ГОЛОС РЕЖИССЕР.А. Будем снимать непрерывной камерой. И потому каждый ваш жест, каждое движение должны быть что?! От-репетированы!

ГОЛОС АССИСТЕНТА РЕЖИССЕРА ЗИНЫ: «Застрявший в заднице 60-ых» Кадр один, дубль один!

Стук хлопушки. Освещается Павильон на киностудии.

ВТОРОЙ РЕЖИССЕР. Фекин. идет по павильону, пристально вглядываясь в собравшуюся массовку.

ФЕКИН. «Здравствуйте, господа-товарищи, прохвосты и прохвостихи!

Девушка, яркая Блондинка, выходит вперед, шепотом:

БЛОНДИНКА. Я — Маша... Вам обо мне говорили.

ФЕКИН. «Маша с Уралмаша». Очень рад, я Боря с Лиона (Трясет руку.). Это рядом с Фрязино (девушке). Шаг вперед! Теперь манюркой к оператору.Только не надо! Не надо сразу лезть мордой в камеру! Держитесь поскромнее, барышня! (читает текст сценария) «Появляются Джазисты!»

Выходит Трио

ФЕКИН. (Продолжает читать сценарий) Это Гитара — рассудительный пожилой человек, и Ударник — опечаленный молодой человек, и Трубач — оптимист. Рассаживайтесь и сразу пошел текстюк!

УДАРНИК (печально). Сейчас они установят свет, начнется репетиция, а потом уже будет съемка.

ГИТАРА. (рассудительно) «Все-то вы знаете. Все-то вы видели? Это очень хорошо так много знать в молодом возрасте».

И тотчас вспыхивают юпитера. Появляется Режиссер, за ним этакой собачкой неотрывно поспешает ассистент Зина

РЕЖИССЕР. (кричит) Фекин! Где этот сукин сын Фекин?

ЗИНА. Как обычно. В творческом буфете.

ФЕКИН. (выскакивая) Почему вы кричите! Я не разрешаю на себя кричать! Я набирал массовку!

РЕЖИССЕР. Бороды у массовки приклеены черте как! Посмотрите, на бороду Джазиста! Зина, дерните бороду и подарите ее Фекину!

ЗИНА (подходит к Ударнику, деловито). Простите. (Дергает его за бороду.)

УДАРНИК. Что вы делаете?

ЗИНА.У вас косо приклеена.

Дергает снова, борода не отрывается, и Зина, уже все поняв, от испуга снова дергает.

УДАРНИК. Это моя! Моя!

ЗИНА. Ну ваша. Ну и что? И зачем так орать!

РЕЖИССЕР. Бороды настоящие, а выглядят как приклеенные. Значит — плохо подстрижены. А это уже ваша вина, Зина.

В этот момент Блондинка, воспользовавшись суматохой, незаметно подвинулась к съемочной камере.

КИНООПЕРАТОР. (не отрываясь от камеры, умоляюще). Она опять...

РЕЖИССЕР. (Тотчас переключаясь, Блондинке.) Скажите, девица, почему вас непостижимо тянет к камере? Почему вы не хотите понять, что вы должны стоять на заднем плане, что вы — МАС—СОВ –КА! (махнул рукой) Читаем текст.

ФЕКИН. (*читает сценарий*) «Режиссер. Нечаев идет по коридору студии. Хор голосов — Здрассы... Здрассы ... Здрассы»

БЛОНДИНКА: (глядя в текст с энтузиазмом) –Здрассы... Здрассы... Здрассы

РЕЖИССЕР. А где же он?

ФЕКИН. Кто?

РЕЖИССЕР. (изысканно) Тот, ради кого мы все собрались. Герой фильма режиссер Нечаев, который, как справедливо написано в сценарии, сейчас «идет по коридору».

ФЕКИН. (стараясь официально) Артист, играющий роль кинорежиссера Нечаева... Как бы это сказать...

ЗИНА. Исчез!

ФЕКИН. Он не исчез, он летит!

РЕЖИССЕР. (все так же изысканно) Откуда и куда летит наш Ангел?

ФЕКИН. Откуда-то сюда! (переходя в наступление) Вы хотели знаменитого! Знаменитые снимаются!. Худшие в трехсот сериалах!. Лучшие в тысяче.Тысяче тысяч!

ЗИНА. Секс-символы!

РЕЖИССЕР. Найдите символа к обеду. И если не найдете я вас вместо него на небо отправлю. Как говаривал Ванюша Грозный: «Я вас, Фекин, на кол посажу и поверну!» (Задумался.) А пока... Пока буду за него репетировать я! Работать за сукина-символа! Работать за других, как всегда! Мне не привыкать!. Текст Нечаева!

(Зина тотчас жестом фокусницы достает из пустоты роль и передает Режиссеру)

РЕЖИССЕР. (к массовке) Итак, джентльмены, мы снимаем фильм из жизни загадочной страны по имени СССР. Это затонувшая Атлантида, она спит на дне. И мы с вами сейчас её... Что? Поднимем!

Трио тотчас заиграло-запричитало «Бэк ту юссср! ... Бэк ту юэссэр!»

РЕЖИССЕР. Не надо Битлов! Битлов нам тут не надо!. (массовке.) И будьте вдохновенны. Помните. Хорошо актерам в театре: сыграл — и унесло мгновенье. Осталась легенда. А у нас с вами — большая беда. Ваши рожи, вся ваша бездарность, ваши сытые похотливые глаза — они останутся на экране — НАВСЕГДА!.

ОПЕРАТОР. Я думаю здесь от среднего до крупного!

РЕЖИССЕР. (Подходит к джазистам)

ТРУБАЧ (Представляя Режиссера) Это Федор Федорович — постановщик фильма. А это — мои молодцы. Сидорук — барабан и электрогитара, товарищ Гитара-Жгунди...

РЕЖИССЕР. (поучительно) Ваша фамилия, голубок, звучит неприлично. Поэтому, представляясь, не уставайте извиняться: «Жгунди, простите за выражение». Ваш Джаз в нашем фильме он одновременно греческий хор. Этот отстой — наивный абсурдизм шестидесятых. В фильме ваше трио периодически будет вламываться в действие, произносить речитативом какой-нибудь абсурдный текст, и в заключение — глубоко вздыхать: «А-а-а!» Как греческий хор. Непонятно? Ну, в порядке бреда, один из вас говорит: «О, весна! Весной мы все влюблены! О, весна!». Другой подхватывает: «О, весна! Весной не хватает витаминов!..»

ГИТАРА (серьезно). Это большая правда — весной плохо обстоит с витаминами. А в конце концов главное — чтобы мы были здоровы.

РЕЖИССЕР. (в восторге). Заиграли! Гитарка пошла (стонет) Верно, верно... Как у Жюль Верна! И по гречески ляпнули!

ТРИО (хором). А-а-а!

РЕЖИССЕР. Вы отлично сымпровизировали!

ГИТАРА. Жгунди, простите за выражение.

РЕЖИССЕР. Но «А-а-а» должно быть поактивнее — этакий «оргазм по Станиславскому». Итак, действие нашего фильма разворачивается на киностудии (Оператору.). Здесь от среднего до крупного. Режиссер фильма Нечаев идет по коридору. На дворе шестидесятые, но уже готовятся к столетнему юбилею Ильича, начинают сниматься тысячи картин о Вожде. И навстречу Режиссеру Нечаеву по коридору все Ленины... Ленины... Ленины... И все в кепках! (Оператору) У нас должно быть темно в глазах от Лениных! И кепок, кстати, где Ленин? Фекин!

ФЕКИН. Видите ли Феодор Феодорович, с Лениным дела ни ахти как...

ЗИНА. (радостно) Нету Ленина!

ФЕКИН. Я с утречка ходил на Красную площадь. Там всегда можно было найти пару-тройку отличных Лениных, но, не сезон — дожди зарядили. А Сталин нам не подойдет? (торопливо) Понял! Но один Ленин все-таки найден. В Третьем павильоне у Ваньки Гуслицера Ленин лежит в гробу — у них сейчас съемка (хихикая). Но вы не поверите кто у них Ленин в гробу.

РЕЖИССЕР. Побыстрее.

ФЕКИН. Наш Владимир Ильич! (Режиссер непонимающе глядит на него) Ну наш спонсор Владимир Ильич — их Ленин Владимир Ильич!

РЕЖИССЕР. (стараясь небрежно) У богатых свои причуды

ФЕКИН. Кстати он очень похож. У них сейчас перерыв, может, забредем?

РЕЖИССЕР. Продолжаем текст

ФЕКИН. (*читает сценарий)* «Режиссер Нечаев идет по коридору».

ОПЕРАТОР. От среднего до крупного.

ФЕКИН. «Нечаев заходит к директору Киностудии».

Актер, стоявший в глубине павильона, выходит к камере

РЕЖИССЕР. (Актеру) Вы — реальное лицо. Директор киностудии «Ленфильм» Илья Николаевич Киселев. Вы обожаете поучать молодых Режиссеров. Героиней поучений является «простая русская женщина», которую Киселев и почему-то именует Марьей Ивановной Распиздяевой. Пошел тексток!

АКТЕР. (читает текст) Вы должны думать... Думать неустанно, что скажет о ваших картинах...

РЕЖИССЕР. (вопит) Нет! Он агрессивен.Он страстен!. (берет текст, яростно читает) Вы должны думать! Думать неустанно! Что скажет о ваших картинах обычный зритель! Простая русская женщина — Марь Иванна и тэдэ. Он помешен на этом святом образе. Помню, на съезде кинематографистов он вышел на трибуну и привычно начал: «Мы кинематографисты должны думать, думать неустанно, что скажет о наших картинах простая русская женщина... Марь Иванна...». И осекся. И смущенно закончил: «Иванова»..А я сказал с места: «Ничего, ничего, Илья Николаевич, она просто вышла замуж». Не смешно? Вымарываем!

ФЕКИН. (вбегает) Пора к Ленину!

Надпись «Павильон номер 3». В гробу сидит Спонсор в гриме Ленина и жадно ест.У гроба в форме красногвардейцев — два его охранника. Входят цепочкой Режиссер, Оператор, Зина и Фекин.

РЕЖИССЕР. (усмехаясь) Здрасьте, славное место выбрали для еды, Владимир Ильич.

СПОНСОР. Ничего, всюду жизнь.

РЕЖИССЕР. Никогда не думал Вас здесь увидеть, Владимир Ильич

СПОНСОР. А почему? Мне с детства говорили, что я похож. И папаша у меня был похож. Он в честь Ленина меня и назвал. Я может для этого эпизода всю картину запустил. Лежу себе в гробу мертвый и размышляю И знаешь о чем? Нет, не о Мировой Революции. О твоей картине, в которую я тоже забабахал серьезные бабки. Я тебя уважаю. Я понимаю — у тебя мечта снять эту пьесу, которая была знаменита до Рождества Христова. Но ты обещал мне — буду оживлять... А где оживление? Ладушки... Потом поговорим. А сейчас у меня к тебе малюсенькая просьба... О моей телке. Введи её в какой-нибудь эпизод.

РЕЖИССЕР. Я уже ввел двух.

СПОНСОР. И еще введешь! Вводить тебе и вводить! Тестостерона у меня океан! (Звонок мобильного у охранника. Охранник передает его Спонсору, тот выслушал текст по телефону, сразу яростно.) Кто на нас наехал?! Какие такие бабки?! Мы в арбитраже у гавнюка выиграли! Я тебе жопу на харю твою жидовскую натяну! Какой судья еще на хрен! Мы всем судьям дали! Скажи ему, я сейчас в гробу, но я из гроба встану и его, блин-морозный окунь, туда уложу! Понял? Действуй! (милостиво) Да, узнай мне к завтрачке: мне один мужик сказал, что Лувр продается. Я бы прикупил.. А ты позвони в Лувр и спроси! А чего тут стесняться мы бабками платим! (Отдает мобильник охраннику, Режиссеру.) Ну рассказывай проблемы.

РЕЖИССЕР. Нам тоже нужен Ильич. В эпизодик. Может, попробуешь сняться у нас? У нас настоящий ленинский текст! Подлинный! Зина! Тексток!

Зина тотчас достает из воздуха текст и вручает Спонсору

РЕЖИССЕР. Мы оставим тебе знакомую мизансцену — лежишь себе в гробу... И раз — будто тебя осенило! Вскакиваешь в гробу и по-ленински беспощадно... Ну как ты сейчас кричал! Пробуем?

СПОНСОР. (читает текст) «Товарищ Войтынский! Факт остается: интеллигенция ушла от нас прочь — туда этой бляди и дорога!»

РЕЖИССЕР. И сразу нырь обратно! (Спонсор ложится в гроб.) Лежи, лежи. Вскочил! Текст!

СПОНСОР. Товарищ Горький!

РЕЖИССЕР. Нет! Вставай вкуснее!.Ты как бы *восстаешь* из гроба. Давай сначала. Лег ... Лег... Лег... Вскочил!

СПОНСОР. «Товарищ Горький! Интеллигенция мнит себя мозгом нации. На самом деле они не мозг, а гавно!»

РЕЖИССЕР. Нырь — в гроб! И оттуда шепотом... Пошел шепот «Совершенно секретно...»

СПОНСОР. (шепчет) «Совершенно секретно. Указание. Попов надлежит арестовывать и расстреливать беспощадно и повсеместно И как можно больше. Церкви подлежат закрытию Помещения храмов опечатывать и превращать в склады Ульянов-Ленин».

РЕЖИССЕР. И пошел финал. Поднялся опять в гробу! Во весь рост! Ручку победно вперед! С появившейся кепкой! Текст!

СПОНСОР. (встает в гробу) «Революция о которой говорили большевики свершилась, блин!»

ТРУБАЧ. И по-гречески ляпнули!

ХОР. А-а-а-а!

РЕЖИССЕР. Браво! Мы это рассыплем по картине. Получится по-взрослому

СПОНСОР. Ты подумай насчет того, что я тебе сказал. Оживляй свою картину, братан!

Но Режиссер уже не слушает. Его осенило! Продолжая пристально глядеть на Спонсора, страстно шепчет что-то Оператору.

РЕЖИССЕР. (Спонсору.) Послушай... Мне очень понравилось как ты кричишь. И вот, что я думаю: Ленин — это эпизодю Не хочешь ли сняться у нас в большой роли. Роль заместителя министра кинематографии! Не хухры-мухры! Кстати его тоже зовут Владимир Ильич. Владимир Ильич Трофимов. Он приезжает из Москвы раздолбать картину нашего героя — режисера Нечаева.

ГОЛОС В МЕГАФОН. Владимир Ильич, займите рабочее место. Съемка через 5 минут.

СПОНСОР. (Укладываясь в гроб.) Потом, потом ... Я умер, блин.

Режиссер уходит, за ним вся рать.

Только Фекин умело задержался, и рука Спонсора из гроба передает ему конверт с деньгами. Фекин стремительно сует в карман

СПОНСОР. (шепчет) Если не снимите мою телку, знаешь что будет?

ФЕКИН. Так точно. На лице жопа. (Идет за Режиссером).

РЕЖИССЕР. Что с Секс-символом?

ФЕКИН. Звоню повсюду

РЕЖИССЕР. Звони каждую минуту. Звони во сне и наяву. И если через час не найдешь, знаешь что будет.?

ФЕКИН. Так точно. На кол посадите и повернете.

Павильон номер 2.

РЕЖИССЕР. Начали репетицию!

Блондинка попыталась вновь приблизиться к камере.

ОПЕРАТОР. Федор Федорыч, а она опять.

Блондинка тотчас отступает, но Режиссер уже стремительной походкой идет к ней

РЕЖИССЕР. Я не могу попросить вашу маму родить вас обратно! Но я могу попросить вас...

ФЕКИН. Ну зачем так? Вы же обещали Ильичу (исчезает).

РЕЖИССЕР. (Беспомощно махнул рукой) Хорошо! (Зине). Начали!

ЗИНА. Тишина в павильоне.

РЕЖИССЕР. Итак, наш герой Режиссер Нечаев уехал с киностудии. Он входит в парадное своего дома и видит... (кричит) Фекин! Где этот чёртов Фекин!

ЗИНА (радостно кричит) Фекин! Фекин!

В павильон вбегает Фекин.

ФЕКИН. В комнате отдыха по-прежнему не исправлен замок. И я искал слесаря!

РЕЖИССЕР. Но не нашли? (Зловеще Зине) Что написано в сценарии? Прочтите, пожалуйста, Фекину.

ЗИНА. «Нечаев входит в парадное. В парадном стоит целующаяся пара».

РЕЖИССЕР. И где?

ФЕКИН.Кто?

РЕЖИССЕР. «Целующаяся пара», очевидно...

ФЕКИН. Здесь возникли обстоятельства...

РЕЖИССЕР. (Зловеще спокойно.) Я устал вас просить: почему вы не сделали чего-то и какие на то были обстоятельства, вы мне сообщать не будете. Вы мне будете сообщать в тех редких случаях...

ФЕКИН. Я попрошу, не кричать!

РЕЖИССЕР. Когда вы хоть что-то сделали! А сейчас я пойду в комнату отдыха — думать... Думать над жизнью, которой меня заставляют здесь жить! Когда я вернусь, «целующаяся пара» должна быть на месте, а поцелуи отрепетированы. (Уходит.)

ФЕКИН. (шепчет Блондинке) Шуруй к нему! В комнату отдыха.Дверь там открыта. Неисправен замок. Он у нас Кустурица с тестостероном у него не хуже, чем у твоего Ильича. Хлещет!. Пошла-пошла-пошла!

Блондинка убегает.

ФЕКИН. Целующаяся... и пара...

Жестом подзывает к себе Зину, и они оба напряженно вглядываются вглубь сцены, туда, где сидит на скамейках невидимая нам массовка.

ФЕКИН. Пожалуй ту симпатюльку Лолиточку. Он таких любит и вон того... хилого, вроде рокера в бейсболке. Веди их!

Зина выводит из глубины сцены Девушку и Парня в бейсболке и лыжных ботинках.

ФЕКИН. Бейсболку не надо, в ней в Нью-Йорке ходят мусорщики, а в России молодые Режиссеры. Сними с него (Зина снимает с Парня бесболку.)

ПАРЕНЬ. Послушайте!

ФЕКИН. Слушать тебя будет твоя мама (Оглядев пару.) Это ему понравится. Начали! Сразу и с энтузиазмом! Целуемся!

ПАРЕНЬ. (не смутившись). А собственно, почему?

ФЕКИН. (устало).А по качану! Потом, все выясним! (Орет.) Целуйтесь!

ПАРЕНЬ. Все-таки хотелось бы понять...

ФЕКИН.Снимать тебя будут! В Голливуде увидят. Мать на «Оскаре» благодарить скоро будешь! Целуйтесь!

ДЕВУШКА. А я вообще не хочу!

ФЕКИН.Чего не хотите?

ДЕВУШКА. (Затвердила одну фразу.) А я не хочу!

ФЕКИН. Ну и не надо. (Трагически.) Не целуйтесь! Меня с работы из-за вас выгонят... (Подумав.) И Зину тоже. Разве

вам жалко людей? Разве у вас, у молодых, есть сердца? Целуйтесь!

ДЕВУШКА. А я не хочу

ФЕКИН. (Вдруг бешено.) Это чего ты не хочешь, гавнюшка?! Ты куда пришла? Ты *в наше новое кино* пришла! Здесь минет заставят делать –и будешь! Целуйтесь! Целуйтесь, мать вашу!

Парень наклоняется к Девушке, та беспомощно на него смотрит. Они целуются.

Комната Отдыха.

РЕЖИССЕР. (Читает сценарий.) «Нечаев стоит один, глядит на себя в зеркало. Самое страшное нет пылкости. Вместо души — каменное яйцо. Впрочем, вру. Страсть появляется, когда надо ненавидеть, завидовать, собачиться. Сам любить не можешь и оттого особенно остро ощущаешь, когда тебя любят. Лежишь во тьме, уткнувшись в потолок пустыми глазами, ласкаешь горячее тело холодными пальцами, судорожно вжимаешься в юную плоть, как в избавление. Ощущаешь чужую жизнь. И свою смерть. Ведь это тело — будет жить, любить, ворочаться в постелях, когда твоя плоть уже на бойню пойдет, на корм червям и листьям. Ах, это каменное яйцо... И шепот изпод скорлупы... Особенно громкий утречком, в тишине: «Остановите Землю, я хочу слезть».

ОПЕРАТОР. Здесь от крупного до среднего!

Входит Блондинка. Молча и деловито начинает раздеваться

РЕЖИССЕР. Да ты что! Погоди! Этого нет в сценарии!

БЛОНДИНКА. (Раздеваясь.) Нет, так напишем, моя лапочка, мой зайчонок, рябинушка плакучая. Так и Мэрлин Монро делала. А я чистая Мэрлинка. «Я героиня самоубийства и героина!»

ОПЕРАТОР. Думаю, затемнение.

Из затемнения Павильон № 2

Сначала слышен громкий стук. Фекин прислушивается. Входит Режиссер, за ним Блондинка.

РЕЖИССЕР. В Комнате Отдыха не исправлен замок. Мне надоело каждый раз сражаться с дверью

ФЕКИН. Я же сказал — исправим! Начали поцелуи!

РЕЖИССЕР. (Разглядывает целующуюся пару.) Стоп! (Мягко.). Так не целуются, когда любят. (Шепотом Фекину.) Миляги.

ФЕКИН. (Тоже шепотом). А вы всегда наброситесь. Иду за Великой. (Исчезает.)

РЕЖИССЕР. (Походив по павильону, обращается к «паре») Зина потом передаст вам текст эпизода. По замыслу Режиссера Нечаева героя фильма это бесконечно «целующаяся пара». У них поцелуи, как сражение. До изнеможения.

ТРУБАЧ. Здесь написано «Хор вновь изображает оргазм по Станиславскому».

РЕЖИССЕР. (Вдруг застенчиво улыбнулся.) Здесь не стоит. Это чистая, пионерская любовь тех далеких лет. Ну, в общем, понятно. Пробуем.

Девушка и Парень целуются.

РЕЖИССЕР.Это первый поцелуй. Первые поцелуи — неумелы, но безумны. Они только что раскрыли радость поцелуя, у них ничего нет, кроме этого, и поэтому они целуются — смертельно!

ФЕКИН. (Вбегая, торжественно). Федор Федорович, Великолепная вас ждет!

РЕЖИССЕР. (Сразу торопливо.) Иду!

БЛОНДИНКА. А как же я?!

РЕЖИССЕР. (Фекину) Мы тут немного поработали с лэди. Получилась милая вставочка между эпизодами. Это как бы модное видение. Мечта юных девушек будущей эпохи Гламура (Командует.) Она как бы «Блондинка из будущего». Греческий хор, приготовились к вздоху!

ОПЕРАТОР. От среднего до крупного!

РЕЖИССЕР. Начала движение... Пошел тексток!

БЛОНДИНКА. (Подойдя к рампе.) На мне бабушкин плащ от Альберто Феретти....Старое мамино платье от Версачи. (Протягивает руки).На правой руке кулон Картье — желтое золото, бриллианты. (Неожиданно распахивает платье.) А это трусики моего папы!

ТРУБАЧ. И по гречески ляпнули: «А-а-а-а!».

РЕЖИССЕР. (поучительно) А вот здесь как раз — оргазм по Станиславскому. (Блондинке.) Только нежнее возвышеннее. Ты как бы обнимаешь мир «Пусть всегда будет солнце!», «А это... трусики моего папы!».

ФЕКИН. Я где-то это видел.

РЕЖИССЕР. И я тоже! Талант... Он всегда возьмет свое... И чужое — тоже!

У всех — перерыв на обед.

ФЕКИН. (Режиссеру.) Поспешите в Комнату отдыха! Вы же знаете: Несравненная ждать не умеет.

Павильон № 2.Юпитеры потушены. Павильон почти опустел. Остались только Блондинка, джазисты и «целующаяся пара».

Девушка ест сосиски из целлофанового пакета. Парень, искоса наблюдая за ней, что-то рисует на листе бумаги.

ТРУБАЧ. Углубились в работу. (Раздавая листочки.) Это — листочки для импровизации. Начали учить импровизацию наизусть.

Трио «углубляется» в листочки.

ДЕВУШКА. (протягивая Парню сосиску.). Баварская!

ПАРЕНЬ. Спасибо. Но в час ночи я почему-то привык спать, а не есть.

ДЕВУШКА. А у меня, знаете, всегда аппетит, как у Ноздрева. А вы сейчас меня рисуете? (Ест.)

ПАРЕНЬ. — Нам бы познакомиться надо. Мы ведь с вами в некотором роде — «безумно целовались». У меня губы болят с непривычки

ДЕВУШКА.У меня, хотите сказать, закаленные. Как кого увижу, так и целуюсь?

ПАРЕНЬ. Ладно..ладно (представляясь). Художник Петя Подрабатываю на ночных съемках...

ДЕВУШКА. А я — Аня. (Проглотила кусок.) Сосисочки как не бывало. (Напевая.) «Тира-рира, полюбила я жокея...»

ПЕТЯ. И как же вы очутились, Аня, на ночной съемке грешных поцелуйчиков?

АНЯ. (Засмеялась.) У моей бабушки наступает очень круглая дата... Я ей фартучек для кухни купила в подарок. Итальянский. Похвально? А потом вышла из магазина, разворачиваю фартучек, а он на улице совсем другого цвета. Бегу обратно: «Девушка, перемените!» А она: «У нас возврата нет!». Тогда я ее очень попросила, а она как заорет. И мне вдруг стало жутко. Представляете, у меня, последние деньги, я так прошу, а она орет! И тут я разревелась, бросила фартук на прилавок и убежала. Пусть ей будет плохо.

ПЕТЯ. Ей будет хорошо. Ей будет все лучше и лучше с каждым днем.

АНЯ. Неправда. Ей будет плохо, когда дойдет до нее.А если не дойдет, будет еще хуже! В жизни все сбалансировано: она сделала зло. И ей будет зло.

ПЕТЯ. Честно? Не заметил.

АНЯ. Не успели. Успеете еще. Но какой же день рождения без подарка? И тут мне подвернулось это дело. Вообще здесь довольно интересно из познавательных соображений. Может быть все-таки съедите мою сосисочку «за маму, за папу»?

ТРУБАЧ. Начали импровизацию! «Рожденные в СССР. Поэт Коля Глазков».

ТРИО (хором). «Я на мир взираю из-под столика
Век двадцатый век необычайный,
Очень интересный для историков,
Но для современников печальный».

ГИТАРА.И по-гречески!

ТРИО. А-а-а!

Комната отдыха»

Входит Суперзвезда под тонной киношного грима и в платье Полины Виардо Суперзвезда по-прежнему молода и хороша.

СУПЕРЗВЕЗДА. Спасибо, не забываешь.

РЕЖИССЕР. Это ты оказала нам честь. Как съемки «Тургенева»?

СУПЕРЗВЕЗДА. Играть Полину Виардо приятнее, чем твою жену.

РЕЖИССЕР. Еще раз спасибо. И как они не бояться? И о Достоевском и о Тургеневе запросто снимают. Они с ними запанибрата!

СУПЕРЗВЕЗДА. Этот молодой режиссер меня достал! Он все время спрашивает: «Я не понимаю? Неужели «этот тип» (так он Тургенева кличет) столько лет любил одну бабу?!» Я смотрю на него и думаю: «Где уж тебе понять! Ты 5 минут любить не сможешь».Как и ты, впрочем.

РЕЖИССЕР. И за это тоже спасибо. Может, все-таки начнем репетицию? (*Читает текст сценария.*) «Комната отдыха. К режиссеру Нечаеву во время перерыва в съемке пришла

Жена. Она, видно, только что вошла. Накладывает еду из принесенных с собой судков».

СУПЕРЗВЕЗДА. Только вопрос: для этого секс-символа, который играет тебя *тогда* я *теперь* не очень стара?

РЕЖИССЕР. Милая, ты так хороша. Он состарится, я умру, а ты все будешь «ягодка опять». Итак, (Ч*итает* сценарий) «Нечаев молча, почти машинально ест».

Суперзвезда читает текст сценария.

«ЖЕНА. Ты чувствуешь, что ты сейчас ешь? Ты съел сейчас половину моего дня.

НЕЧАЕВ. Действительно, глупо носить обед из дома.

ЖЕНА: Да, умнее, если бы ты питался в творческом буфете. А потом неделю ходил с больным желудком, а я целый день варила тебе бульон. Отчего люди так противно едят? И вообще... Эти тарелки! Боже мой, кто придумал эту еду?

Нечаев поднял голову, молча смотрит на нее, потом, стараясь не торопиться, снова ест.

НЕЧАЕВ. (После паузы.) Что-то произошло?

ЖЕНА. Сейчас встретила на улице нашу математичку Софу. Она шла в коротеньком девичьем платьице. «Здравствуйте, Софочка». А Софочке уже к полтиннику, и все над ней смеются. А мне страшно на нее смотреть. Она тридцать лет в одной школе: пионервожатая Софочка, потом молоденькая учительница Софочка, теперь директор Софочка И так все тридцать лет, и все в одной школе, и все: «Софочка» Она не заметила, как прошло время. И вот так же пройдет моя жизнь: обеды, ужины, зарплата... Смешно! Раньше ко мне часто приставали на улицах, и я сердилась. А сейчас никто не пристает»...

СУПЕРЗВЕЗДА. Здесь лучше сказать «*почти* никто не пристает... И скоро я буду сердиться от этого» (Продолжает читать тест сценария.)

ЖЕНА. Господи, как скучно от этих разговоров!

НЕЧАЕВ. Я просил тебя поехать в дом отдыха на время съемок!

ЖЕНА. Дура, что не поехала! Торчать в свой отпуск в городе, с обедами! Что ты молчишь?

НЕЧАЕВ. Думаю.

ЖЕНА. О чем же?! О чем?!

НЕЧАЕВ. О том, что после этого разговора мне придется идти снимать.

ЖЕНА. Творить, вашу мать! Интересно, как ты можешь снимать о любви, если ты абсолютно не знаешь, что это такое? По-моему, тебе пора влюбиться в девицу из массовки. Только влюбиться, а не просто трахнуть, как ты привык!. Впрочем, не сможешь., не сумеешь... Как мне все это надоело! Устала! Что делать! Я устала от «великого творчества». Дайте серости. Я устала!

НЕЧАЕВ. Тише... Тише... Ты была удивительно восторженная когда-то. Только в девушках есть эта восторженность. Есть принцессы среди девушек, но нет королевы среди женщин. Это такая пословица.

ЖЕНА. Прости, виновата. Хотела обычной человеческой жизни. Чтобы мужик возвращался хотя бы к ночи. Чтобы не я руководила домом, а чтобы мной руководили и чтобы мне говорили... хотя бы раз в год... как меня любят, потому что я красивая! Я — красивая женщина! Почему ты опять молчишь

НЕЧАЕВ. Мне скучно с тобой ссориться. Когда-то у нас были великолепные ссоры. Насмерть. Такие ссоры бывают только у влюбленных.

ЖЕНА. Ты прав, у нас все было. Ну ладно.

НЕЧАЕВ. Что ладно?

ЖЕНА. Я уезжаю на юг ночным поездом...

Жена не двигается, ожидая, когда он начнет ее уговаривать. Но он молчит

ЖЕНА. До свиданья!

НЕЧАЕВ. До свиданья!

ЖЕНА. Чистое белье сложу в шкаф... До свиданья.

НЕЧАЕВ. До свиданья!

ОПЕРАТОР. Здесь от среднего до крупного!

Жена поворачивается, медленно идет к двери, толкает дверь, но дверь не открывается. Она толкает ее снова, тот же результат.

ЖЕНА. (В гневе.) Ну, я не знаю!

Тогда Нечаев разбегается и бьет плечом в дверь. Дверь распахивается

Павильон № 2. Вспыхнули юпитеры.

РЕЖИССЕР. В десятый раз — в комнате отдыха *по-прежнему* неисправен замок

ФЕКИН. Я вас услышал. (Зине, тихо.) Не в духе (читает текст сценария): Итак, Режиссер Нечаев входит в Павильон № 2.

НЕЧАЕВ: Репетируем поцелуи!

ФЕКИН. (деятельно). Целующаяся пара! Встали на места, начали поцелуи.

Петя и Аня целуются.

НЕЧАЕВ. Невкусно! Это как бы сразу: и страх девства и пробудившаяся чувственность! Страх и страсть сразу! Неужели непонятно? (Фекину). Я ведь просил отрепетировать!

ФЕКИН. Во-первых, не просили. Во-вторых, у меня был обед.

НЕЧАЕВ. У вас целый день — обед. Целуйтесь снова!

АНЯ (Решительно.). А я не буду! Я говорила, я не умею!

НЕЧАЕВ. Вы правы. И не надо.

ФЕКИН. Мы сейчас научим.

НЕЧАЕВ.Этому нельзя научить. С этим рождаются На сегодня закончим. На завтра ту же массовку. В «целующуюся пару» подберете другую. До завтра, товарищи хорошие, благодарю всех за усердие!

БЛОНДИНКА. А я?!

РЕЖИССЕР. (Устало.) Да вы... Начали движение!

ОПЕРАТОР. От среднего до крупного!

БЛОНДИНКА. (Двигаясь к рампе, в зал.) Это платье моей подруги от Дольча Фридманини. Браслет и кольца золото и брилллианты от Шопард Абрамини. А это... (Распахивает платье.) трусики моего Феди!!

ТРИО. А-а-а-а!

ФЕКИН. (читает текст сценария) «Вечер в павильоне № 2 Погасли юпитеры. Все начали расходиться. Петя, усмехнувшись, взглянул на Аню.

АНЯ. Бедная я. Бедные мы!

ПЕТЯ. Не огорчайтесь. За сегодня они вам все равно заплатят. И купите подарочек... О чем вы думаете?

АНЯ. Ни о чем...

ПЕТЯ. Да нет, вы мучительно соображаете как добраться до дому Третий час ночи. «Метро закрыто в такси не содют»

АНЯ. «Тира-ри-ра ... Полюбила я жокея.»

ПЕТЯ. Я хоть сюрреалист, но с жилплощадью... И моя мастерская...

АНЯ. Мастерская ваша рядом

ПЕТЯ. (Неловко.) Совсем рядом. Я поэтому здесь и оказался. Короче ...

АНЯ. Познавательные соображения мои — широки ... но не настолько.

ПЕТЯ. Все забываю...

АНЯ. Да, у нас шестидесятые годы.

ПЕТЯ: Ага. Время будто бы невинных бабушек. Любимый анекдот тех времен «Что делает школьница в два ночи? Одевается... и бежит домой!» (Передавая рисунок.) На память о наших поцелуях..

АНЯ. Это я?

ПЕТЯ. Нет, «Ежик в тумане». Там, на обратной стороне, начертан адрес мастерской. Если когда-нибудь решите навестить — милости просим.Можно без звонка и без познавательных соображений. Тем более, что я там работаю не один. Со мною рядом Юрий Тарантино-Монро Младший, Король перфоманса! Как не слыхали о Тарантине-Монро? Не верю! Так может все-таки?..

АНЯ. Помахали ручками на прощанье, и разбежались. (Разглядывая рисунок.) «Тира-ри-ра, полюбила я жокея...»

ПЕТЯ уходит. Аня взглянула на часы и печально покачала головой.

ТРУБАЧ. (Репетируя.) И в заключение пошла элегия...

УДАРНИК. «Рожденные в СССР. Поэт Коля Глазков»

ТРИО. (Хором)

«Хочу чтоб в двести тысяч ватт был освещен кабак!»

И сигареты «Фестиваль» в изломанных губах!

И на коленях девушка — хорошая, не с улицы.

Очень хочу я делать, что мне заблагорассудится!

Мечта, конечно, пошлая но все-таки мечта.

А девочка хорошая не смыслит ни черта!»

БЛОНДИНКА. (Распахивая платье) А это — трусики моего Коли!

УДАРНИКИ. И по-гречески ляпнули.

ТРИО. А-а-а!

АНЯ (Решительно поднимаясь.). Наплевать. Даже интересно. (Пошла к выходу.)

ФЕКИН. (читает сценарий) «В комнате отдыха. Нечаев снимает пальто с вешалки, надевает шляпу, останавливается перед зеркалом, потом сдвигает шляпу набекрень и показывает себе в зеркало язык...

«В день нашей смерти.

Приходит ветер стереть следы наших ног на песке...»

Он замолкает, стоит перед зеркалом. И молчит.

Потом подходит к двери. Толкает. Дверь не открывается. Разбегается и бросается на нее...»

ОПЕРАТОР. Здесь затемнение!

ФЕКИН. (*читает текст сценария*) «У входа в киностудию.» Над входом длинный козырек. Над козырьком — светящаяся надпись: «ЛЕНФИЛЬМ». Под козырьком, на ступеньках сидит Аня. Шум дождя. Из дверей Студии выходит Режиссер. Нечаев.

НЕЧАЕВ. Доброй ночи! Почему вы не уехали со всеми на автобусе?

АНЯ. (читает текст) Доброй ночи. Поцелуйчики закончились, так что я посижу здесь, без руководящих вопросов.

НЕЧАЕВ. (Садится рядом с ней на ступеньки.) Дождь... Ни одной машины. Слушайте, вы зря на меня обижаетесь. Я не виноват, что вы не умеете целоваться. Это нынче умеют уже в детском саду. А вообще, если я что-то не так сказал, вы уж простите. Когда идет съемка...

АНЯ. А сейчас съемка не идет. Идет дождик, вам скучно, и хочется поразговаривать. Ну разговаривайте. Только не надо всех этих «простите». Что было, то было. и большим быльем поросло. Ковыль на могилке. (Молчание.) Ну что приуныли? Ну давайте, разговаривайте.

НЕЧАЕВ. Ну давайте.

ОПЕРАТОР. Здесь от среднего до крупного

АНЯ. Дождь...

НЕЧАЕВ. Дождь... (Помолчав.) Вы помните какие-нибудь детские стишки про дождь?

АНЯ. Нет.

НЕЧАЕВ. Жаль. Я раньше помнил, а теперь забыл.

АНЯ. Знаете, на худой конец могла бы прочитать про ежика.

НЕЧАЕВ. Ну давайте про ежика. Тоже выход.

АНЯ. Значит, про ежика... «Кто и спать тебя уложит, снял бы шкурку прочь. Глупый ежик, глупый ежик, как тебе помочь...» Не плохо?

НЕЧАЕВ. Отлично... Сейчас я вам тоже прочту стихи. Я их целую неделю хочу кому-нибудь прочесть. И все не приходилось. А сейчас прочту.

«В день нашей смерти приходит ветер
Стереть следы наших ног на песке.
Ветер несет с собою пыль, которая скрывает
следы, оставшиеся там, где мы прошли.
Потому что если было бы не так,
То было бы, будто мы еще живы.
Поэтому ветер приходит стереть следы наших ног на песке».

Молчание.

АНЯ. Когда мне что-нибудь очень нравится, у меня бегают мурашки по позвоночнику... А что у вас случилось сегодня?

НЕЧАЕВ. Почему вы так решили?

АНЯ.Я на эти дела мастер. У нас на работе меня называют «старче», за мудрость,.

НЕЧАЕВ. Вы ошиблись на этот раз, старче-.ничего особенного... Сегодня было удивительное утро — солнце, почти лето. На работу я шел медленно, и все вокруг тоже медленно шли. И все говорили: «Скоро лето». А потом была съемка. И, как всегда, началась беготня, и я стал таким же, как всегда: занимался делами, с кем-то ругался, И об утре и о солнце, забыл... А дальше пришел другой человек. И поссорился со мной. Это тоже бывает всегда. А потом я стоял перед зеркалом и показывал себе язык... И тут опять вспомнил об утре, и мне захотелось пойти куда-нибудь в какое-нибудь необыкновенное место. Быть свободным и чтобы хоть что-то в моей долбанной жизни *случилось!*. Но я отлично знал: я просто пойду домой спать. Слушайте, перестаньте меня бояться!.

АНЯ. А я не боюсь.

НЕЧАЕВ. Вы боитесь, что я предложу ... Я не предложу.

АНЯ (Засмеялась.). Черт возьми, сколько во мне бодрости. Я когда-нибудь погибну из-за своей бодрости. (Вскочи-

ла.)! А я предложу! Пойдемте со мной! Ведь вы хотели сегодня попасть в необыкновенное место... Меня пригласили именно в такое, только я туда боюсь идти одна... Идемте?

ОПЕРАТОР. Наезд на едущее такси ... От среднего до крупного

ФЕКИН. (читает сценарий): Мастерская художников..На сцене три огромных рамы — это триптих. В первой раме — висит пальто, Во второй раме — Пустота.

В третьей на корточках над грудой яиц восседает... молодой человек

В мастерской Петя и режиссер Нечаев

ПЕТЯ. Какая неожиданность! Потрясен, изумлен! (Кричит.) Юрочка Тарантино Монро Младший, иди потрясаться. (молчание). Не может! Созидает Перфоманс! А где же застряла моя партнерша по поцелуям? (Кричит.) Поцелуи, где вы?

ГОЛОС АНИ: Мы тут, мы снимаем мокрые туфли.

ПЕТЯ. Поцелуи переобуваются. (Режиссеру.) Чем бы вас занять?

НЕЧАЕВ. Ничего-ничего. Я просто посижу... Посмотрю...

ПЕТЯ. Правильно. Изучайте действительность эпохи застоя. (Замахал руками.) Нет, не верю! Он пришел! Зевс, громовержец или по нынешнему — «звезда», «она сияет, как звезда, у ней широкая..натура! У ней английская фигура» посетили-с скромного человека из массовки.

Входит Аня.

ПЕТЯ. Не прошло и получаса, как поцелуи переобулись. И какова прическа!

АНЯ. Да ну вас!

ПЕТЯ. Да ну меня. Нет, до чего она прекрасна! О! Юрочка, иди смотреть, как она прекрасна... Не может, углубился — созидает перформанс!

ОПЕРАТОР. От среднего до крупного.

ПЕТЯ. Краткое разъяснение. Это Триптих Первое полотно называется «пальто Юрия Монро — Тарантино младшего». Второе зовется обширнее: «Юрий Тарантино ушел из дома, оставив после себя пустоту»... Продано Агробанку... А это третья картина — она создается. Вы наблюдаете процесс. Называется совсем длинно «Юрий Монро-Тарантино по дороге в НА-

ВСЕГДА созидает цыпленка... и предстал перед нами в образе курицы» (Нечаеву.) ... Вы пишите с него типа... Юрий — делает чуточку веселее нашу убогую жизнь И как трудолюбив! Думаю, скоро высидит потомство и мы зажарим для поцелуев великолепного цыпу

НЕЧАЕВ. А пока можно посмотреть ваши картины?

ПЕТЯ. Ради Бога. Мои спрятаны у писсуара. Чтобы не отпугивать устаревшим сюром крутых покупателей Юрия.

Нечаев уходит в глубь мастерской.

ПЕТЯ. (Ане) Вы знаете, когда я вас увидел, испугался. Я подумал, — как наивна, её просто съедят на стезе кинематографа... как вы — ту сосисочку... О, я святая простота! Она сама режиссера — цап-царап, и съела. Нам, по всему видать, опять лобызаться завтра?

Аня смеется. Возвращается Нечаев.

ПЕТЯ (Нечаеву) О чем же нам поговорить в ожидании Годо, то бишь цыплят? О ваших фильмах, конечно. К сожалению, не видели. Мы с Юрочкой смотрим только те фильмы, которые понравились в детстве. «Ежик в тумане» смотрели пятьдесят семь раз. Нет-нет, мы знаем, вы достаточно известный режиссер. Мне ваш джаз очень понравился, Хотя зримо не хватает чего-нибудь исторического.Не запузырить ли вам текст типа... Ну как дела, Иван? Слыхал у тебя холоп с колокольни прыгнул. Крылья испытывал. Ну и конечно мордой об землю — интеллигенция... Вы достаточно обиделись на меня?

НЕЧАЕВ. Достаточно.

ПЕТЯ. Значит, настало время спросить, как вам мои картины — понра- или не понра-?

НЕЧАЕВ. Понра.

ПЕТЯ. Я так и думал. Потому что все что вы видели — дрянь. В них слишком много крика,. Вот были Бах, Шекспир. Они могли позволить себе быть простыми. Они могли разговаривать с Господом шепотом. И Бог их слышал,. В искусстве есть художники. Они ищут *тайну и истину*. И инженеры. Они конструируют вещи. — чтобы нравилось. Вы — инженер.

АНЯ. Уже пять часов. Туфли высохли.

ПЕТЯ. О радость! У поцелуев высохли туфельки. Мы их, пожалуй, принесем-с! (Уходит.)

НЕЧАЕВ (после паузы Ане). Вы приходите завтра на съемку, ладно?

АНЯ. Наступает завтра. И мы разбежимся по своим планетам..

НЕЧАЕВ. Если не придете, старче, может, позвоните? Мой телефон..

АНЯ. Не надо. Терпеть не могу записывать телефончики. Нужно будет, сама найду..

Возвращается Петя с туфлями Аня надевает и....

Раздается оглушительный лай.

ПЕТЯ. Ужас! Он высидел...... щенка! Какой загадочный получился у нас перфоманс. Мы назовем его «Грустной Ошибкой!»

Аня и Нечаев уходят.

ЮРОЧКА (после паузы). Мадонна..

ПЕТЯ. «Клевая чувиха» (усмехнувшись). Не про нас с тобой эта чува... не про наши с тобой рожи!

ФЕКИН. (читает сценарий) Квартира режиссера Нечаева. В квартиру входит Нечаев.

ЖЕНА (из другой комнаты). Ты?

НЕЧАЕВ. Да.

ЖЕНА (ласково-ворчливо). Ну вот, разбудил, конечно.... Как хорошо, что ты меня разбудил. Как хорошо, что я не уехала., да?..

НЕЧАЕВ. Да.

ЖЕНА. Ну где ты там?

НЕЧАЕВ. Сейчас докурю.

ЖЕНА. Докурить можно и здесь.

НЕЧАЕВ. Спи, спи!

ЖЕНА. Нет, я уже проснулась. (игриво смеется.) Как съемка?

НЕЧАЕВ. После твоего ухода я ее отменил.

ЖЕНА. А где же ты был до сих пор?

НЕЧАЕВ. Пошел в мастерскую к художникам!

ЖЕНА. А я тебя жду! Всю ночь!

НЕЧАЕВ. Но ты же сказала...

ЖЕНА. Боже! Ну какое имеет значение, сказала- мазала... Ты должен был все почувствовать! Но разве ты можешь что-нибудь чувствовать?

НЕЧАЕВ. Прости, милая...

ЖЕНА.Только не надо этих — «милая», «хорошая»... Боже, как это скучно!. Придумай хотя бы какое-нибудь новое слово... или посоветуйся с кем-нибудь...

НЕЧАЕВ. Послушай...

ЖЕНА. Не уходить, бежать от тебя надо...!

НЕЧАЕВ. Я виноват, прости.

ЖЕНА. И я тоже — вздорная дура. Просто глупо вышло. Я в парикмахерскую пошла... Потом ждала тебя полночи, а мы опять поссорились. Все равно я тебя люблю. Ты знаешь, я действительно решила уехать, потом собрала чемоданы и... не смогла. Ты меня любишь?

НЕЧАЕВ. Да.

ЖЕНА (стараясь лукаво). А не врешь? Ну-ка повтори.

НЕЧАЕВ. Люблю.

ЖЕНА. Ну скоро ты там?

НЕЧАЕВ. Скоро. Открыть окно?

ЖЕНА. Открой, а то душно... Ссорятся люди, ссорятся. И вдруг возникает островок нежности, и это все оправдывает.

НЕЧАЕВ. Обе половинки открыть?

ЖЕНА. Обе.

Нечаев открывает окно, потом очень медленно начинает раздеваться

ФЕКИН. (читает сценарий) На следующий вечер. Павильон № 2.

В павильоне — Фекин, Зина,, Блондинка, Петя. На стульях сидят джазисты: Гитара и Ударник.

Входит режиссер Нечаев

НЕЧАЕВ. На чем мы остановились?

ЗИНА. На поцелуях. Вы звонили, что придет вчерашняя целующаяся девушка, но она не пришла..

НЕЧАЕВ. Да... (взглянув на часы).Странно. А кто же вместо нее?. Может быть, вы, Борис Григорьевич?

ФЕКИН. Я попрошу вас, Федор Федорович!..

Блондинка тотчас выходит вперед..

ФЕКИН. (одобрительно) А что?!!

НЕЧАЕВ (махнул рукой). Ставьте... ее!

ОПЕРАТОР. От среднего до крупного

БЛОНДИНКА (Пете). Сейчас целоваться будем. А вы кем работаете в жизни?

ПЕТЯ. Всем ... Сюрреалист — рекламист. Рисую также народные плакаты. Может видели популярный: «Что такое наша взятка? Это — взял и сделал!» Мой!

НЕЧАЕВ. Пошли поцелуи!

БЛОНДИНКА (целуясь, шепотом). Вы колетесь щеками! Я вас ненавижу!

ПЕТЯ (шепотом). А вы хотите меня любить, целоваться со мной и получать при этом бабки?

НЕЧАЕВ. Разговоры! Поцелуи! Больше любви!

БЛОНДИНКА (целуясь, Пете). Кактус! (страстно). Ненавижу!

РЕЖИССЕР. Вижу!. Вижу любовь!.

ОПЕРАТОР. Здесь от крупного до среднего

ГОЛОС. Здравствуйте, любезный Фекин. И здравствуйте и вы, Феодор Феодорович — Тореодор Тореодорович!

ФЕКИН. (читает) «Это вошел редактор фильма Кирилл Владимирович.»

КИРИЛЛ ВЛАДИМИРОВИЧ. Как живется-можется, как успехи множатся?

НЕЧАЕВ. Размножаются успехи на два, на три и на четыре. По моему... вы... уже?

КИРИЛЛ ВЛАДИМИРОВИЧ. Как говаривал великий Николя Глазков — «я сделал небольшой буль-буль». Видел в седьмом павильоне вашу бывшую..По-прежнему прекрасна в костюме Виардо. Правда рядом с нею стояли два качка из сериала «Бригада» Один из них, к великому моему изумлению, оказался Флобером, а другой и почему-то постарше — Мопассаном... Я, глупец, начал объяснять режиссеру, что вообще-то Мопассан даже считался сыном Флобера.Но молодой прохвост справедливо разъяснил мне, что этого сейчас никто не знает. Но сие — лирика. Сегодня утром у директора был звонок.Пренеприятнейший звонок по поводу нашей картины.

НЕЧАЕВ. Откуда вы это знаете?

КИРИЛЛ ВЛАДИМИРОВИЧ. Плохое у нас немедля знают все. Короче, завтра приезжает Владимир Ильич Трофимов из Главка. И я устроил сейчас просмотр отснятого материала.

РЕЖИССЕР. Вы что, с ума сошли!? ... У меня съемка!...

КИРИЛЛ ВЛАДИМИРОВИЧ. На просмотр я позвал Ирину Кирьянову... нашу выдающуюся критическую мысль.

НЕЧАЕВ. Я тысячу раз просил — не надо критиков! Критиков мне не надо!. ...

КИРИЛЛ ВЛАДИМИРОВИЧ. «Ах молчите вы, злые критики, ваша песенка нам нипочем! Не мешало бы этим кри-

тикам по затылочку дать кирпичом»... Если ей не понравится, вы скажите себе: «Имя первого критика было Колофан из Колафона он критиковал... Гомера!»... Но ей понравится. Вы прогрессивный режиссер, Кирьянова — прогрессивный критик ... Вы оба бежите впереди прогресса, так что бедный прогресс просто не поспевает за вами... Родной мой, поверьте дело очень серьезное... Сейчас 1967 год. И в нашем лучезарно далеком *там* явно опять что-то происходит... И возможно уже завтра нам понадобится хоть какая-то поддержка... Вы как творец художник можете этого не понимать, но я как ваш редактор – понимать обязан. Хочется вздохнуть.!

ТРИО (хором). А-а-а!

ОПЕРАТОР. Затемнение.

ФЕКИН. (читает сценарий) Просмотровый зал. Только что закончился просмотр материала В зале –Нечаев, Кирилл Владимирович и Ирина Кирьянова.

НЕЧАЕВ. Спасибо за внимание. До свиданья!

Хотел ускользнуть, но Кирилл Владимирович перехватил его за руку.

КИРИЛЛ ВЛАДИМИРОВИЧ. А теперь Ирина Леонидовна выскажет нам свои впечатления. (Кирьяновой.) Обаятельная, вам слово.

ИРИНА. Вот так сразу говорить трудно.

РЕЖИССЕР. Нет! Не так!.. Она говорит чуть устало, но весомо устало, излагая важнейшую и одной ей известную тайну. И изнемогая под бременем этой тайны. Начали

ИРИНА. Вот так сразу говорить трудно. Но я считаю, что для вас это шаг вперед.!

РЕЖИССЕР. (Оператору) При словах «для вас» Нечаев зло усмехнется.

ОПЕРАТОР. От крупного до среднего.

ИРИНА. У меня, конечно, есть свои замечания, и если они вас заинтересуют, могу их высказать потом подробнее .... Например, в каких-то вещах вы могли бы быть смелее. Я понимаю, сейчас... А может быть, и нужно быть смелым сейчас!.. Но во всяком случае, в материале есть что-то задорное, очень молодое... Лермонтовское!

КИРИЛЛ ВЛАДИМИРОВИЧ. Это превосходно. Именно лермонтовское.

ИРИНА (вдруг обрадовавшись, как ребенок). Правда? Действительно лермонтовское?!

НЕЧАЕВ (сухо). Благодарю вас, но я...

КИРИЛЛ ВЛАДИМИРОВИЧ (перебивая). Мы вас благодарим. Мы еще не можем понять до конца, какая вы несравненная... Но есть надежда –поймем. Впрочем «Не подавай надежды ты, а подавай пальто Надежде!»

Помогает одеться Кирьяновой.Та уходит.

НЕЧАЕВ (бешено). А почему лермонтовское? А почему, например, не гетовское или, иоганн-себастьян-баховское?

КИРИЛЛ ВЛАДИМИРОВИЧ. Федор Феодорович — Тореадор Тореадорович, не воюйте! Ей абсолютно наплевать, что вы отсняли. Ей важно ее мнение о том, что вы отсняли. И как только она нашла вам определение, она довольна, и вы ей нравитесь. А нам очень нужны будут союзники и уже завтра

НЕЧАЕВ. А вам понравилось... самому?

КИРИЛЛ ВЛАДИМИРОВИЧ. Друг мой, я прочел столько и видел в своей жизни столько, что меня могут взволновать только самые примитивные вещи.

НЕЧАЕВ. А мне не понравилось. Ох, как не понравилось!

КИРИЛЛ ВЛАДИМИРОВИЧ. Тореадор Тореадорович,... это от усталости. Я рад, что у вас будет три дня отдыха.

НЕЧАЕВ. Получился, пожалуй, всего один эпизод «Ночью»... Там есть печаль.

КИРИЛЛ ВЛАДИМИРОВИЧ. «После любви люди и животные становятся грустными» Это — Платон.

ФЕКИН. — Федор Федорович, Несравненная на площадке. (читает текст сценария) Входит Жена Нечаева..

НЕЧАЕВ (Жене, торопливо). Просмотр только что закончился...

ЖЕНА (яростно) Да, да конечно...

НЕЧАЕВ. Нет, не так! Ты взбешена, но оттого говоришь подчеркнуто медленно, ты полна сарказма.

ЖЕНА (читает текст) — Да-да, конечно. Ты просто чуть-чуть задержался с Кириллом Владимировичем. Небольшая часовая беседа. ... Вы с ним так давно не виделись!.

Кирилл Владимирович бочком-бочком — исчезает.

НЕЧАЕВ. Я тебя прошу. Мне сейчас опять идти снимать.

ЖЕНА. Только оставь эти телячьи нежности: «снимать», «не снимать». (бешено) Чистое белье в шкафу! Обед тебе пе-

редаст Фекин!. Истощилась! Я уезжаю на вокзал сейчас же! До свиданья!

НЕЧАЕВ. И после этого — снимать!

РЕЖИССЕР. Фекин! Где Фекин!

ФЕКИН. (вбегает) Охотился за секс-символом. Могу подытожить результаты ... Список 1876 сериалов где он НЕ снимается.

РЕЖИССЕР. Послушайте, я не шучу Если к вечеру не будет списка картин, где он снимается... Читайте текст!

ФЕКИН. На кол... и повернете! (читает текст сценария) «У входа в киностудию. Час ночи. На ступеньках сидит Аня. Из дверей выходит режиссер Нечаев.».

АНЯ. А я вас жду — извиниться. Я не виновата, у меня по дороге всегда случаются тридцать три несчастья. И я их преодолеваю за счет своей бодрости и от этого всегда опаздываю. (Молчание.) А вы уже не злитесь.

НЕЧАЕВ. А я и не злился. Просто устал. Давайте поедим на свежем воздухе. У меня есть пирожки из творческого буфета. Держите! (Разворачивает сверток.)

АНЯ. Вы лучше поезжайте домой и выспитесь.

НЕЧАЕВ. Сейчас не заснешь. А заснешь — полночи будешь снимать и искать во сне Фекина... Что у вас хорошего?

АНЯ. (Жует.) У меня хорошего — дали отгул за праздники, три дня.

НЕЧАЕВ. У меня тоже три дня свободных. Что у вас еще хорошего?

АНЯ. Сегодня у моей бабушки день рождения. Она родилась ровно в три часа ночи. Вы знаете, когда вы родились?

НЕЧАЕВ. Не знаю. У меня в этом году вообще нет дня рождения. Я родился двадцать девятого февраля. День рождения раз в четыре года..Есть еще пирожок

АНЯ. Съедим.и его. В честь вашего неудачного дня рождения...

НЕЧАЕВ. У вас есть «лучшая подруга»?

АНЯ. Нет. У меня была единственная сестра... Но она умерла.

НЕЧАЕВ. В вас очень много детского. Это славно!

Далекие удары часов.

АНЯ. Я погибла! Через час родится моя бабка! Только бы сестры не было дома. Боже, сделай так, чтобы... (Замолчала под взглядом Нечаева.)

НЕЧАЕВ (насмешливо). Ничего-ничего. Это другая ваша сестра, тоже единственная, но живая!

АНЯ. Вот никогда не могу соврать. Хороший я человек!.. Что вы так глядите?

НЕЧАЕВ. Пытаюсь понять, зачем вы схоронили сестру.

АНЯ. А вы этого не поймете. Вы ведь ничего не понимаете. Ни-че-го. Вы все время жалуетесь! С той минуты, как мы познакомились. Еще бы, приятно, когда тебя жалеют. И я вот тоже захотела, чтобы вы меня пожалели. Я не виновата, что не могу красиво рассказывать, как я устаю в своем дерьмовом магазине И день рождения у меня самый примитивный — десятого августа. Но я тоже захотела необычайного! И чтобы меня необычайно пожалели. И похоронила живую сестру! Только не смотрите на меня так мудро. Все-то вы знаете. А вдруг вы ничего не знаете? «Ах, как в вас много детского, ах, какая вы неиспорченная!» Вы — глупец! Я — тщеславная баба! Ясно? И невероятная врунья! И сначала я хотела быть знаменитой. Не вышло! Потом я вдруг стала бояться, что никогда не выйду замуж и останусь старой девой. И все надо мной будут смеяться. И это прошло. А теперь испугалась, что в жизни у меня не будет ничего невероятного. И когда я с вами познакомилась, я поверила: случится невероятное!

НЕЧАЕВ. Но не случилось...

АНЯ. А теперь еще немного подышим свежим воздухом... Сделаем пять вдохов и пять выдохов и разбежимся по своим планетам ...

Нечаев молча смотрит на Аню.

ОПЕРАТОР (укоризненно) Федор Федорович? Вам давно нужно подойти к ней и положить ей руки на плечи... Здесь — от крупного до среднего

Режиссер выполняет

АНЯ. (шепотом.) Я побежала!

НЕЧАЕВ. Да.

АНЯ (не двигаясь с места). А я все боялась и решала, идти на съемку или не идти. И пока решала — опоздала. *Я побежала.* (Не двигаясь.) Прощайте!

НЕЧАЕВ. Прощайте!

ОПЕРАТОР. Здесь Нечаев наклоняется и целует ее.А вы опять остановились!

НЕЧАЕВ. Я не остановился. (Ане) Вы должны вырываться

АНЯ. Я не вырываюсь, потому что вы меня не целуете!

Режиссер целует.

АНЯ (не вырываясь). Не надо.!

Он целует снова.

АНЯ. Ну, я это плохо делаю... Нос мешает ... Ужас-ужас-ужас! (Она уткнулась ему лицом в плечо.) Я побежала-побежала-побежала! (Отчаянно.) Побежала! (Убегает.)

ФЕКИН. (читает) «Квартира Надежды Леонидовны.

ОПЕРАТОР. Здесь, думаю, панорамочка — комната, где накрыт праздничный стол, и коридор, где стоит телефон.

ФЕКИН. (читает) В комнате за столом — Надежда Леонидовна, бабушка Ани Ирина Кирьянова, старшая сестра Ани, и, Кирилл Владимирович.

КИРИЛЛ ВЛАДИМИРОВИЧ. С днем ангела, Надежда Леонидовна! И сразу же за вас! (Пьет.) Вы — языческая женщина! Вы нам в наследство от Древнего Рима! (пьет.)

НАДЕЖДА ЛЕОНИДОВНА (певуче). Он ужасен! (Ирине.) Дорогая, почему нет Ани? Ирина. Я разрешила Ане сегодня задержаться ... У них на работе какой-то вечер.

КИРИЛЛ ВЛАДИМИРОВИЧ. Это правильно. Пусть она будет с народом. У прогрессивных критиков всегда была тяга к народности. Вы наш Белинский!

ИРИНА. По-моему, вы перевыполнили норму.

НАДЕЖДА ЛЕОНИДОВНА. Ирина, не мешай ему. (Наивно-жеманно.) Кириллушка, почему вы так много пьете?

КИРИЛЛ ВЛАДИМИРОВИЧ. Одни люди пьют для того, чтобы им стало лучше, а я.. чтобы не стало вдруг хуже. Сегодня я очень о боюсь, что мне станет вдруг хуже..

ИРИНА. Что-нибудь случилось?

КИРИЛЛ ВЛАДИМИРОВИЧ. Пожалуй! Расскажу после!

НАДЕЖДА ЛЕОНИДОВНА. Как я люблю джаз. Пусть на моих похоронах...

ИРИНА. Тетя, тетя!

НАДЕЖДА ЛЕОНИДОВНА. Ну что тут такого... Мы все умрем Это и хорошо. К старости мы становимся несколько карикатурны. (Спохватившись.) Дорогая, где карандаш?

ИРИНА. Тетя! Тетя!

НАДЕЖДА ЛЕОНИДОВНА. Да, суеверна, как все интеллигенты. Я родилась в три ночи. И пока часы будут бить три, должна успеть записать свои желания, и выпить их с шампанским. Это ужасно. Ударов всего три... а желаний —бездна.

Звонок телефона

КИРИЛЛ ВЛАДИМИРОВИЧ (Ирине) Это, конечно, вас.

Высвечивается коридор. Ирина говорит по телефону.

ИРИНА (устало-значительно). Да, Аверкий Борисович... Да, сегодня смотрела... Ну что вам сказать? Отчетливо нечто лермонтовское,

В комнате

НАДЕЖДА ЛЕОНИДОВНА. Бедная Иринушка, ее разрывают по телефону. И так у нас каждый день. Ужасно, что вы так редко к нам приходите. Я хочу почитать вам свою Сарочку Бернар. Я пишу о ней книгу Жаль, с вдохновением плоховато

КИРИЛЛ ВЛАДИМИРОВИЧ. Вдохновение — как ребенок, которого посадили на горшок: умейте обождать!

НАДЕЖДА ЛЕОНИДОВНА. Почему –то до сих пор нет Ани! Я тревожусь... У нее стали фиолетовые глаза....А я знаю эти глаза. У нее мой характер. Она будет много страдать от любви... Вот так, Кириллушка. Я уже научилась понимать красоту чужой любви и чужого поцелуя. Оказалось, старость приносит нам истинное успокоение. Она дарит нам покой, и мы яснее различаем краски мира. Всегда боялась состарится раньше, чем во мне умрет женщина. Природа оказалась милостива. Все произошло красиво.

ИРИНА (вбегая). Тетя! Без пяти три!

НАДЕЖДА ЛЕОНИДОВНА. Боже! А где же Аня? Где карандаш? Я погибла!

КИРИЛЛ ВЛАДИМИРОВИЧ. Возьмите авторучку. (Протягивает.)

НАДЕЖДА ЛЕОНИДОВНА. Я отравлюсь чернилами. Боже-боже! (Ирина сует ей карандаш. Шипение часов.) — Лей-

те мне шампанское! (Удары часов.) (Лихорадочно записывает, бросает листок в бокал. Пьет.) Успела! Успела!

ИРИНА. С днем рождения, тетя!

НАДЕЖДА ЛЕОНИДОВНА. Ура! Ура!

Звонок телефона.

ИРИНА (по телефону). Да, Иван Кузьмич... Именно, лермонтовское... А кто вам это передал?. (Смеется). Ах, этот Аверкий Борисович. (Во время разговора в коридор выходит Кирилл Владимирович. Снимает плащ с вешалки.).. Да, помоему, это тоже удачное определение... (Выслушивая восторги.) Ну-ну.... Ну-ну... Побеседуем завтра. Спокойной ночи! (Вешает трубку.)

КИРИЛЛ ВЛАДИМИРОВИЧ. Значит, все это время вы прославляли наш фильм? Ай-Ай! Что же вы наделали! (Ирина удивленно глядит на него.) Дело в том, что картину, в которой есть нечто лермонтовское, прикрывают.

ИРИНА. То есть как?..

КИРИЛЛ ВЛАДИМИРОВИЧ. Приезжает Трофимов из Министерства. В час дня он смотрит материал вместе с Большим Худсоветом. Намечается удалой, веселый, истинно наш раздолб... Вас пригласят, конечно

Звяканье ключа. Открывается входная дверь. Входит Аня.

АНЯ (пытаясь бодро). Здравствуйте!

КИРИЛЛ ВЛАДИМИРОВИЧ. Что- то припозднилась, разбойница.

АНЯ (Ирине,.) На вечере сообщили, что завтра нас срочно посылают в совхоз на три дня ... В этом году большая всенародная беда — огромный урожай.. В общем, завтра уезжаю, горели мои выходные!

ИРИНА (даже не понимая, что она сказала,). Иди к тете.. Она вне себя.

Аня уходит.

КИРИЛЛ ВЛАДИМИРОВИЧ. И что же вы решили делать?

ИРИНА. По-моему, вам ясно. Я видела материал, я обязана его защищать... Вы ведь для этого меня туда затащили?

КИРИЛЛ ВЛАДИМИРОВИЧ. Не понял? Подставить себя?

ИРИНА. Перестаньте. Вы отлично знаете, я редко думаю о себе.

КИРИЛЛ ВЛАДИМИРОВИЧ. А ради других.?.. Ведь вы еще столько должны сделать., стольких защитить... И главное... Мне отчего-то... показалось, что картина вам не понравилась. Вы были всего лишь снисходительны... Ведь так?.

Ирина молчит

КИРИЛЛ ВЛАДИМИРОВИЧ. Ну вот видите!

ИРИНА. Но не защищать его теперь нельзя!

КИРИЛЛ ВЛАДИМИРОВИЧ. Безусловно. После ваших звонков вы просто обязаны! Приходите и защищайте его, лучезарная.. Но... молча... (Вдохновенно.) Защищайте его всем своим видом: лицом, жестами... но не словами... Как говорили древние римляне: «Храня молчание, мы тем самым громко заявляем». Заявляйте, но без слов! Это будет великолепно... Этого еще никто не сумел. И меньше печальтесь о нем, Люди искусства это банально, но они просто обязаны быть несчастными! Только тогда эти мерзавцы творят. Сервантес — без руки. Лермонтов — урод. Пушкин — арап. Достоевский — эпилептик. Ну, о художниках... и говорить нечего — все шизофреники. Так что даже ради него самого вы не должны его защищать И во всех случаях верьте латыни! «Храня молчание, мы громко заявляем». И спокойной вам ночи! (Засмеялся.) Целует руку, уходит.)

В коридор входит Надежда Леонидовна.

НАДЕЖДА ЛЕОНИДОВНА. Все говорят, что он умный. А у нас он почему-то всегда глупый. Это, наверно, оттого, что он в тебя влюблен. От любви они глупеют.

ИРИНА. (думая о своем) Давайте спать, тетя! (Уходит.)

Надежда Леонидовна возвращается в комнату. Входит Аня с чемоданом.

АНЯ. Я, пожалуй, сейчас соберусь, чтобы отмучиться.

НАДЕЖДА ЛЕОНИДОВНА. Ты берешь в совхоз новое платье? (Подходя к ней вплотную.) Спрячь глаза. Замажь их. Ты не умеешь шептать о счастье. Ты о нем кричишь. Ты будешь несчастна..

АНЯ. Не буду. У меня две макушки.

НАДЕЖДА ЛЕОНИДОВНА. У тебя в глазах март. Я молчу. Я знаю, с тобой сейчас ничего не сделаешь... Поезжай! А я буду стоять на лесенке. На кривой лесенке из прожитых дней, и благословлять твой совхоз.

ИРИНА (выходя). Ну, давайте же спать.наконец!. Половина четвертого!

ФЕКИН. (читает сценарий) «Конец ночной съемки..Дальше идут выходные дни.. Комната в квартире Нечаева. Утро. Нечаев один. Бреется. Жужжание электробритвы.. Открывает шкаф и напевая вынимает рубашки.

НЕЧАЕВ (безмятежно). Эта рубашка несчастливая, в ней нам не везет. (Вынимает другую.) Эта грязная Предпочтем гигиену. (Он надевает чистую, но несчастливую рубашку, потом с сожалением оглядывает ботинки и чистит их газетой. Звонок телефона.) Наверняка, неприятности! Вот почему-то в воскресенье по телефону сообщают одни неприятности. (Снимает трубку.) Алло!

ГОЛОС АНИ. Федор Федорович?

НЕЧАЕВ. Да.

ГОЛОС АНИ. Доброе утро!

НЕЧАЕВ. А кто это? (Смех в трубке.) Ну кто это, кто?

ГОЛОС АНИ. Вы опять злитесь. И почему вы такой злой? Это Аня.

НЕЧАЕВ. Здравствуйте! Как же вы узнали телефон?

ГОЛОС АНИ. Вы забыли, а я вас предупредила, когда я что-нибудь захочу...

НЕЧАЕВ. Вы молодец, что позвонили.

ГОЛОС АНИ. Чепуха! А чем вы сейчас занимаетесь?

НЕЧАЕВ. Так, стою.

ГОЛОС АНИ (засмеялась). А вы опишите мне комнату, где вы стоите.

НЕЧАЕВ. Описать?... Ну, стол стоит...

ГОЛОС АНИ. А стол у вас большой?. Ну, в общем, ладно...

НЕЧАЕВ. Что ладно?

ГОЛОС АНИ. Ну, в общем, пока... Я просто справиться о самочувствии.

НЕЧАЕВ. Алло! Алло! (Гудки в трубке.Усмехнулся, походил по комнате..Снова звонок. Берет трубку.) Алло!

ГОЛОС АНИ. Вы знаете, я подумала, что отрываю вас от дел, но все-таки решила узнать, отрываю ли я вас.

НЕЧАЕВ. Знаете что?

ГОЛОС АНИ. Наверное знаю.

НЕЧАЕВ. Давайте с вами встретимся.

ГОЛОС АНИ. Я не смогу. У меня такая история — подруга купила у меня совершенно ненужное мне шерстяное платье, Теперь у меня свободные деньги и как раз свободные дни... Вот...

НЕЧАЕВ. Что вот?...

ГОЛОС АНИ. Я решила взять и махнуть на юг на пару – тройку дней. Правда, в этом что-то есть? (Смеется.)

НЕЧАЕВ. И когда вы летите?

ГОЛОС АНИ. В шестнадцать сорок. Но, конечно, можно встретиться до полета. На пару минуток, пожмем друг другу ручки... и... разбежимся по планетам

НЕЧАЕВ. (засмеялся) Идет.

ГОЛОС АНИ. Ну пока!

НЕЧАЕВ. Слушайте, слушайте! (Гудки в трубке. Снова звонок.)

ГОЛОС АНИ. Не спросила, а где же мы встретимся?

НЕЧАЕВ. Действительно, а где?

ГОЛОС АНИ. Не знаю... Вы предлагайте.

НЕЧАЕВ (помолчав). Давайте у касс в Аэровокзале. Я вас буду ждать около ......

ГОЛОС АНИ. Дальше не надо, я сама вас там найду... Да... Когда вы будете уходить из дома, похлопайте себя по карманам и скажите: «Это я, это я, это все мои друзья!» Я всегда так делаю, чтобы ничего не забыть. (Смеется. В трубке гудки.)

ОПРАТОР. Затемнение.

ФЕКИН. (читает) «Сухуми. Маленькая комната»... Может Сочи, Федор Федорович?.Ведь сейчас Сухуми ...

РЕЖИССЕР. Именно, Сухуми.Вкусная деталька из времени «Бэк ту ЮССР»

ФЕКИН. (читает) «В комнате — Агент по сдаче жилплощади приезжим, Нечаев и Аня. На полу стоят их сумки»

ЗИНА. Агента на площадку.И дайте ему трость

Входит Агент

ОПЕРАТОР. От среднего до крупного

РЕЖИССЕР. (Агенту) Дружочек, выходи нелепей, вкуснее — эта роль была для Зямы Гердта

АГЕНТ. Вот ваша комната... Все едут из больших городов. У меня в большом городе живет брат. Он работает музыкантом. Мы с ним близнецы. Но он почему-то никогда ко мне не приедет. Интересно, когда у музыкантов отпуск?

НЕЧАЕВ. Мы берем эту комнату.

Агент. Конечно, вы ее берете. (Усмехнулся.) Я стою в аэропорту и жду. Появляются двое. И я сразу вижу, что им нужно.. Двое на юге — это грустно.

(Где-то ударила музыка.) Это в ресторане под вами. Вы можете танцевать, не выходя из дома. Пляж в двух шагах. Ночью, будет слышен шум моря. (Тушит верхний свет. Становятся видны разноцветные блики на стенах.) Красиво? Это от парохода. Он пришел вчера ночью и будет стоять два дня..Музыка, иллюминация и море. Что вам еще нужно? (тихо). У вас славная девушка.

НЕЧАЕВ (тихо). Мою жену зовут Аня.

АГЕНТ (тихо). Зачем мне знать, что это ваша жена? Юг, как война, он все спишет!. (Уходит.)

АНЯ. Мне было почему-то его жалко. Милый и славный старичок. А кругом юг, праздник. Он понял, что я...

НЕЧАЕВ. Не надо.

АНЯ. Ну понял, что тут поделаешь! Ладно. Выключите свет, пожалуйста!.. Какой красивый пароходик. (Глядя в окно.) Он будет стоять два дня. Потом он уедет. И мы тоже. (Села на стул, скороговоркой.) Стыдно-стыдно-стыдно. Все, уже не стыдно! (Вскочила, заходила.) Так, давайте распаковываться. Ну что вы сидите Распаковывайтесь! Смешно стоят наши сумки, как маленькие человечки — один побольше, другой поменьше. (Вываливает на кровать содержимое чемоданов). Ладно, потом разберемся. (Подходит к окну.) Разноцветные лампочки на пароходе... Как Новый год. ... Вы любите Новый год?

НЕЧАЕВ. Любите.

АНЯ. Новый год.... Здравствуй, Сухуми, жаркий город! Пошли в ресторан. Или нет... Давайте пока никуда не пойдем. Просто посидим в комнате. Это все-таки наша комната.У нас уже есть «наше» Я сейчас быстренько сооружу ужин. Вы голодный?

НЕЧАЕВ. Да.

АНЯ. Как хорошо. Просто прекрасно. Смотрите, что у меня есть. (Выставляет на стол бутылку вина.). Я очень хочу выпить, не знаю, как вы... Выпьем, потом пойдем в ресторан и потанцуем. И всю ночь будем бродить по городу. Давайте? Что вы улыбаетесь? Вы все время улыбаетесь! Мы первый раз пьем вместе. И сидим в нашей комнате. (Она ставит свою рюмку на стол, проводит по стене пальцем.) Глажу стену. Почему-то вдруг захотелось.. милая стена. И еще мне захотелось что-нибудь спеть. Я немного спою. «Тира-рира, полюбила я жокея...»... Вы опять смеетесь надо мной?

НЕЧАЕВ. Нет.

АНЯ. Тогда расскажите мне все...... Только не про нас а про себя одного.!

НЕЧАЕВ. В юности живут на горах... А потом юность проходит. И незаметно мы все начинаем спускаться с гор в долину... Есть хитрая лесенка, по ней мы спускаемся с облаков, только не разбейтесь, когда будете спускаться с облаков... Веришь: сейчас пойду в *их* сторону ... А потом уже в ту, свою, ... настоящую Но когда идешь в *их сторону,* помни: *оттуда не возвращаются* (Помолчал.).

АНЯ. Я все же выпью... (Пьет, продолжает говорить.) Не опьянела. Так хотела — и ни в одном глазу. Трезва, как бобик!

Нечаев глядит на нее.

АНЯ. Я хочу, чтобы вы сейчас меня поцеловали.

НЕЧАЕВ. Врешь!

АНЯ. Вру. В самолете ужасно хотела.. А сейчас не хочу!.

НЕЧАЕВ. А сейчас боишься..

АНЯ. Я никого не боюсь. Нет, пожалуй, боюсь. Смешно, купила, чтобы быть пьяной и не бояться. А я — трусливый еж! Нет, ежик — это скучно. Под листьями шуршит там разными.. Я — заяц. У нас в классе был мальчик, у него была фамилия Заяц... А звали его Лев. Лев Заяц. Это я... Я лев, и заяц. «Тирари...» Ну хорошо., иду к вам. (Подходит снова.) Вот я опять пришла. (Он целует ее.) Можете еще, только слегка. (Лихорадочно.) Как слышна музыка! Пароход стоит два дня, и мы тоже будем два дня. И у нас есть комната, и нам ничего не надо... Милый! Милый... Вот теперь я уже не боюсь. ... У меня опять мурашки по спине. (Шепчет.) И такая к тебе нежность. Просто жжет напропалую!. Я раскалываюсь от нежности на две половинки. (Целует его.) Я уже умелец поцелуев И вы возьмете меня на съемку. (Шепчет.) Смешно. Раньше вы говорили, а сейчас молчите и думаете. Не думайте! Я уже обо всем подумала. Все так, как я хочу! (Она плачет. Он вытирает ей лицо.) Это случайно. Это мне просто хорошо. Это меня уже нет. Я уже твой раб. Только не гладьте мне волосы. Лучше поцелуйте меня в лоб. Как покойника. Я сейчас прощусь с собой: «До свиданья, до свиданья, до свиданья! Я люблю вас. Все!»

В ресторане ударил джаз.

ОПЕРАТОР.Здесь, конечно, от крупного до среднего

РЕЖИССЕР. Я бы добавил сюда звучащую с парохода песенку Дассена ... Зина включите (Раздается песня Дассена)

РЕЖИССЕР. (переводит) «Elle a passe la jeune fill»... Элле пассе лежен фи ... Она прошла мимо молодая девушка живая и резвая как птица с цветком в руке и с куплетом новой песни на губах.

Во время песни на авансцену выходит Блондинка

РЕЖИССЕР. (продолжает переводить песню Дассена) «Аромат девушек, гармония мира, все умчалось Навсегда! О, моя весна, ты прошла. Прощай!»

БЛОНДИНКА (в зал, строго) Весной необходимо подчеркивать талию самыми разными способами. Вещь марта — кардиган с поясом... На мне кардиган узкий вязаный от Сони Потанини. И пояс от Боско Фридманини оживляющий этот строгий предмет гардероба. И конечно же... (засмеялась) — Не поняли!?..Антракт козлы!!!

ХОР. А-а-а!

ЧАСТЬ ВТОРАЯ

Вся киношная рать на площадке – режиссер, оператор, Зина, Фекин.

Фекин читает сценарий:

«Комната в квартире Нечаева, на полу раскрытый чемодан. Нечаев один, молча стоит над чемоданом...

Телефон-автомат в большом универсальном магазине. (Режиссеру.) Может лучше мобильник?

РЕЖИССЕР. Нет, оставляем. Автомат — вкусная старинная деталька.

ФЕКИН. (читает) «В автомат входит Аня, в халатике продавщицы. Набирает номер. Звонок в квартире Нечаева.»

ОПЕРАТОР. От крупного дл среднего.

НЕЧАЕВ (берет трубку). Алло!

АНЯ. Это я.

НЕЧАЕВ. Доброе утро!:

АНЯ. Добрый день! Я уже на работе. Да, все спрашивают, где я так загорела. (Смеется.) Ну как вы там?

НЕЧАЕВ. Хорошо. А ты?

АНЯ. Не поймешь. Вы сейчас едите?

НЕЧАЕВ. Опять — вы?

АНЯ. Так мне спокойнее

НЕЧАЕВ. Скорее, бреюсь. Но и ем попутно.

АНЯ. Сейчас-сейчас. Это я очереди... Да, у вашей двери шарик к ручке привязан. (Смеется.) Это когда я на работу бежала, решила по дороге поприветствовать вас с добрым утром. Ну пока...

НЕЧАЕВ. Как мы договоримся?

АНЯ. Встретимся... как-нибудь.

НЕЧАЕВ. Позвони мне в восемь или... Даже от восьми до девяти.

АНЯ. Нет., я не люблю звонить... Ну ладно, позвоню. Ну пока. (выходя из автомата сварливо очереди):- А, вообще- то, сейчас новые правила и можно разговаривать сколько угодно.!

ФЕКИН. (читает сценарий) «Нечаев вешает трубку, выходит из комнаты, возвращается обратно с воздушным красным шариком. Привязывает шарик к спинке стула глядит на него и усмехается.

Зина выносит шарик,.

РЕЖИССЕР. Это — «шарик?».Это надутый презерватив, а здесь нужен Ее шарик, Дар Любви! Идите оба и ищите!

Зина и Фекин уходят, но тотчас оба врываются на сцену

ФЕКИН. (кричит) Найден! Не шарик! Найден Он!

ЗИНА. Сам позвонил!

РЕЖИССЕР. Тогда следует употребить слово «нашелся». И где же он нашелся?

ФЕКИН. Неизвестно, номер не определяется.Но явно не дома. ...

ЗИНА. Секс-символ!

ФЕКИН. — Обещал сейчас позвонить вам.

Звонок мобильника Фекина

ФЕКИН. Алло (шепчет). Он на проводе.

Передает мобильник режиссеру, включает громкую связь.

РЕЖИССЕР. Олеженька, здравствуй дорогой!

ГОЛОС. (мрачно) Здравствуй, НЕ дорогой

РЕЖИССЕР. Что так сурово, милок?

ГОЛОС. Жизнь — дерьмо.. Съемка- дерьмо..Партнеры- дерьмо. Но главное дерьмо — режиссер.

РЕЖИССЕР. (Фекину) Говори сам с этим ублюдком (передает мобильник).

ФЕКИН (ласково). А мы тебя ждем, Олеженька..Все тебя ждут..Машинку за тобой высылаем.

ГОЛОС. Какую, смею спросить?

ФЕКИН. Не понял?

ГОЛОС. Марка машины, Иуда

ФЕКИН. Мерседес.600-й. Как ты любишь.И Зинок к тебе рвется. Куда подать прикажешь?

ГОЛОС. В каком году происходит действие, смею спросить.

ФЕКИН. В 60-х.

ГОЛОС. Значит что нужно подавать? ЗИЛ, на котором члены Политбюро ездили! Где членовоз, христопродавец?

ФЕКИН. Олежик. по-моему ... ты пьешь?

ГОЛОС. А ты что, ее жрешь? ... Ты раб, ты червь. А я Есенин, Денис Давыдов. «И тут растрепанную тень я ясно вижу пред собою ... Пьяна как в самый смерти день. Усы торчком, виски горою И чудо кивер — набекрень». За Русь!. За интеллигенцию поруганную! Пью!!! (гудки в трубке)

РЕЖИССЕР. Продолжим

ФЕКИН. (читает текст сценария) «В Павильоне № 2 Нечаев, Фекин.

Входит Кирилл Владимирович.

КИРИЛЛ ВЛАДИМИРОВИЧ. Трофимов только что изволили прибыть на киностудию.

НЕЧАЕВ. Во-первых, здравствуйте, Кирилл Владимирович...

КИРИЛЛ ВЛАДИМИРОВИЧ. Во-вторых, через полчаса ему покажут наш материал.Все как я предупреждал.

НЕЧАЕВ. Но почему?!

КИРИЛЛ ВЛАДИМИРОВИЧ. Воспоминания цензора Никитенко читать не изволили? А зря... Чаще надо читать о прошлом, чтобы понять настоящее... а может быть и будущее. Этот Никитенко в тысяча восемьсот... Бог память дай в каком году написал.«Почему-то всему хорошему у нас суждено начинаться, но не доходить до конца.Одной рукой дадут а другой тут же отнимут...» Очередное похолодание, друг и соратник. Или как писал Салтыков-Щедрин, — «Мы неуклонно идем вперед, но почему-то через задний проход!».

НЕЧАЕВ (засмеялся.) Как все сразу упростилось... И все-таки здравствуйте, Кирилл Владимирович!.

ОПЕРАТОР. Здесь из затемнения от среднего до крупного

ФЕКИН. Понятно! Бегу выяснять насчет просмотра (Исчезает)

И тотчас в Павильоне появляется Блондинка

БЛОНДИНКА (решительно подходя к Нечаеву). Я играю у вас «целующуюся пару» и манекенщицу с трусиками.. Все говорят, что вас закрывают, Я хочу, чтобы вы рекомендовали меня в кино про Тургенева.Там ищут жену каким –то Гонкурам ... Я девушка молодая мне все интересно. Меня уже зовут на Козу в фильм –сказку «Серый волк».

КИРИЛЛ ВЛАДИМИРОВИЧ. Не соглашайся.Ты — вылитая Гонкура.Только не надо поддаваться слухам, леди. Картину не закрывают. Просто сейчас просмотр материала, и поэтому отменили съемку.

БЛОНДИНКА (мрачно) — Кинуть хотят! Не выйдет! (Уходит)

ТРИО. А-а-а!

ГИТАРА. Самотоха, самотоха!!

УДАРНИК. Репетицию отменяют, слыхали?...

ТРУБАЧ. Это не наше дело! У нас своя работа. Пусть не думают, что мы какие-нибудь веселые рассказчики анекдотов. Я хочу, чтобы своей работой мы заслужили какое-нибудь народное прозвище, например «Товарищ Челси!» И по гречески ляпнули!»

ТРИО. А-а-а!

РЕЖИССЕР. Не надо «Смехопанораму»! «Смехопанораму» нам здесь не надо! И поактивней вздыхайте, товарищ...

ГИТАРА. — Жгунди, простите за выражение.

ФЕКИН. (читает текст сценария) «Павильон № 2 В павильоне — Нечаев и Кирилл Владимирович»

НЕЧАЕВ. И кто придет на просмотр?

КИРИЛЛ ВЛАДИМИРОВИЧ. Обычные члены Большого Худсовета — знатный карусельщик с завода «Красный Пролетарий», очень передовая ткачиха и тэ дэ. «Пролетарка пролетарий поспешайте в планетарий». К счастью, приглашена и наша главная надежда, «наше все» — Кирьянова. Слушайте, где вы так побурели?.. Вы просто араб.

Появляется Фекин.

ФЕКИН. Просмотр в 6-м зале. Страшный человек этот Трофимов!

Звонок мобильника.

ФЕКИН. Алло (включает громкую связь) Олежунчик ... ты как?

ГОЛОС. Неплохо, наймит.

ФЕКИН. Ты где сейчас, душа моя ... Точнее наша?

ГОЛОС. В квартире

ФЕКИН. Может подскажешь адресочек?

ГОЛОС. Вряд ли

ФЕКИН. Все так тебя ждут Все собрались. Членовоз развел пары...

ГОЛОС. Очень ждут, христопродавец?

ФЕКИН. Очень! Куда прислать?

ГОЛОС (мрачно). Запиши: На кудыкину гору! (гудки в трубке)

РЕЖИССЕР. Сукин сын!

ФЕКИН.Секс-символ! (читает текст сценария) «После просмотра. Коридор перед просмотровым залом. В коридор из зала выходят Первый и Второй члены Худсовета. Первый — желчный, нервный, говорит с вызовом, будто мстит кому-то. Второй — добренький, в очках. В продолжение разговора он все время снимает очки, обеспокоено разглядывает их, потом снова надевает).

ПЕРВЫЙ (желчно). И что же теперь светит Нечаеву? Трофимов разнес картину в пух и прах.

ВТОРОЙ (разглядывает очки). Меня удивил Кирилл Владимирович..Как же он отчаянно выступал «за»... Наверное был большой «Буль-буль»

ПЕРВЫЙ (раздраженно) Я вас спрашиваю, что будет с картиной, а вы мне — Кирилл Владимирович. Я вам про Фому, а вы мне про Ерему...

ВТОРОЙ. Закроют!. Нечаева жалко... Но «Если снимаешь не бойся, если боишься не снимай».

ПЕРВЫЙ (желчно).) Слушайте, что вы меня все время разглядываете?

ВТОРОЙ. У вас есть бородавка над веком?

ПЕРВЫЙ (почти отчаянно). Какая бородавка? Зачем мне бородавка?

ВТОРОЙ. Кто знает зачем у нас бородавки? Только наша мать Они все знают наши добрые матери А я, кажется, обменял очки с Рубинчиком. У нас с ним одинаковые футляры...

ПЕРВЫЙ. Чепуха! Вечно вы о чепухе... (Уходит, злобно. грызя ногти.)

Появляются Нечаев и Кирилл Владимирович.

НЕЧАЕВ (Кириллу Владимировичу). Ну что ж, спасибо! Не ожидал..

КИРИЛЛ ВЛАДИМИРОВИЧ (насмешливо). Под маской циника таилось храброе сердце бойца. Хотя, как сказала бы госпожа Севиньи: «Я знаю людей и потому все больше люблю собак».

ТРУБАЧ. И по гречески ляпнули

ТРИО. А-а-а!

В Павильоне номер 2. Погасли Юпитеры.

Появаляется Фекин. Звонок мобильного телефона

ФЕКИН. Алло, Олежек дорогой ... Как ты там?

ГОЛОС. А где гавнюк?

ФЕКИН. Ты о ком? ...

ГОЛОС. Если один со мной разговаривает, значит о другом

ФЕКИН. Ну зачем так ... Ты народный артист. Он народный.

ГОЛОС. Я не народный, я инородный как мечтательно говорил о себе другой вещий Олег ... Олежка Даль.

ФЕКИН. Олежик тебя все ждут... Все в костюмчиках для съемки ждут Олеженьку.

ГОЛОС. (сурово) Баб есть?

ФЕКИН. Все есть ... Такая блондинка чистая Мэрлин,

ГОЛОС (задумчиво). Скажи, Пушкин еврей?

ФЕКИН. Нет

ГОЛОС. А Дантес?

ФЕКИН. Нет

ГОЛОС. А почему он тогда убил Пушкина? (Рыдает. Гудки в трубке)

В павильоне № 2 входят Режиссер и Спонсор, он попрежнему в гриме Ленина

СПОНСОР. Как живем, молодой человек?

РЕЖИССЕР. Жуть!

СПОНСОР. Что так.

РЕЖИССЕР. Актер запил... Деньги заканчиваются.Одно утешение — заканчиваю картину

СПОНСОР. Вот видишь Значит все-таки есть что-то позитивное.

РЕЖИССЕР. Ну что порепетируем сцену с Трофимовым?

СПОНСОР. Не против.

РЕЖИССЕР. Несколько слов о Трофимове. Он был бездарным режиссером. Потом стал чиновником, большим начальником в искусстве ... С удовольствием запрещает — мстит за несостоявшуюся карьеру ... Забавно тогда разрешали и запрещали они..Теперь вы...

СПОНСОР. Да, теперь мы

ОПЕРАТОР. Тут затемнение Из затемнения

ФЕКИН. (читает сценарий) «Квартира Надежды Леонидовны. Аня выходит в коридор, начинает набирать номер телефона.

ИРИНА (выходя в коридор). Аня, освободи, пожалуйста, телефон.

Аня молча кладет трубку, возвращается в комнату но Ирина не решается звонить Расхаживает по коридору, что-то обдумывает

НАДЕЖДА ЛЕОНИДОВНА. Ты загорела в совхозе,.Анечка

АНЯ. Было много солнца.

НАДЕЖДА ЛЕОНИДОВНА. И солнце было горячее.... Видимо, будет жаркое лето.

В комнату возвращается Ирина.Аня тотчас уходит в коридор, набирает номер.

НАДЕЖДА ЛЕОНИДОВНА. Аня загорела.. (Ирина молчит, продолжает расхаживать). Я получила рукопись от машинистки.

ИРИНА. Тетя, почему вы занимаетесь не своим делом? Вы не можете написать книгу, это совершенно ясно...

НАДЕЖДА ЛЕОНИДОВНА. Почему уж так ясно?

ИРИНА. Потому что вы не знаете, о чем нужно сейчас писать.

НАДЕЖДА ЛЕОНИДОВНА. Но Толстой говорил...

ИРИНА (привычно). Вы не Толстой.

НАДЕЖДА ЛЕОНИДОВНА. Но я хотела написать...

ИРИНА (механически). Это не читается.

НАДЕЖДА ЛЕОНИДОВНА (отчаянно). Но ведь ты еще не читала!

ИРИНА (затвержено). Это демагогия. (Опомнившись.) Простите, тетя, я думала о своем... Но, поверьте, я знаю, что вы можете и чего вы не можете. (Продолжая расхаживать и обдумывать.) Ну, так о чем же вы там пишите?

НАДЕЖДА ЛЕОНИДОВНА. О трагической актрисе. О Саре Бернар символе исчезнувшего великого театра Время, Иринушка, украло пафос,, и скорбный рот трагического актера.. Остался шепот и трамвайные лица. Птица чтобы взлететь должна стать гордой и гений властвует на взлете Есть страсть, и есть высокие слова, похожие на спелые плоды. Когда они падают, слышно, как вздыхает земля. Ты не слушаешь?

ИРИНА. Слова.. слова... слова!..Хорошо, я прочту. (Выходит в коридор.Аня молча бросает трубку возвращается в комнату)

ИРИНА (Решительно набирает номер.) Аверкий Борисыч?.. Да, это я... Ну что вы скажете о сегодняшнем худсовете? (Выслушивает.) Знаете, если совершенно честно, мне фильм... не нравится... Но НЕ поддержать его в этой ситуации я не могла, и я сочла долгом И знаете, я немного тревожусь: а вдруг не прочлось, что я «за»? (Выслушивает.) Именно, именно- демонстративно! Демонстративно! с ним не поздоровалась, и демонстратинво... ... Значит прочлось? Вы меня утешили... Ну хорошо-хорошо, я успокоилась..! Ну, звоните, звоните, дорогой... (Вешает трубку, набирает новый номер.) Да, Ферапонт Абрамыч, это я... Честно говоря, фильм не пришелся ... мне много-го в нем не хватает!... Хотя бесспорно в нем есть нечто лермонтовское, но ...

РЕЖИССЕР. Не надо Лермонтовского! Лермонтовского — здесь не надо Критики сейчас так не разговаривают ... Зина, там же был написан новый текст!

Зина тотчас достает листочек из воздуха и передает Кирьяновой

ИРИНА (читает). Мне много в нем не хватает... Я вижу здесь скорее стилизацию под немые фильмы немецкого экспрессионизма..И слишком много общепринятых табу.. Он все таки бывший актер! И оттого он Неофит, теряюшийся перед профессионалами ... Оттого эта жалкая фронтальная нагота персонажей ... которых он в постановочном аллюре подолгу ласкает камерой. И слишком пасторальная картинка..Это выдает! И наконец путаница жанров Что это? Герметичная драма?... Притязание на классику кемпа? Или. клаустрофобская фильма..с нарочитым отказом от сексэксплутационного кино? Или обычный байопик?... Я теряюсь. И наконец, тривиальная попса французского горлопана Дассена ... Но все-таки я сочла своим долгом показать визуально позицию.. Эти Трофимовы должны её знать Но знаете, я немного тревожусь? А вдруг не совсем прочлось? (Выслушивая.). Именно именно..поэтому я почти нагло не поздоровалась и нагло не попрощалась? (Выслушивая ответ.) И Аверкий Борисович тоже отметил ... Спасибо, у меня отлегло. Ну, звоните, звоните, дорогой!

Звонок в дверь. Ирина открывает. Входит Кирилл Владимирович. Она здоровается с ним. И тут же звонок по телефону.

ИРИНА (Берет трубку.) Здравствуйте, Ваня.. Да нет, я не беспокоюсь... А откуда вы знаете? (Выслушивая ответ.) Ах, этот Аверкий Борисыч...... Честно говоря мне в фильме слишком много не хватает... Понимаете, он не снял ... но это не телефонный разговор.. Да, не поздоровалась ... и не жалею ... Вы считаете, прозвучало? Вы уже третий человек... Ну хорошо, хорошо, я успокоилась.. (Вешает трубку. Кириллу Владимировичу.) Это Иван Гуслицер ... Все-таки телефон — ужасное изобретение! (Выключает телефон.) Раздевайтесь.

Кирилл Владимирович не двигается.

ИРИНА. Я очень тревожилась, вдруг не прочлась позиция. Но все говорят...

КИРИЛЛ ВЛАДИМИРОВИЧ. Я слышал.

ИРИНА. А вы заметили, как Трофимов ждал, что я выскажусь. И когда я молча продемонстрировала ему свое «фэ» ... вы были правы ... вышло даже сильнее. Что вы не раздеваетесь?

КИРИЛЛ ВЛАДИМИРОВИЧ. Все думаю, как он мог снять то, о чем вы не можете даже сказать по телефону ... Остались от козлика рожки да ножки...

ИРИНА. Вы пьяны!

КИРИЛЛ ВЛАДИМИРОВИЧ. Да, был знатный буль-буль Я всегда знал, что вы глупая. И знал... молчите!.. что вы эгоистка. Но вы были для меня образцом принципиальной эгоистки. Я был почему-то уверен, что принципы для вас — прежде всего.

ИРИНА. Послушайте...

КИРИЛЛЛ ВЛАДИМИРОВИЧ. Я хотел быть уверен в этом. Потому что я вам нравлюсь. И я гордился, что могу нравиться даме с принципами. В нашей державе —такое редкость Вы были мое оправдание, если хотите.

ИРИНА. Кирилл...

КИРИЛЛ ВЛАДИМИРОВИЧ (перебивая). Ну, ошибся! Ну?! Что тут страшного?! Я всю жизнь только и делал что ошибался (Фиглярски.) Я ведь начинал историком. И моя первая работа была о Шамиле. Шамиль как вождь национально-освободительного движения. Но взгляды переменились... И в конце тридцатых годов он стал считаться агентом империализма. И я признал свою ошибку. Потом, во время войны, он вновь стал освободительным движением. И я признал ошибкой, что я признал свою ошибку. Потом, в сорок девятом, несчастного Шамиля снова объявили агентом, и я признал ошибкой, что я признал ошибкой в том что признал свою ошибку ... (Засмеялся.) А теперь вот вы — моя ошибка!

Входит Аня, подходит к телефону,

ИРИНА (Ане). Мы разговариваем. Иди отсюда, пожалуйста.

Аня молча уходит.

КИРИЛЛ ВЛАДИМИРОВИЧ (тихо). Если бы вы... не испугались... Что вы наделали!.. (Вдруг гаерски) Ну? (Кладет ей руку на плечо.)

ИРИНА. Что?

КИРИЛЛ ВЛАДИМИРОВИЧ. Какие на хрен принципы в наше время! Кому они нужны! Вы просто женщина! Правда? Милая и слабая! И вам приятно сейчас чувствовать себя просто женщиной!

ИРИНА. Кирилл Владимирович!..

КИРИЛЛ ВЛАДИМИРОВИЧ. Очень приятно. Ну будьте же до конца... женщиной. (чуть обнял ее ... шепотом) Нужны некоторые словесные приличия? Я не приглашаю вас со мной переспать, я приглашаю вас на ужин вместе с завтраком. (Ласково-ласково, почти прекрасно.) Какой у нас будет трах, Белинский?

(Она дает ему пощечину. Он не изменяя тона.) А все-таки прелестно чувствовать себя просто женщиной... Как заметил мой друг Глазков «Вот идет состав товарный, слышен окрик матерный. Женщины народ коварный. Но..очаровательный»

Выходит Аня.

КИРИЛЛ ВЛАДИМИРОВИЧ. До свиданья, Ирина, до свиданья, молодые люди,... Рожки да ножки.!. (Уходит.)

НАДЕЖДА ЛЕОНИДОВНА (выходя в коридор) -. Чай готов!.. А где же?..

ИРИНА. А он сумасшедший. И вообще мне кажется, что я здесь одна — нормальная. Дом разрушен! Ужин не готов...

НАДЕЖДА ЛЕОНИДОВНА. Ужин готов.

ИРИНА. Аня, которая не отходит от телефона, как я ее ни прошу!.. И наконец, вы, тетя (расхаживая по коридору), вы — старая женщина, но вы ходите на высоких каблуках.! Вы плохо видите, но вы не носите очков! Как же, это вас старит! Вы — моя бабушка, но я вас должна называть тетей. Нет, это повальное безумие!

НАДЕЖДА ЛЕОНИДОВНА. Ирина... Ирина...

ИРИНА. Теперь вы вообразили, что пишите какую-то книгу о Саре Бернар!. И вы верите что когда ее напечатают, о вас снова вспомнят ... и пригласят вас снова играть... Но хочу вас успокоить — её не напечатают.И вас никуда никогда не пригласят Потому что вы ста-рая!! Вы были знаменитой, но сорок... сорок лет назад! Вы ста-ра-я! Нет, все, все вокруг сумасшедшие!

НАДЕЖДА ЛЕОНИДОВНА (глухо). Я отвечу тебе.. (После паузы.) Саре Бернар было пятьдесят. Она играла Жанну

д 'Арк, которой было восемнадцать. Пьеса начиналась с допроса Жанны, и первая фраза была: «Сколько тебе лет, Жанна?» И Бернар должна была ответить: «Мне восемнадцать!» И весь Париж съехался посмотреть на позор пятидесятилетней Бернар. Раскрылся занавес, и она вышла. Судья спросил: «Сколько тебе лет, Жанна?» И она обвела глазами затаившийся партер, готовую взорваться галерку, будто прося прощения. А потом выкрикнула, гортанно, с вызовом: «Мне восемнадцать лет!» И они заревели от восторга. Они поняли: актрисе всегда восемнадцать лет. Да, хочу играть! И буду всегда хотеть! И никогда не признаюсь, что я старуха, и буду ходить на каблуках! И не буду носить очков! Потому что я — Актриса, даже если я твоя прабабушка! (Ирина стоит спиной, и плечи ее чуть вздрагивают. Так что может показаться,что она плачет.) Что ты, Иринушка?!

ИРИНА (после паузы, обернулась, спокойно). Вы даже здесь не смогли удержаться от мелодрамы, тетя!

В Павильоне № 2

Режиссер и Спонсор в гриме Ленина

ФЕКИН. (читает сценарий) «В коридоре Аня подходит к телефону, набирает номер.

Звонок в квартире Нечаева.

Одновременно со звонком Ани начинается сцена Нечаева и Трофимова.

РЕЖИССЕР. (Спонсору) Читайте текст Трофимова.

Спонсор читает текст.

ТРОФИМОВ. Звонят.Может подойдешь к телефону?

НЕЧАЕВ. Не хочу. Устал.

ТРОФИМОВ. По моему у тебя сложная личная история!

Нечаев молча ставит на стол бутылку и стаканы. Разливает.

ТРОФИМОВ. Ну, за тебя! Эх, Федюха, все пройдет. Вся эта бодяга забудется. И останется только то, что учились с тобой когда-то вместе во ВГИКЕ.. И даже хотели вместе снимать. Будь здоров! (Пьет.) Значит, вопрос — что тебе делать сейчас? (Засмеялся.) Газет ты, конечно, не читаешь..что происходит в стране не понимаешь.Какие газеты?! Вы, когда картину снимаете, алфавит забываете. Короче, твой джаз, эти кретинические вздохи, — как это называется?

НЕЧАЕВ. Это называется — пародия.

ТРОФИМОВ. Я понял, что это пародия. Путаник Кирилл Владимирович понял А простой советский человек то бишь Марь Иванна ... Иванова не поймет. Короче, был джаз, нет джаза. Затем эпизод «Ночью». (Пьет.) Когда твои герои, говоря деликатно, сходятся... И сам факт, что твои герои так быстро сходятся... Понимаешь мы особая страна... Сегодня у нас — нельзя, значит ничего нельзя. Завтра- можно, значит все можно..Поверь если наши геронты вдруг разрешат секс, завтра появится статья в «Правде» «Почему плохо с сексом в Березовке». Но сегодня ... Короче, эпизод «Ночью» ты вырезаешь.

НЕЧАЕВ. Это ты вырезаешь...

ТРОФИМОВ (ласково). Нет, я тебе советую, а ты уж сам вырезаешь... Но это все частности. Эх, если бы дело было только в ножницах...» (Смеется.) Эх, Федюха, коза-дереза, упрямые глаза.. Идет студеное время. Сколько мы их с тобой перевидали.И пройдет сейчас только верняк. (Вскочил. выкрикнул дискантом.) Лупит дождик — хорошо; бьют по морде — хорошо, Все на свете хорошо! Вот что сейчас пройдет! «Пришла зима настало лето –Спасибо Сталину за это». Это наши отцы. «Пришла зима, настало лето. Спасибо Партии за это»..Это мы с тобой ... Я не знаю кого будут благодарить наши сыновья, но кого- то непременно будут ... У нас без этого нельзя, у нас без этого, как без снега, земля вымерзнет.Представь себе огромную задницу.Что это? Власть Родная. Все подходят и от души, от сердца прикладываются. Что мы требуем от вас- от самых талантливых?.Того же! Но только более квалифицированно!

НЕЧАЕВ. Ты выпил!.

ТРОФИМОВ. Я разрешил твой сценарий!. И я люблю твой фильм, как любят уродца- ребенка, только за то, что он твой сын. И, любя, говорю. Сейчас — не время. (Вскочил.) Короче.,.... Даю мысль, держи ее за хобот; Ты пишешь короткую бумагу: «В связи с необходимостью внести поправки в сценарий, прошу съемки *временно.* приостановить». Пройдет время, снова потеплеет ... Ну, что ты смеешься?

РЕЖИССЕР. Как я тебя знаю.... Ты хочешь быть сразу — и начальником, и человеком..

ТРОФИМОВ. И это — нелегко

НЕЧАЕВ. А про личную историю я сейчас тебе расскажу. Потому что тогда нам будет легче с тобой договориться. Значит, так. Есть человек... вернее, не человек, а режиссер. Это — на пути к человеку. И он мучается. (Насмешливо.) Постоянная проблема: так ли он творит, не так ли. И хочется ему с кем-то поделиться. Пей, проехали! И есть жена. Несчастная, издерганная. Ну, в общем, жена. И в результате он поделился творческими исканиями...

ТРОФИМОВ. С красивой девушкой.

НЕЧАЕВ. Браво И кончилось все это... Ты опять догадлив... тем, чем должно кончится... И когда она протянула руки, когда шептала «До свиданья! До свиданья!» — он вспоминал, как всего сколько — то лет назад его жена была точно такой же потрясающей девушкой. И он так же смертельно любил ее руки, ее колени... Ну почему все это ушло?!

ТРОФИМОВ. А дальше... с девушкой?

НЕЧАЕВ. (Помолчал.) Да... Зачем я тебе это рассказываю?. И в результате наш режиссер не только не знал, как снимать, он уже не знал, что снимать. А на хрен это кино о любви? Любовь, даже самая несчастная, все равно праздник... Это — история для восемнадцатилетних! А вот есть другая история. Она наступает потом, когда один интеллигентный человек превращает жизнь другого, тоже интеллигентного и когда-то любимого, чудного человека... в нечто обыденное и сварливое. Он убийца! Ты понимаешь это? И может быть, об этом надо снимать. О конце «праздника». О преступнике убившем (Вновь насмешливо.) И все это нормально «Семя, чтобы прорасти, должно истлеть!» Все это банальность... Речь о другом. О том, как в разгар всех этих мучений приходишь ты — и все прекращается. Оказывается, все метания от лукавого! С жиру! А все гораздо проще: нужно думать только о том, чтобы выжить! И чудом доснять до конца!

ТРОФИМОВ. Как ты себя заводишь... Я повторю — приостанови картину сам ... Или как рекомендовал старый Тарас Бульба: «Я твой фильм породил, я его и... (засмеялся) убью!». И не забывайся. Время, когда художнику говорили: «Делай!» И он отвечал: «Будет сделано!» Оно на знамени... И если тебе покажется, что оно прошло — ущипни себя за задницу. Оно у нас всегда!

СПОНСОР (опускает листы с текстом сценария) — (Режиссеру). Смешно! Трофимов требовал — убери эпизод «Ночью» Снимай как люди *тогда* снимали. Ты не хотел. А я теперь требую — расширь эпизод «Ночью» ... Покажи сиськи, жопу, снимай как люди *сейчас* снимают. Ты опять не хочешь!

РЕЖИССЕР. Да, ощущение, что ничего не переменилось. Был он, теперь ты.

СПОНСОР. Здесь ты не прав..Ой как не прав Твой Трофимов — ручной. Он начальства боится. А я куда серьезнее Я, боюсь на бабки из-за тебя налететь ... Кто будет смотреть твое кино? Ты погляди какие картины снимают люди. Ты конечно ни хрена чужого не смотришь А я смотрю, слежу На днях нашел старую книженцию (Вынимает книжечку «Гид по Московскому кинофестивалю 2007 года) Видишь? Это — «Гид по Московскому кинофестивалю уйму лет назад»... Читаю текст «Ангелы истребления», Франция. «Картина изобилует обнаженной женской натурой запечатленной в самых завлекательных позициях». Сюжет! Читаю: «Режиссер во время кинопроб предлагает актрисе принять душ, а та вдруг испытывает первый в жизни оргазм...» Поглядим что привезли тогда финны. «Мужская работа». Читаю: «ладный безработный Юкка ... интригующий тип самца в пантеоне секс-икон... за деньги ублажает дам». Греческое кино... Читаю «Парень мечтает стать рок звездой, но становится геем-проституткой.. парня сажают и насилуют всей камерой». Тоже интересно. Вот что снимают ... А теперь — как снимают! Фильм «Я прислуживал английскому королю» Читаю: «Фильм с обилием окладистых женских грудей от которых трудно отвлечься. Трудно отвлечься!.. «Леди Чаттерлей... Франция –Англия –Бельгия. Втроем. Какие страны! Читаю: «картина приятно щекочущая центры вожделения у домохозяек... в фильме ультракрупный план встающего и т. д...» Вот как работают люди! И наконец лента «Запрещено к показу» Снимали сплошь знаменитости. Читаю! «Если слова инсталляция, перфоманс и проект вам что-нибудь говорят, каждое имя каждого из семи режиссеров должно ласкать ваш слух»...! Мэтью Барни, прославленный муж великой Бьорк, снял новеллу ...«о взаимоотношениях шестеренки и навазелининой фаллической конструкции». И режиссер Гаспар Ноэ... тоже не оплошал. Читаю: «призвал на помощь монстра порно Мануэля Ферару». И Ферара... Читать от восторга не могу ...

«смонтировал трехминутный ролик из фрагментиков порнохитов...» И какие названия. И это столько лет назад! 2007-й!! Можешь представить что они делают сейчас?! А у тебя — хор и трусики! Понимаешь, кто ты? ... Ты — «застрявший в заднице 60-х «Что молчишь?

РЕЖИССЕР. А зачем мне говорить. Говоришь ты.

СПОНСОР. Понял. Хочешь сказать — Трофимов говорил тогда, а я на него положил ... И на тебя положу!. Я от бабушки ушел и от дедушки ... Не ошибись, колобок! Ну что мог сделать Трофимов? Ну картину закрыть ... А я ведь смогу с тобой *по-взрослому* ... Если деньги на тебя затраченные не отобью, про Тараса Бульбу с тобой говорить не буду... Я твой фильм породил, а убью тебя... (орет) Я тебя, рвань, замочу! Член твой блудливый, который ты в мою девку сунул, оторву и на стенку повешу вместо Рубенса! Который у меня висит! ... Ты понял?.. Значится, блин, пункт первый: девушка моя хочет говорить серьезное, а не про трусики... Придумай родной, придумай золотой... И эпизод «Ночью» расширь, чтоб после него хотелось... чтоб люди завелись! Кино ... оно теперь сила! Оно — и есть виагра»

ТРУБАЧ. И по гречески жахнули!

ТРИО. А-а-а!

Спонсор уходит.

ФЕКИН. (читает сценарий) «И вновь звонок в квартире Нечаева».

РЕЖИССЕР. (командует). Звонок нужно громче. Ну что вы там?! Уснули? Где Жена?

ФЕКИН. (торопливо читает) Нечаев открывает дверь Входит Жена. Она тщательно причесана, в новом платье. (кричит) Зина! Несравненную на площадку!

Зина выводит Суперзвезду.

СУПЕРЗВЕЗДА (читает текст Жены). Ой, накурили! Накурили-то как!

НЕЧАЕВ. Мы вообще не курили.

ЖЕНА. Да? Значит, мне показалось. (Кокетливо.) Ах, вы пили без меня! Не могли меня обождать... Сейчас мы поставим чай. (Уходит. Ее голос) Когда мужчины остаются одни.... (возвращается с чайником,).А я никуда не поехала. Я просто у мамы жила... А маме я сказала, что ты уехал, и мне стало скучно дома. Потом пришел отец и спрашивает: «Ну, как поживает твой хозяин?».. И вдруг мне стало так ужасно тоскливо!

НЕЧАЕВ. Ты знаешь...

ЖЕНА. Я знаю. С картиной неприятности. Ну и бог с ней! Может быть, это и к лучшему. Нам опять будет трудно, и все опять будет по-старому.

Звонок телефона. Нечаев вздрогнул. Жена усмехнулась печально.

Звонки телефона.

РЕЖИССЕР. — Не так! Это какое-то мяуканье! Здесь нужен убийственный, отчаянный звонок!

ОПЕРАТОР. От среднего до крупного

Непрерывный звонок телефона

ЖЕНА. Кто это может быть? (Жалко.) А мы не будем подходить. (Звонки.) А мы не подойдем. Пусть звонят, правда? (Звонки).

НЕЧАЕВ. Видишь ли...

ЖЕНА. Я не хочу ничего видеть! И ничего слышать! (Поднимает трубку, вешает. Звонки прекращаются, но... Снова — звонки. Нечаев идет к телефону. Она хватает его за руку.) Нет! Я тебя прошу! (Поднимает трубку, бросает на рычаг. Наконец звонки прекращаются). Я твоя жена — только я — во всем мире, и теперь когда тебе плохо, я к тебе пришла. Ты меня любишь? Ну хоть немножечко еще любишь? (Вновь звонки.) Молчи! Потом скажешь. И чаще об этом говори. (Звонки.) А то вы почему-то стесняетесь говорить женщине, как вы ее любите. Только немножечко слов! (Звонки.) Ты без меня не сможешь! У тебя никакое здоровье! Кто за тобой будет смотреть? (Звонки прекращаются) Я говорю чепуху. Ты без меня, конечно, проживешь., я не проживу.. Да, унижаюсь, но что тут такого? Молчи! Я всю жизнь прожила с тобой. У меня, кроме тебя, никого не было! Ты мой единственный мужчина, и ты знаешь, как меня легко обидеть! И ни о чем не думай! Если что-то. было... ты ни в чем не виноват! Ты слабохарактерный. А эти новые девки... они страшные... мы не были такими!... «Шел по улице малютка, посинел и весь дрожал». Это наш век. «Шел по улице малютка, посинел и весь дрожал — и прохожих раздевал». Это их — нынешний!.

НЕЧАЕВ. Прошу тебя...

ЖЕНА. Я говорю ужасные вещи... Я не понимаю, что я сейчас говорю. Ты меня любишь? Хоть немножечко? Ну, скажи, скажи, скажи!

НЕЧАЕВ. Да.

ЖЕНА. Ну вот. Все хорошо. А теперь будем пить чай, как раньше. Там в холодильнике — торт. Принеси.

Нечаев уходит. Жена подходит к стулу, отвязывает красный шарик и выпускает его в окно Звонок в дверь.

Жена торопливо открывает входную дверь. На пороге — Аня.

ЖЕНА (Шепотом.) Вы что?

АНЯ (Шепотом.) Металлолом у вас есть?

ЖЕНА. Нету.! (Захлопывает дверь.)

Возвращается Нечаев.

НЕЧАЕВ. Кто это?

ЖЕНА. Дети за металлоломом ... В фонд помощи борющемуся Вьетнаму... Ну что им Вьетнам?!..А вот — сочувствуют! Здорово! Ну, давай пить чай.

ОПЕРАТОР. Здесь — из затемнения

ФЕКИН. (читает) «Комната Отдыха. Испорченная Дверь предусмотрительно открыта За столом Фекин выдает зарплату. Присутствуют Гитара, Блондинка«.

ФЕКИН. (держит речь). Мы прощаемся с вами, ибо нашу картину прикрывают. Сегодня у нас с вами расчетный день по эпизоду «В парадном». Лозунг такой: «Получим дензнаки в порядке очереди и неторопливо». Выдачу зарплаты можно превратить в большое огорчение или в милое светлое ожидание. Начнем по алфавиту: на «А» у нас — нету.! На «Ж»... кто у нас на букву «Ж»?

ГИТАРА. Жгунди... простите за выражение...

ФЕКИН. Вот именно мосье Жгунди. А где же остальной джаз?

ГИТАРА. Товарищи Трубач и Ударник подрабатывают в цирке

ФЕКИН.. Я рад вам выдать зарплату, милок Жгунди! Вы вздыхали, как настоящий грек!.. Надо отвечать «Служу Советскому Союзу»

Гитара, получив деньги, садится в стороне, тихонечко наигрывает

Звонок по телефону.

ФЕКИН. (Снимает трубку.) Да-да... Режиссер не приходил еще... Да-да! Прикрываемся... С 20-го я на «Тургеневе»,» с 30-го на Сером Волке.

Входит Зина.

ФЕКИН. (Тотчас вешает трубку.) Зинуля, я там уже выдал часть зарплаты. У меня неважно сейчас со временем... Может быть, ты?

ЗИНА (язвительно). Я понимаю.

ФЕКИН. (сразу оскорбленно). А я отказываюсь, барышня, понимать вашу дерьмовую иронию. И... все! (Прежде чем она успевает что-то ответить, исчезает.)

ЗИНА (садится за стол) — Сейчас, товарищи, сейчас. Я только войду в курс дела.

Появляются Петя.и Юрочка

ПЕТЯ. Знакомься, Юрочка, это Зина. Она выдаст мне сексуальную плату — за поцелуи. А это мой великий друг Юрий Тарантино — Монро-младший. Он сейчас обдумывает перформанс — «Дерьмовая Съемка». (Кивнув на Блондинку.) А вот с этой девушкой я целовался двадцать шесть раз. Ты можешь поверить в это счастье, Юрий?.. Юрий говорит, что не может.!

БЛОНДИНКА. Влезают всякие без очереди!

ПЕТЯ (Зине) Когда придет девушка небывалой красоты, с которой я столь неудачно целовался, передайте ей эту записочку. (передает Зине)

ЗИНА. Хорошо. (Протягивает деньги.) Распишитесь!

ПЕТЯ. Благодарю. (трагически) А теперь прощайте, Зина! Примите наши соболезнования по случаю закрытия вашего поцелуйного фильма. Прощайте и вы, желтоволосая девушка. И постарайтесь не в первую долю секунды переспать с актером, воплощающем ныне роль Желтого льва.

БЛОНДИНКА. Во-первых, не Желтый лев, а Серый волк! И вообще, если хотите знать, он снимался в тысяче сериалов!

ПЕТЯ. Не может быть!

БЛОНДИНКА. Ему пишут девушки со всей страны!..

ПЕТЯ. Узнаю родину!

БЛОНДИНКА. А вы... Вы...

ПЕТЯ. А я... Я ухожу, и Юрочка тоже. (Уходят.)

Блондинка вдруг расплакалась.

БЛОНДИНКА (всхлипывая). И так все плохо, а он еще... А я уже всем рассказала, что у вас снялась. Теперь никто не поверит. И всегда мне не везет: или картину закроют, или роль вырежут. И опять я — корыто на именинах! (Всхлипывая.) До свиданья! Если, может, вас откроют, вы мне по мобильному.. Я сразу приду... Я очень люблю кино.. (Уходит.)

ГИТАРА. Бедная девушка!

ЗИНА (вдруг зло). Она не бедная! У этих бедных за день случается в личной жизни столько, сколько у меня не случится за всю жизнь!.?

Входит Режиссер.

РЕЖИССЕР. (читает сценарий) Стремительной походкой входит Нечаев.

НЕЧАЕВ. Добрый день! Я что-то ничего не понимаю, Зина! Почему во втором павильоне — никого? Где художники? Почему в рабочее время затеяли выдачу зарплаты?

ЗИНА. Но мы же... закрываемся...

НЕЧАЕВ. Кто сказал?

ЗИНА (радостно). Фекин.

НЕЧАЕВ. Где проходимец?

ЗИНА (счастливо кричит). Фекин! Товарищ Фекин!

Нечаев (это вновь прежний деспотичный Нечаев из первого действия). И договоримся, Зина, если в следующий раз вы не будете знать, где Фекин...

ЗИНА (нежно). Я поняла...

НЕЧАЕВ (чуть неловко). Да... Кстати... Здесь не приходила за зарплатой...

ЗИНА (усмехнулась). Девушка, которая раньше целовалась? Нет, она не приходила. Но непременно придет. За деньгами все приходят.

НЕЧАЕВ. Идите в павильон, Зина. И чтобы все были на месте!. И главное — чтоб эту сволочь Олеженьку (орет) мне привезли! (Зина уходит)

В комнату отдыха заглядывает Аня. Увидела Нечаева ...

АНЯ. Я, вообще-то, за денежкой.

Он бросается к ней, но она уже захлопнула дверь.

Нечаев толкает дверь. Безуспешно. Он бьется в дверь, но дверь неколебима. И он бессильно опускается на стул

ГИТАРА (тихо улыбнулся). Я хочу вам прочесть стихи. Их сочинил мудрый поэт:

«Все будет хорошо.Оставьте ваши спешки!

Все будет хорошо, И выйдут в дамки пешки,

И будут сны к деньгам,

И дождички пойдут по четвергам.

Все будет хорошо!»

НЕЧАЕВ (бессильно опускается на стул Гитаре). Где ваше Трио?

ГИТАРА. На Фабрике звезд. Я сейчас позвоню.. мы мигом соберемся!...

НЕЧАЕВ. Я тут подумал, ... Пока вам собираться не нужно ... Зина сообщит вашим коллегам... Джаз пока отменяется.

Он вскакивает и снова колотит в закрытую дверь.

Дверь распахивается. На пороге — Фекин.

ФЕКИН. Я был...

НЕЧАЕВ. Вы были на «Тургеневе» и на «Сером волке»! И вы еще не один раз об этом с ужасом вспомните!

ФЕКИН. Но ведь мы же закры......

НЕЧАЕВ. Кто?! Кто сказал?!

ФЕКИН. (оперативно). Все будет сделано!

НЕЧАЕВ. Что «все»?

ФЕКИН. Не знаю. Но все!

НЕЧАЕВ. Дверь... должна быть...

ФЕКИН. Починена.

НЕЧАЕВ. Через десять минут!

ФЕКИН. Сделаю.

НЕЧАЕВ. Сейчас же!

ФЕКИН. Сейчас же не могу. (Он боится паузы и понимает, что его спасение в том, чтобы без конца говорить.) Жил был шах, у него была собака, он ее любил. Он позвал визиря: «Хочу, чтоб через год собака говорила, как человек». «Сделаем», — ответил визирь. «Ты что, с ума сошел?» — спросили его. «Нет, — сказал визирь, — главное — никогда не отказывать! А кто знает, что случится за год: или я умру, или шах умрет, или собака сдохнет».! (Стараясь весело.) Ха-ха-ха!

НЕЧАЕВ (устало). Я понял. Возвращайтесь в павильон...

Входит Кирилл Владимирович.

КИРИЛЛ ВЛАДИМИРОВИЧ. Приветствую вас, Тореадор Тореадорович! Поздравляю вас со смелым решением. Итак, вопреки, решили продолжать снимать.

НЕЧАЕВ. Вопреки..

КИРИЛЛ ВЛАДИМИРОВИЧ. Следующий эпизод у вас по плану — «Ночью»?

Нечаев молчит. Кирилл Владимирович насмешливо глядит на него. После паузы).

Я, кажется, понял... А может, этот эпизод «Ночью»... мы ... временно... изымем? (Нечаев молчит) ... Правда, это был ваш главный эпизод... Что вы говорите?

НЕЧАЕВ. Я ничего...

КИРИЛЛ ВЛАДИМИРОВИЧ. Значит, с «Ночью» мы расстались....А как же с джазом?.. Может, и его заодно? Конечно, тоже временно.. (Нечаев молчит.) Ну, тогда и джаз... Уж если резать, так резать.

НЕЧАЕВ (отчаянно). А что же делать?!

КИРИЛЛ ВЛАДИМИРОВИЧ. Забавно: деды и прадеды боялись, потому что расстрелять могли... Отцы — посадить. А мы с вами чего боимся?... Впрочем, вопрос этот больше риторический. Глеб Успенский полтораста лет назад на него ответил: «Надо постоянно бояться — вот смысл жизни в России... Страх, беспокойство, ощущение «виновности» самого вашего существования... с этим чувством у нас рождаются.и с ним же умирают»

ЗИНА (вбегая). Сколько человек массовки готовить на завтра?

НЕЧАЕВ (глухо). Я завтра вам все расскажу. А сегодня... На сегодня все свободны. Хватит на сегодня...

Звонок мобильного телефона

ФЕКИН. Алло (Режиссеру) Наш Олежек

ГОЛОС АКТЕРА. Это ты, прислужник капитала? ... Дрожи. Скоро ... раскулачим кулаков, расказачим казаков и разъевреем Олигархов

РЕЖИССЕР (мрачно). Дай (берет трубку) Кончай дурить, Олег. Я за тебя отрепетировал всю твою роль. Что ты молчишь?

ГОЛОС. Думаю... Я ведь только пьяный и думаю. И такие мысли посещают!

РЕЖИССЕР. Когда приедешь?

ГОЛОС. Вопрос дис-кусс-оный. Я приеду ... приеду когда «Спартак» выиграет

РЕЖИССЕР. Он выиграл.

ГОЛОС. И ЦСКА

РЕЖИССЕР. И оно выиграло.Все выиграли.

ГОЛОС. Интересно.Если все выиграли, кто же проиграл?

РЕЖИССЕР. Я! Я проиграл ... когда взял тебя в картину! Приезжай!

ГОЛОС. Не могу. Я ведь уезжаю друг!

РЕЖИССЕР (стонет). Куда!!? Куда!!

ГОЛОС. Из вашей капиталистической Рашки намылился на Гоа ... Это в Индии. Гоа!. Рай — пальмы, хиппи, океан, коммунизм –все ни хрена не делают Только танцуют и трахаются. А по ночам на пляжах жрут огонь.

РЕЖИССЕР. Какое на хрен Гоа!. Послушай мне предложили снять «Чайковского» ... Играть будешь ты (кричит) Приезжай!!

ГОЛОС. Кого играть?

РЕЖИССЕР. Чайковского!

ГОЛОС. Я Чайковского играю ... только на рояле! На Гоа!.

Гудки в трубке.Блондинка вбегает

БЛОНДИНКА. Вас открыли!

РЕЖИССЕР. Нас не закрывали

БЛОНДИНКА. Мой сказал, что у меня будет большой текст

РЕЖИССЕР. — Будет!!

БЛОНДИНКА. И серьезный

РЕЖИССЕР. Очень!

БЛОНДИНКА. Мой Ильич сказал, что вы обещали

РЕЖИССЕР. Обещал!.. Садись учить текст... Зина!

Зина вынимает из воздуха текст и передает Блондинке

РЕЖИССЕР. Репетируем дальше!

ФЕКИН (читает сценарий). «В Комнате отдыха Нечаев звонит по телефону»

НЕЧАЕВ. Можно Аню?

ГОЛОС НАДЕЖДЫ ЛЕОНИДОВНЫ. Ани нет дома.

ФЕКИН. (читает текст сценария). Мастерская художников. В передней появляется Аня, за ней Петя.

АНЯ. Хорошо, когда где-то музыка и поют. Я пьяная. Вот возьму сейчас и бухнусь у двери.

ПЕТЯ. Тсс! Она, кажется, споткнулась на дороге жизни и сейчас упадет у двери.

АНЯ (Пудрится.) Смешно! У меня к одежде всегда пристают какие-то бумажонки. Я их почему-то притягиваю, как эбонитовая палочка. Ну, ладно! Я, пожалуй, пойду, а то у меня с весельем сегодня не лады!

ПЕТЯ (вдруг серьезно). Плюнь! Слышишь! Что бы ни случилось...

АНЯ. Молчи!

В Комнате отдыха Нечаев набрал номер- Можно Аню?

ГОЛОС НАДЕЖДЫ ЛЕОНИДОВНЫ. Ани нет дома.

Нечаев уходит.

В мастерской. Петя вдруг взял Аню за руку.

АНЯ (судорожно болтая под его взглядом). А вот в прошлом году у меня был прекрасный год. А теперь по закону должна быть полоса невезения. Жизнь идет полосами и похожа на тигра... Слушай, я тебя сейчас... немного боюсь..

ПЕТЯ. Зря боишься. Раньше я думал, что я по натуре бобыль, а сейчас выясняется, что я моногамен. Моногамная семья образовалась на ранних ступенях человеческого развития, на пороге второго тысячелетия до новой эры. Кстати... (Остановился.)

АНЯ. (шепотом) Что?

ПЕТЯ. Не хотела бы для смеха... создать со мной моногамную. семью в третьем тысячелетии новой эры?

АНЯ. Петя! Петечка!...

ПЕТЯ. Пошутил!. А ты молчи. Ты пьяная!

Звонок в дверь. Пауза. Снова звонок. Петя не двигается.

АНЯ. Ну открывай же!... Ну что ты!

Петя открывает. Входит Нечаев.

ПЕТЯ. Здрасте! А мы вас так ждали! Особенно я.. О Юрий, возрадуйся, к нам пришел великий! (убегает.)

НЕЧАЕВ (помолчав). Я не знал, что она вернется.

АНЯ. Это не важно. Она все равно вернулась бы. Ты это знал... Только не подходи ко мне, ладно?..

НЕЧАЕВ. Ладно...

АНЯ. В конце концов, она твоя жена., а я..Давай считать ... ты просто пожалел меня.. Откуда ты узнал, что я здесь?

НЕЧАЕВ. Узнал.

АНЯ. И я тоже знала, что ты сюда придешь.

НЕЧАЕВ. Аня...

АНЯ. Не надо.. Все эти объяснения... (Махнула рукой. Потом подходит к нему и, осторожно проводит пальцами по его лицу.) И не переживай из-за меня. Я была готова к этому с первой секундочки. Мой милый Иосиф Прекрасный! Мой вечный Иосиф Пугливый!

НЕЧАЕВ. Я..

АНЯ. Тсс... Все, что ты сейчас скажешь, будет не то. Понимаешь? У нас уже ничего больше не будет. После того как я увидела её ... я не смогу... Мне ее жалко. Или не жалко... Или я её ненавижу ... В общем... Все! Все! (Засмеялась.) Странная штука жизнь. Если бы мне сказали месяц назад, что все это со мной случится... Ладно!. А теперь пообещай, что ты сделаешь одну вещь. Всего одну

НЕЧАЕВ. Обещаю.

АНЯ. Попрощайся со мною навсегда!..Тсс... Помалкивай. Я все знаю. Тебя никто так не знает. (Коснувшись пальцем его щеки.) Ух, щеки-то горячие! Я буду вспоминать о тебе часто-часто. И буду за тебя молиться, чтобы у тебя все было хорошо. «Молись за меня, бедный Николка!» А теперь постоим до трех: раз, два... три. «И разбежались мышки, серые пальтишки!» (убегает.)

Нечаев хотел броситься за нею, но как-то нерешительно, будто давая ей возможность — уйти... И не успел.. С криком: «Юра, давай!» —преграждая ему дорогу, вбегает Петя, за ним — весьма возбужденный Юрочка-Монро

ЮРОЧКА. Утром в газете, а вечером в куплете!

ПЕТЯ. Ура! Юрочка выпил, на Юрочку стих нашел.

ЮРОЧКА. Ах, я страдала, — страданула, с моста в речку сиганула!

ПЕТЯ. Жарь, Юрочка!

ЮРОЧКА. Что-то стало холодать, не пора ли нам поддать! Не раскинуть ли умишком, не послать ли за винишком!

ПЕТЯ. Здесь была девушка небывалой красоты. Она что ж, совсем ушла?

НЕЧАЕВ. Вы очень похожи на Кирилла Владимировича, вас будто одна мать родила.

ПЕТЯ. Я никак не могу быть на него похож. Потому что он живет в сострадательном наклонении, а я — в повелительном. Что же касается внешней оболочки...

ЮРОЧКА. Оболочка-то сотрется, свиная кожа — остается.

ПЕТЯ. Браво, Юра! Юра, гляди, он уходит от нас! Такой потрясающий! Такой утонченный! Интеллигентный! Ах, как нам всем не хватает интеллигентности! Ну поглядите хотя бы на мою рожу: лоб один на два — будка! Но на прощание скажите нам, интеллигентный, вы бросили девочку? (Молчание.) Бросили или нет? Бросили или нет? Бросили или нет?

НЕЧАЕВ. Бросил.!

ПЕТЯ. О-па! И вернулись в лоно семьи. Да? Вернулись в лоно или нет? (Бешено.) Вернулись или нет? Вернулись или нет?!

НЕЧАЕВ. Вернулся.!

ПЕТЯ. О- па! И это наверняка из благородства? Из чувства человечности?! Да?! Человечность нас спасет! Эпохе не хватает человечности! Как будто ума хватает. Лей, Юра, незримые миру слезы по поводу нехватки!... А вот фильм свой вы тоже будете кромсать из чувства человечности? Будете или нет? Будете или нет?! Будете или нет?!

ЮРОЧКА. Будет!!

ПЕТЯ. О-па! Что и требовалось доказать. А в завершение пойдет баллада под названием «В конце концов».

В продолжение всего монолога Нечаев молча стоит у двери и очень спокойно слушает.

ПЕТЯ. Близится первый счастливый конец! В результате творческих исканий он снимет то что приказали! Но при этом будет мучиться. Второй счастливый конец! Тоже –очень наш В результате личных переживаний он все-таки останется с преданной супругой. Конечно, из чувства человечности. И опять будет мучится Он будет жить с ней в чудной, элитной квартире.

ФЕКИН. Здесь добавлено «Потолок пять метров, жакузи»..

ПЕТЯ. А по вечерам к нему будут приходить гости.

ФЕКИН. Добавлено — «Вип-гости».

ПЕТЯ. Какой-нибудь Лоренцо Медичи Великолепный, Бенвенуто Челлини,

ФЕКИН. Добавлено «Абрамович»

ПЕТЯ. И, сидя в мягких креслах, вы будете беседовать с ними о том, как хорошо художнику в полутемной мастерской творить для будущего. И при этом, конечно, мучиться от своей обеспеченности. И еще оттого, что вернулись к жене. И в результате этих нестерпимых мук вы станете жить с женой и... с девушкой тоже. Из чувства человечности, конечно. И опять же страдать от этого! Только один вопрос, дорогой мученик, наш чемпион по страданиям! Отчего у вас ВСЕГДА такие удобные муки? Отчего в результате ваших мучений ломают себе шею другие? А вы остаетесь страдать, но в самых комфортабельных условиях? Отчего, несмотря на все ваше благородство... из вас всех.так легко сделать дерьмо?!.. Слушайте, а может быть, у нас в порядке с человечностью? Может быть, нам чего другого не хватает?

ЮРА (важно) — Нам не хватает «вечных ценностей» Выпьем за них!

ПЕТЯ. Правильно. Выпьем за что-нибудь вечное За ленинскую кепку, за шляпу Боярского и за наш вечный гимн три раза переделанный

ЮРА. Милки, за то, чтобы мы были здоровы! Пусть с нами все будет хорошо! И пусть мы будем жить до ста лет!

ПЕТЯ (Нечаеву). Я не хочу, чтобы вы были здоровы. Я буду пить за то, чтобы вы сдохли!

НЕЧАЕВ (глухо). Согласен. За ваше здоровье!

БЛОНДИНКА (идет. к рампе, торжественно объявляя) Мой первый Серьезный текст! Посвящается первой учительнице Марь Иванне... Ивановой

«Солнечная Песня». Стихи народные.

«... В стране Советов,
Озаренной новью,
Какое имя солнцем назовешь?
С волнением, благодарностью, с любовью
«Товарищ Сталин!»
Скажет молодежь!»

(распахивая платье) А это... трусики моего Оси!

ФЕКИН. (читает текст сценария) «У входа в киностудию. Глубокая ночь. На ступеньках сидят Гитара и Кирилл Вла-

димирович. Гитара тихонечко играет. В темноте вспыхивает и гаснет надпись: «Киностудия Ленфильм».Появляется Нечаев».

КИРИЛЛ ВЛАДИМИРОВИЧ. Теплая ночь! Не захотелось идти домой. Мне и товарищу...

ГИТАРА. Жгунди, простите за выражение (Нечаеву.) Мы с вами знакомы. Я вздыхал в вашем фильме.

НЕЧАЕВ (усаживаясь рядом). — Сюда не приходила девушка небывалой красоты?

КИРИЛЛ ВЛАДИМИРОВИЧ. Сюда никто не приходил.

НЕЧАЕВ. Тем лучше... Тогда будем сидеть втроем. Теплая ночь.

Жгунди тихонечко играет на гитаре. Все молчат.

НЕЧАЕВ (Гитаре). Хочется плакать, когда вы играете.

КИРИЛЛ ВЛАДИМИРОВИЧ. Он играет про человека. Человек стоит на земле, над ним яркое солнце. Но человек просит и просит: «Остановите землю, я хочу слезть».

ГИТАРА. Грустно играть на исходе ночи, когда слабеют звезды. Многое вспоминаешь, А я уже в том возрасте, когда есть что вспоминать... и улыбаться.

НЕЧАЕВ. Дайте и мне поиграть немного.

ГИТАРА. Не могу.

НЕЧАЕВ. Почему?

ГИТАРА. У вас такие глаза. Если вы станете играть, вам подадут.

НЕЧАЕВ. А вам?

ГИТАРА. Я артист. Мне не подадут...

НЕЧАЕВ. Надо просто понять, когда ты спускаешься. И не погибнуть от отчаяния по пути вниз.

КИРИЛЛ ВЛАДИМИРОВИЧ. Дайте ему поиграть, товарищ Жгунди!

Жгунди молча протягивает гитару. Нечаев играет..

Появляется прохожий.

Нечаев в ужасе глядит на него, продолжая играть.

Прохожий подходит и бросает ему монетку.

ФЕКИН. (читает сценарий) — Конец

РЕЖИССЕР. Нет!... Нет! Это не конец. Да, в мире счастья нет, а есть что? Покой и воля! ... Вариант: Нечаев запира-

ет квартиру, бросает все и едет ... на Гоа! Пальмы, океан, хиппи... и воля! ...

Нечаев бежит по сцене и все персонажи выскакивают на сцену и этаким фелиниевским оркестриком бегут за ним с криком — Феодор Феодорович — Торадор Тореадорович!! Подождите!..Картина не кончена! Останавливайте землю, но зачем же останавливать кино!

НЕЧАЕВ. Фекин и прощай! Ильич прощай! Прощай ... аай!

ОПЕРАТОР. Здесь из затемнения от крупного до среднего

Фекин торжественно выносит пальму и объявляет — -Гоа!

ЗИНА (дует в трубу). Шум океана

Появляется Нечаев в джинсах и майке с надписью по русски:«Ноу мани». Садится скрестив ноги в позе йогов.

НЕЧАЕВ. Обычно на Гоа, как после смерти, появляются все женщины, с которыми ты ...

Толпа женщин выходит на сцену. Впереди Жена, Аня и Блондинка Они в бикини и в венках.

НЕЧАЕВ. На Гоа –благодать Утро начинается с долгого завтрака... Гоасская народная пословица: «Когда идешь на завтрак, не забудь взять фонарь» Так здесь долго завтракают, пытаясь понять два «*ПОЧЕМУ*».

Почему бы нам не любить *своих* жен, если мы так любим *чужих*? И *почему* первая любовь никогда не бывает последней,. но зато последняя часто бывает первой!... О Гоа — территория свободы и мудрости!

БЛОНДИНКА (приближается к рампе). На мне венок из алых роз Гоа. В носу амулет из китового уса.На груди лифчик из пальмовых ветвей На руках браслеты из раковин...

А это (будто готовится снять бикини) А это ... (хохочет) Конец, козлы!

В темноте торжествующий крик Режиссера: Снято! Снято! Снято!

КОНЕЦ

Научно-популярное издание

16+

Эдвард Радзинский

Дочь Ленина.
Взгляд на историю...

Ответственный редактор *М. П. Николаева*
Технический редактор *Т. П. Тимошина*

Общероссийский классификатор продукции
ОК-005-93, том 2; 953000 – книги и брошюры

Подписано в печать 10.05.2017
Формат 84x108[1]/[32]. Усл. печ. л. 16,08.
Тираж 7 000 экз. Заказ 4264

ООО «Издательство АСТ»
129085, РФ, г. Москва, Звездный бульвар, дом 21, стр. 3, комната 5

Адрес нашего сайта: www.ast.ru
E-mail: astpub@aha.ru

«Баспа Аста» деген ООО
129085 г. Мәскеу, жұлдызды гүлзар, д. 21, 3 құрылым, 5 бөлме
Біздің электрондық мекенжайымыз: www.ast.ru
E — mail: astpub@aha.ru

Қазақстан Республикасында дистрибьютор және өнім бойынша
арыз-талаптарды қабылдаушының өкілі «РДЦ-Алматы» ЖШС,
Алматы қ., Домбровский көш., 3«а», литер Б, офис 1.
Тел.: 8(727) 2 51 59 89,90,91,92, факс: 8 (727) 251 58 12 вн. 107;
E-mail: RDC-Almaty@eksmo.kz
Өнімнің жарамдылық мерзімі шектелмеген.

Өндірген мемлекет: Ресей
Сертификация қарастырылмаған

Отпечатано с готовых файлов заказчика
в АО «Первая Образцовая типография»,
филиал «УЛЬЯНОВСКИЙ ДОМ ПЕЧАТИ»
432980, г. Ульяновск, ул. Гончарова, 14